道家文化研究

第八輯

陳鼓應主編

文史哲出版社印行

國家圖書館出版品預行編目資料

道家文化研究 / 陳鼓應主編. -- 校訂一版. -- 臺
　北市: 文史哲, 民89
　　面　；　公分
　　ISBN 957-549-300-1 (一套：精裝) ISBN 957-549-
301-x (第一輯)ISBN 957-549-302-8 (第二輯)ISBN
957-549-303-6(第三輯)ISBN 957-549-304-4 (第四
輯)ISBN 957-549-305-2 (第五輯) ISBN 957-549-
306-0 (第六輯) ISBN 957-549-307-9 (第七輯) ISBN
957-549-308-7 (第八輯) ISBN 957-549-309-5 (第九
輯) ISBN 957-549-310-9 (第十輯) ISBN 957-549-
311-7 (第十一輯) ISBN 957-549-312-5 (第十二輯)

1.道家 - 論文-講詞等　　2. 道教 - 論文-講詞等
121.307　　　　　　　　　　　　　　　　89011271

道家文化研究 第八輯

主 編 者：陳　　鼓　　應
出 版 者：文　史　哲　出　版　社
登記證字號：行政院新聞局版臺業字五三三七號
發 行 人：彭　　　正　　　雄
發 行 所：文　史　哲　出　版　社
印 刷 者：文　史　哲　出　版　社
　　　臺北市羅斯福路一段七十二巷四號
　　　郵政劃撥帳號：一六一八○一七五
　　　電話 886-2-23511028・傳眞 886-2-23965656

精裝全十二冊售價新台幣　　　　元

中 華 民 國 八 十 九 年 八 月 校 訂 一 版

《道家文化研究》在臺重版序言

　　八十年代以來，在中國大陸陸續創辦了一些學術性的刊物，如《管子學刊》、《孔子研究》等，對推動儒家、管子思想及稷下學的研究，起了積極的作用。在此之前，1979 年創刊的《中國哲學》，它是以書代刊的形式出版，給我留下深刻的印象，為此我和一些研究道家的學者曾多次商議想辦一個專門討論道家思想的專刊，這想法終於得到香港道教學院院長侯寶垣先生和副院長羅智光先生的大力支持。於是，《道家文化研究》第一輯很快就於 1992 年面世了。

　　時光荏苒，轉眼之間，《道家文化研究》已經出版了十八輯，辦刊的過程是艱辛的，但每一輯的出版也都帶來收穫的愉快。特別是它能夠穫得海內外學術界的廣泛關注與好評。

　　眾所周知，《道家文化研究》一直是在大陸印行的。這對於臺灣感興趣的讀者帶來諸多不便。兩年多前，我剛回臺大的時候，就感到了這個問題，也就有了在臺灣重新印行它的念頭。當然，我也知道，這並不是很容易做到的。因為，任何一個出版公司若要出版它，大半是要賠錢的。所以，我非常感謝我的老朋友——文史哲出版社的彭正雄社長，願意幫忙印行《道家文化研究》一到十二輯，目前僅印三百部提供專業學者研究之需。同時，我也要借此機會，向上海古籍出版社和北京三聯書店表示感謝，由於他們的慷慨，得以使本刊在臺重印。

陳 鼓 應

1999 年 8 月

《道家文化研究》臺灣版出版開言

　　《道家文化研究》是道家及道教研究的專業研究性刊物，在知名道家專家陳鼓應教授多年努力耕耘下，今天它已經是國際同行不可或缺的學術園地。世界學人只要想用中文發表有關這個領域的研究成果，莫不努力爭取在這個學術園地刊出。試看《道家文化研究》出版至今共十餘輯，作者群就已經遍佈世界各地了，除了海峽兩岸外，更包括韓國、日本、新加坡、澳洲、加拿大、美國及歐洲等地。而且其中更包括張岱年、柳存仁、王叔岷、湯一介、李學勤、朱伯崑、金谷治、余敦康、許抗生、蒙培元、李豐楙、劉笑敢、陳鼓應等等知名學者。

　　可惜，從前受限於現實情況，海峽兩岸資訊交流不易，臺灣地區的學者專家，並不容易取得這一份刊物的。而且《道家文化研究》從創刊號到今天，已經出版了十八本了，好些早已銷售一空；特別是期數較早的，更是一冊難求。有鑒於此，本社認為需要重印整套《道家文化研究》，以饗讀者。

　　也許關心我們的讀者會替本社擔心成本效益問題，但我們的老客戶都知道本社成立近三十年，始終沒有只以營利為唯一的宗旨。雖然我們還不至於像莊子所說的「舉世而譽之而不加勸，舉世而非之而不加沮」，但是，正如同許多讀者一般，我們欣賞這樣高水準的學術雜誌，我們更希望能讓更多人分享到這許許多多知名學人的學術成就。當然學術性專業期刊的銷路，本身就很有限，所以本社也將限量發售，只印三百套，供有興趣的專家學人們選購，當然更希望學校機關及圖書館能夠購備，以便更多讀者可以讀到這份雜誌。這樣，我們的辛勞就不會白費。

　　最後，我們得感謝陳鼓應教授的信賴，更感謝上海古籍出版社及北京三聯書店的慷慨，使得我們的重印計畫得以實現。

彭　正　雄

文史哲出版社發行人

2000 年 7 月 15 日

《道家文化研究》合刊總目

《道家文化研究》第一輯目錄

《道家文化研究》第二輯　　目録

《道家文化研究》第三輯　　目錄

《道家文化研究》第四輯　　目錄

《道家文化研究》第五輯　　目錄

《道家文化研究》第七輯　　目錄

《道家文化研究》第八輯　　目錄

《道家文化研究》第九輯　　　目錄

《道家文化研究》第十輯　　　目錄

《道家文化研究》第十一輯　　目錄

《道家文化研究》第十二輯　　目錄

道家文化研究

第八輯

香港道教學院　主辦

陳鼓應　主編

上海古籍出版社

《道家文化研究》編委會

目　　録

道 的 突 破

——從老子到金岳霖

內容提要 本文對中國哲學中"道"形上學的兩次"突破"作了連貫性的考察。從"道"的前哲學形態到老子的"道"形上學，是第一次突破，奠定了中國形上學的歷史；從老子經過漫長的時間到金岳霖，是"道"形上學的第二次突破，改變了中國傳統形上學缺乏形式化系統的歷史。

不管我們如何喜歡感性的東西，但人類注定要以觀念符號來凸顯自己的優越性。因而，誰在人類觀念符號的進程中爲我們帶來轉折和突破，誰也就在歷史的記憶中獲得了被不斷"話語"的優先權。在此，遙遠的老子和現代的金岳霖被我們特別提示出來，就是基於在"道"這一中國哲學的根本觀念上，他們都具有"創發性"和"突破性"。本文的基本任務，就是把這兩次"突破"連結起來加以思考和比較，以展現觀念演進的實際艱難歷程。

一、 "道"的前哲學形態

無庸置疑，"道"這一名詞，在老子之前就已經出現並在相當程度上被使用。因此，如果我們要把老子之"道"在哲學上的突破性清楚地揭示出來,我們首先有必要來追溯一下,在老子之前,"道"這一名詞是如何被使用的,它的意義是什麼。當然,這一問題太大,也比較複雜,所以在此祇能作一個大致的考察。

"道"字究竟何時出現,至今尚未有強有力的研究成果。金文中已有,已發現的甲骨文還没有"道"字。現在我們仍祇能依據所留下的最早的典籍來看。如果說《尚書》、《詩經》、《易經》、《國語》、《左傳》這幾部書整體上都比《老子》一書要早,那麼,我們就可以把這些典籍中的"道"作爲老子哲學之道或形上之道的前形態。

經考察表明,在《尚書》、《詩經》、《國語》和《左傳》中,"道"字的使用不乏其例。其中以單音詞爲多,也有少量的合成詞。把這些典籍中"道"字的用例歸納一下,它主要有以下六種意義,現分別述之。

(一)指路。一般認爲,這是道字的本義。《説文》云:"道,所行道也。一達謂之道。"《爾雅·釋宮》云:"一達謂之道。"《釋名·釋道》云:"道,一達曰道路。道,蹈也。路,露也。言人所踐蹈而露見也。""道"字的這一意義,在《詩經》中最爲明顯,如所説的"道之云遠"(《邶風·凱風》。此句又重出於《小雅·白華》中)、"道阻且長"(《秦風·小戎》)、"宛丘之道"(《陳風·宛丘》)、"楊園之道"(《小雅·何人斯》)、"行道遲遲"(《邶風·匏有苦葉》)等,這裏的"道"字,其意均是指"路"。在《詩經》和《尚書》中,還没有"道"字與"路"字合在一起的合成詞,但在《國語》中,就有了"道路"一詞,如《周語上》云:"國人莫敢言,道路以目。"《周語中》云:"道路若塞。"《晉語四》云:"道路之人也。""道路"其義仍是"路"。

(二)指言説。《廣雅·釋詁二》:"道,説也。""道"字的言説意,在《詩經》中,就已經有了。如《鄘風·牆有茨》云:"牆有茨,不可埽也。中冓之言,不可道也。所可道也,言之醜也。牆有茨,不

可襄也。中冓之言，不可詳也。所可詳也，言之長也；牆有茨，不可
束也。中冓之言，不可讀也。所可讀也，言之辱也。”其中的“道”
字，顯然應作“言說”或“話語”解。先附帶指出，在這段話中，
我們可以看到言以及言同道、詳、讀關係的最早說明，通行本《道
德經》第一章的“道可道，非常道；名可名，非常名”，似乎是套用
了此句話而出。“道”字的“言說”意，在《國語》中也能看到，如
《晉語九》云：“道之以文，行之以順。”又云：“辯之以名，書之以
文，道之以言。”如果說“道”字的義是“路”，那麼道的“言
說”意就是“引申意”，從“路”怎麼引申出“言說”，我們還
不清楚。

　　(三) 指理則。《廣韻》云：“道，理也。”“道”字的理則意，在
《詩經》中還沒有明確的用例，但在《尚書》和《國語》中，其用例就
非常多了，而且出現了“天道”、“人道”、“鬼道”和“王道”
這一類合成詞，這些合成詞中的“道”字，基本意義都是表示理
則。我們可以通過例子來具體看一下。先看《尚書》。《皋陶謨》云：
“反道敗德。”又云：“滿招損，謙受益，時乃天道。”《甘誓》云：
“今失其道，亂其紀綱。”《湯誓》云：“欽崇天道，永保天命。”
《伊訓》云：“天道福善禍淫。”《太甲下》云：“必求諸道。”《說命
上》云：“恭默思道。”《說命中》云：“明王奉若天道。”《泰誓下》
云：“天有顯道。”《洪範》云：“無有作好，遵王之道。無有作惡，
遵王之路。無偏無黨，王道蕩蕩。無黨無偏，王道平平。無反無側，
王道正直。”《周官》云：“論道經邦，燮理陰陽。” 在《國語》中，
“道”字這一意義的用例就更多了，不勝枚舉。如《魯語上》云：
“易神之班亦不祥，不明而路之亦不祥，犯鬼道二，犯人道二，能
無殃乎？”《晉語一》云：“報生以死，報賜以力，人之道也。”《晉
語》云：“天道無親，唯德是授。”《楚語上》云：“君子之行，欲其
道也，故進退周旋，唯道是從。”《越語下》云，“道固然乎”、“必
順天道”。《左傳》昭公十八年云：“天道遠，人道邇，非所及也，何

以知之,寬焉知天道?"

（四）指方法或途徑。如《周語中》云:"且夫人臣而侈,國家弗堪,亡之道也。"《周語下》云:"作又不節,害之道也。"《左傳·定公五年》云:"吾未知吾道。"

（五）指正義或公正、正直。如《周語下》云:"夫正,德之道也。"又云:"守終純固,道正事信。"《晉語三》云:"殺無道而立有德。"《晉語四》云:"晉之無道久矣。"又云:"晉仍無道,天祚有德。"

（六）指通、達。《尚書·禹貢》云:"九河既道。"《左傳·襄公三十一年》云:"不如小決使道。"《國語·晉語六》云:"夫成子道前志以佐先君。"

以上是"道"字在中國最早幾部典籍中大部分用例的主要意義。在這些意義中,祇有（三）帶有一定的哲學意義,與道的形上化關係比較密切。但是,此時的"道",還祇是哲學的前形態,而不是形上"道"。很明顯,在中國初民的思想觀念中,"道"作為解釋世界的根本範式尚未確立。換句話說,"道"還不是一個超越一切事物的具有普遍性、統一性和絕對性的觀念。雖然"道"字單獨使用時,已帶有理則的意義了,但它仍限制在天的理則、人的理則這些具體的對象之中,並不是非對象化的任何事物都所具有的理則,更不是與具體事物、多樣性相對立并可以用來解釋一切的實體或本體。如果說中國初民具有超越性"實體"的話,那麼,這個"實體"就是"天"或"帝"。的確,在上面所說的中國最早的典籍中,"天"字的使用率不僅高於"道"字,而且它的重要性也遠遠超過了"道"字,被神格化為一種決定一切事物的無限力量和超越者。不過應注意的是,這個"實體"也仍是一個具體的"實體",不是抽象的"實體"。當時的人們還不能區分開一般的"存在"和具體的"存在者",因為天"並不表達單純的生存或一般狀態,而是指稱顯像的某個特殊種類和形態;尤其是在某個地點即空間中某一特殊點上的存在。"（恩斯特·卡西爾：《語言與神話》，三聯書店，1988年，第94頁）正是此故，天最終沒能成爲形上的實體，而被還原爲自然之天（道家最先完成了這一點，而儒家則主要是在程朱理學中達到的）。

同時，在中國初民觀念中，"道"字對"德"字并沒有明確的統屬性。從最早幾部典籍的使用量上說，"德"遠遠超過了"道"字。要對此作出合理的解釋，首先有必要揭示一下"德"字的意義。按照一般的說法，"德"字主要是指人所具有的善良的品質或品行。這種品質或品行，是有所爲、有所求而得，所以"德"也就是"得"。《禮記·樂記》云："禮樂皆德，謂之有德。德者得也。"《廣雅·釋詁三》云："德，得也。"《釋名·釋言》云："德，得也。得事宜也。"朱子《論語集注》云："德者，得也。得其道於心而不失之之謂也。"（《述而》）"得"字，按照《說文》的解釋，就是"行有所得也。"但也有學者從甲骨文和音韻學的角度加以考察，認爲"德"字應訓爲"循"，"德行"，即是"循行"，說："知'德'之本義爲循、動詞，則古書中一些向來難解之義，亦可自明矣。"（見何新《"道德"詁義·再釋德》，載《諸神的起源》，三聯書店，1986年，第308—310頁）此種承諾，也許過高。置此不論，如果說以上兩種解釋都有一定道理，那麼，我們可以依據兩者中的任一解釋來說明"德"字何以比"道"字用得廣。就"德"字之爲"得"這一意義來說，它強調的是現實社會對人的具體行爲的要求。雖然在初民的思想中，人的"德"有其內在於"天"的超越性根據，是"天"的意志，如《國語·晉語四》云："晉仍無道，天祚有德。"但"德"本身則始終是與人的行爲聯繫在一起的，即祇有人纔有"德"的問題。而正是這個"德"，成了維持群體生活秩序的基本信念和評價人的尺度。這樣，"德"就會更受到人的關心並被大大強調。雖然當時已經有"人道"觀念，但"人道"的"道"，主要是通過"德"來規定的。"德"是對具體性或特殊性的強調,即它是事物的規定性。從"德"之作爲"循"來說,它揭示了在初民的社會生活中,人與"自然法"的關係,遵守這種"自然法"就是有"德"。在幾部典籍中,雖能看到直接把道與德聯繫在一起的用例,如《尚書·君奭》説的"我道惟寧王德延"、《周語下》説的"夫正,德之道也"等,但在此不是一般地討論"道"與"德"的關係,而且也不能説"道"高於"德"。

二、老子:道的突破

不管早晚,人類不同民族的思維遲早要跳出有限的具體事物,走向無限的普遍性。根據西方社會學家的研究,在世界幾大文明圈中,都先後出現了"哲學的突破",借用余英時的轉述:"在公元前一千年之內,希臘、以色列、印度和中國四大古代文明,都先後各不相謀而方式各異地經歷了一個'哲學的突破'的階段。所謂'哲學的突破'即對構成人類處境之宇宙的本質發生了一種理性的認識,而這種認識所達到的層次之高,則是從來都未曾有的。與這種認識隨而俱來的是對人類處境的本身及其基本意義有了新的解釋。以希臘而言,此一突破表現爲對自然的秩序及其規範的和經驗的意義產生了明確的哲學概念。……蘇格拉底、柏拉圖和亞里士多德的出現是希臘的'哲學的突破'的最高峰。"(余英時《士與中國文化》,上海人民出版社,1987年,第28頁)

説到中國的"哲學的突破",余英時也認爲他是最"溫和"的。這是因爲它主要是寄托在幾部經書之中,強調"述而不作",把他們在思想上的創發性和新意都説成是對已往精神和價值的承繼和復興,而不是反叛和超越。的確,儒家在這方面是很典型的,而墨、道兩家也有這樣的精神氣質。但是,如果我們注重哲學思想的實質性發展和"突破",那麼,老子所開創的"道家"哲學，並不那麼"溫和"，它不僅帶有強烈的批判精神，而且使"道"達到了"形上的突破"，使之成爲具有西方哲學突破中的那種"本體論"意義。正如上述，在老子之前，"道"還被限制在"天道"和"人道"等中，而不是超出天道和人道之上的"普遍之道"，而且，與"天"和"德"相比，"道"並沒有統屬性的地位。但是，中國智者尋求普遍性的統一性的努力，在老子這裏終於有了驚人的"突破"。道終於走到這一步，"它生養而不是被生養，它生育而不是被生育，它即是'存在'，即是萬物之中的'常'，萬物之中的'存'。因而它'從一開端便常存'，它'從伊始便常在'；現存的萬事萬物，都是在它之後生成嬗變如此的。這裏，所有分別的、具體的和各別的神名全都化作一個名稱：存在；神性從它身上排除了所有特殊的屬性，它不能通過任何其他的東西來描述，它的屬性祇能是它自己。"（恩斯特・卡西爾《語言與神話》，第 95 頁）

　　具體來說，首先"道"被提升到高於"天"（包括"帝"）的位置，明顯成爲優先於"天"的範疇，成爲解釋萬物的"普遍之道"。如上所述，在老子之前，"道"並不優先於"天"，相反，天是解釋世界的最高存在，道隸屬於天。雖然也有"人道"的說法，但由於人是從屬於天的，所以人道自然從屬於天道，而天道的"道"也就離不開"天"而獨立存在了。但是，到了老子，"道"從"天"的隸屬性中解放了出來，明確地被賦予了"優先"或高於天的特性。老子說得很清楚："有物混成，先天地生"（二十五章）；"吾不知誰之子，象帝之先"（四章）。在這一點上，張岱年先生已有準確的說明："老子提出了關於道的新說。老子認爲道是'先天地生'的世界本原。春秋時代所謂天道是天之道，道是從屬於天的。老子則以爲道比天更根本，天出於道。"（張岱年《中國古典哲學概念範疇要論》，中國社會科學出版社，1989 年，第 24 頁）但是，如果"道"祇是優先於"天"，高於"天"的東西，而沒有被"普遍化"爲一切事物的根本或實在，那麼，它就仍是相對的，而不是獨立於任何具體事物的絕對。老子的超越性就在於他使"道"成爲絕對的"普遍之道"。他明確地使"萬物"統屬於"道"之下,把"道"抽象爲"萬物"的本原,請看老子的説法:道"淵兮似萬物之宗"(四章);"大道泛兮,其可左右,萬物恃之以生而不辭"(三十四章)。"道者萬物之奧。"(六十二章) 這樣,不管"天"有多少優越於其他事物的特别之處,它仍是"萬物"中之一"物"。作爲萬物之一,它當然也衹是道的表現,是"道"的天。因而,在老子那裏雖仍有天道的説法,但這時的"天道",就衹是"普遍之道"在"天"上的特殊化了。

同時,"道"也超越"德"之上,成爲高於"德"的範疇。在老子之前,"道"并不優先於"德","德"也不從屬於"道","德"內在於"天",由"天"來決定。如《國語》説的"天祚有德"(《晉語四》)、"天道無親,唯德是授"(《晉語六》),《尚書》説的"以蕩陵德,實悖天道"(《畢命》)等,都表明"德"對"天"的從屬性。而到了老子,"德"就被統屬於"道"之下,並由"道"來得到解釋。老子説的"孔德之容,惟道是從"(二十一章)、"失道而後德"(三十八章)、"道生之,德畜之"(五十一章)等,明確揭示了"道"對於"德"的先在性和主導性。老子把他的書名爲《道德經》,把"道"與"德"放在一起,説明了"德"以及"德"與"道"關係在他那裏的重要性,但"道"與"德"不是並列關係,而且《道德經》中也没有"道德"連用的合成詞。"道"與"德"主從關係的確立,就使世界的統一性和多樣性的關係得到了明確的揭示。"道"是普遍之道,而德則是普遍之道在具體事物上的特殊表現和不同規定。按照陳鼓應先生的説法:"形而上的'道',落實到物界,作用於人,便可稱它爲'德'。'道'和'德'的關係是二而一的,老子以體和用的發展説明'道'和'德'的關係;'德'是'道'的作用,也是'道'的顯現。混一的'道',在創生的活動中,內化於萬物,而成爲各物的屬性,這便是'德',簡言之,落

向經驗界的'道',就是'德'。"(陳鼓應《老子注釋及評價》,中華書局,1984年,第12頁)

以上是從道與天、道與德的關係在老子那裏的明顯轉變,來揭示老子之道的突破性和所達到的超越性。如果我們進一步再看一下老子之道的意義,那麼,這一點也許就更清楚了。

說到老子其"道"的意義,是一個難題。這並不奇怪,因爲對老子來說,形上之"道"就是一個難言的對象。如他明確地指出:"道可道,非常道"。(一章)這種認識與西方現代哲學對語言與形上本體關係的看法是合拍的。如邏輯實證主義認爲形上學不可言說,因而要求放棄話語形而上學,維特根斯坦的一句話是很著名的,他說:"對於不可言說的東西必須沉默",明確勸告人們打消對形上本體的追求,但是,人們並不會輕易地放棄形上本體,還會繼續言説它。遥遠的老子早就認識到語言在本體之"道"面前的局限和無力,但他仍然使用有限的語言勉强地表達了這個本體,他說:"吾不知其名,强字之曰'道',强爲之名曰大。"(二十五章)由於"道"是用有限的語言勉强被揭示出來的,所以它自然有理解上的困難性。

一般來説,老子之"道"是一種形上的本體或實體,在研究者那裏已基本上達成共識,分歧主要在於這個實體究竟是指什麼(參閲任繼愈主編《中國哲學發展史·先秦》,人民出版社,1983年,第254—258頁)。按照我們的理解,作爲本體,老子的道首先是指構成萬物的"純料",老子説的"道之爲物"、"其中有物",就是這個意思。從這一點説,我們贊成馮友蘭先生把老子的"道"解釋爲"真元之氣"(見《新理學》,《三松堂全集》第四卷,河南人民出版社,1986,第50-51頁)。他所説的"真元之氣",與我們所説的構成事物的"純料"是一致的。老子把"道"抽象爲構成一切事物的"純料",第一次賦予了"道"以存在論意義,這是在他之前所未曾有的事。同時,老子的"道"是指"理則"

(與解釋爲規律接近),從這點來說,他是繼承了在他之前的"道"的其中一個重要意義。老子所説的"天之道"、"天道"、"天法道"、"人之道"、"執古之道"中的"道"都是指"理則"。應指出的是,老子的"道"作爲理則,他説得並不明確。也就是説,在老子那裏,道實際上已有了普遍理則的意義,但他還沒有明確地把它説出來。而韓非的《解老》就把實際上所具有的這一意義明確地揭示了出來。他的話極其典型和可貴:"道者,萬物之所然也,萬理之所稽也。理者成物之文也;道者萬物之所成也。……萬物各異理,而道盡稽萬物之理。"再者,老子的"道"也有運動和過程之意。他説的"反者道之動"(四十章)、"周行而不殆"(二十五章),即是這一意義。當然,在這一點上,老子的話很有限。

應指出的是,現代西方哲學家,如海德格爾和伽達默爾都試圖用"道"字的本義"路"以及所引申出的"方法、途徑"來解釋老子的"道",認爲老子是把"方法,途徑"作爲世界的根源(參閲俞宣孟《現代西方的超越性思考——海德格爾的哲學》,上海人民出版社,1989 年,第 328 頁)。的確,在老子那裏,"道"字有時是在方法或途徑的意義上被使用的,如"長生久視之道"(五十九章) 中的"道"字就可解爲"方法或途徑"。但是,老子之"道"中的方法或途徑意,並沒有被本體化,它祇是在普通意義上 (非哲學意義) 被使用的,與後來的普通使用是一樣的。此外,有人認爲老子的"道"還具有"言説"義(見鄭湧《以海德格爾爲參照點看老莊》,載《道家文化研究》第二輯,上海古籍出版社,1992 年,第 156—157 頁)。與上同樣,如果從《道德經》中的所有"道"字來看,確實有"言説"的意義,"道可道"中的後一個"道"字顯然就是指"言説"。這也是老子之前"道"字的其中一個意義。雖然道字的言説意與西方"邏格斯"的本義是一致的,而言説意在中國語言使用中又一直被保持了下來,但在老子那裏,在其後的中國哲學發展中,它的言説意也不具有"哲學"

的意義。也就是説，它的言説意並没有發展成爲一種哲學上的討論。提出老子之道的言説意問題，大概與語言哲學使"邏格斯"向本意的"還原"有關，加上有人把"道"字譯成"邏格斯"，因而使邏格斯向"言説"意還原，自然會注意道的言説意。但我們認爲，把老子的"道"譯成"邏格斯"，其根據在於"邏格斯"的"理性"意義，而不是言説意。強調"邏格斯"或"道"的言説意，與老子之道具有不具有言説意應區分開。

不管怎麼説，老子之"道"在哲學上的突破性，是很明顯的。但是，不能否認，老子的道形上學還有很大的局限性。它不是一個觀念系統，"道"的説法還比較模糊。它雖爲後來的思想發展提供了充分發揮的餘地，但卻增加了解釋的困難性。"道"作爲本體應該是超越時空的，但老子卻賦予道以時間和空間的意義，如他認爲"域中有四大"，把"道"作爲其一，與天地人并列。又認爲"道乃久"，"久"是一個形容時間的詞。這就難以使他的道保持一貫的超越性。他的"道"還帶有強烈的"復歸論"色彩。他説的"反者道之動"，強調了道的動態性和過程性，但這種動態和過程卻是"向後的"（"反"即是"返"），而且是回到"至靜"的狀態中。他把"樸散爲器"，視爲事物的異化，不是要求"走向"事物本身，而是主張"返璞歸真"。他的"道"還存在着"生成論"與"構成論"的二元性。

三、後老子之"道"的諸形態

自從老子確立了"道"形上學之後，"道"在中國哲學中就成爲一個最基本的哲學概念，不斷地被哲學家們所討論，出現了一些不同的形態。詳細地考察這些不同形態不是本文的任務，爲了前後比較的需要，我們祇作有限的説明。

後老子之道的諸形態，首先可注意的是莊子和王弼的絶對之

"道"。莊子繼承了老子的"道",把"道"的絕對性和超越性進一步明確化了。他的有代表性的一話説:"夫道,有情有信,無爲無形,可傳而不可受,可得而不可見。自本自根,未有天地,自古以固存;神鬼神帝,生天生地。"(《莊子・大宗師》)王弼通過注解老子《道德經》,發揮了自己的哲學思想,他把老子的"無"提升爲形上的本體,大講"無",提出了"以無爲本"的命題。但是,在王弼那裏,"無與道"的關係是很明確的,即"以無爲道",如在解釋"一陰一陽之謂道"時,他説:"道者何? 無之稱也,無不通也,無不由也。況之曰道,寂然無體,不可爲象。"(《繫辭傳注》)又如,對於老子的"無名天地之始",他解釋説:"凡有皆始於無,故無形無名之時,則爲萬物之始。……言道以無形無名始成萬物"。再如,對老子的"道生一",他解釋説:"萬物萬形,其歸一也。何由致一? 由於無也。"(四十二章注) 這幾處都是把"道"與"無"視之爲一。在三十八章注中,他提出:"載之以道,統之以母。"道與母是並列的,母也是"無"。而且,置開與無的關係,王弼也是以"道"爲形上本體。《老子指略》説:"夫道也者,取乎萬物之所由也。""之所由"即構成一切事物的根據。王弼避免了老子"生成論"與"構成論"的二元性,而走向了單純的"構成論"。

　　後老子之道的另一個形態是以理爲道,或以"一陰一陽"爲道,這都是強調道的"理則"之意。韓非把"道"作爲所有"理"的總括,這我們已説過了。之後以理爲道的最突出表現是宋明理學。程顥明確説:"蓋上天之載,無聲無臭,其體則謂之易,其理則謂之道。"(《遺書》卷一) 朱熹講得更多,如他説:"陰陽迭運者氣也,其理則所謂道。"(《周易本義・繫辭上》)又説:"卦爻陰陽皆形而下者,其理則所謂道。"(同上) 王夫之也是把道視之爲理,他説:"道者天地人物之通理"。(《張子正蒙注》卷一) 由於程朱的"理"還保持着與氣的相對性,所以"以理爲道"的

“道”，也就不能不具有相對性。王夫之把氣看作實體，而理則從屬於氣，因而其道也自然不能外於氣而成爲最高實體。把“一陰一陽”視之爲道，首先是《繫辭傳》，其言曰：“一陰一陽之謂道。”程頤發揮了這一説法，他説：“一陰一陽之謂道，道非陰陽也，所以一陰一陽，道也。”（《遺書》卷三）又説：“離了陰陽更無道，所以後陰陽者是道也。”（同上書，卷十五）這是把道視之爲陰陽所以然或根據。在《繫辭傳》中道雖高於陰陽並有“形而上者謂之道”的説法（照張岱年先生的解釋，“上”無根本之意。見《中國古典哲學概念範疇要論》，第 25 頁），但“道”很難説是最高實體。而程頤與朱熹有類似的情形。

此外，後老子之道的第三個形態是以變化的過程爲道。張載説：“由氣化，有道之名。”（《正蒙·太和》）戴震繼承了張載的這一説法，他指出：“道言乎化之不已也。”（《原善》）“氣化流行，生生不息，是故謂之道。”（《孟子字義疏證》）由於張載和戴震都把氣作爲本體，所以道就喪失了最高實體的意義。

儘管在老子之後“道”展現出了不同的形態，但是，這些不同形態，都不能説超出老子多遠，而且除了莊子和王弼外，“道”的絕對性受到很大的衝擊，而這種情形在金岳霖那裏卻被驚人地改變了。

四、金岳霖：“道”的“新突破”

金岳霖爲二十世紀中國哲學家，他的“道”形上學創立於三十年代末，其代表著作是《論道》。此書 1940 年由商務印書館出版，名之爲《論道》是葉公超的建議，初版《序》説：“我也要感謝葉公超先生，他那論道兩字使一本不容易親近的書得到很容易親近的面目。”此書出版後，當時加以評論的人並不多，而且又極其簡略。林宰平持批評意見，他説中國哲學不是舊瓶，更無需新酒，同時也不能是一個邏輯體系。黃建中採取折衷的意見，他說此書“有意創作而不免因襲”。賀麟基本上持肯定態度，他認爲“這是一本獨創性的玄學著作”。與金差不多同時而創立了“新理學”體系的馮友蘭，應金之意，看過《論道》的原稿，但他祇是就文字提出了若干意見，並沒有在思想上有所評論。事隔近半個世紀的1982年，爲了祝賀金從事哲學、邏輯學的教學和研究五十六周年，馮送給金一幅對聯，其中一句說：“道超青牛，論高白馬”，意思是說金的《論道》超過了老子的《道德經》，金的《知識論》高於公孫龍的《白馬論》，但《論道》究竟在什麼地方超過了《道德經》，馮也沒有具體的說明。

如上所說，老子已認識到了形上之“道”的非言說性，而最後又用有限的語言“說”了“道”。同時，他還區分了“爲學”與“爲道”的不同 (可從知識論和形上學來理解)，但是老子還沒有從一般意義上討論本體的非言說性，而且它的說法還非常籠統。與老子不同，金的說明則上升到了一般的意義而且比較具體。他說：“普通所謂形上學，大致說來，總是對於本體有所陳述的。”(《知識論》，商務印書館，1982年，第897頁) 又說：“治哲學總會到一個說不得的階段。說不得的東西就是普通所謂名言不能達的東西。有些哲學家說，說不得的東西根本不能成爲其東西。如果我們一定要談到這樣的東西，我們不過是說些廢話而已。這種主張也對。說不得的東西當然說不得。若勉強而說之，所說的東西既不是經驗中的特殊也不是思議中的普遍。但是，這不是哲學主張。因爲治哲學者的要求就是因爲感覺這些名言之所不能達的東西，而要說些命題所不能表示的思想。假如他不是這樣，他或者不治哲學，或者雖治哲學而根本沒有哲學思想。”(《勢至原則》，載《金岳霖學術論文選》，中國社會科學出版社，1990年，第339—340頁) 對說不得的本體硬要去說，其說則爲本然陳述，它既不同於邏輯命題，也有別於經驗命題和科學命題。邏輯命題不斷定任何事實,祇斷定任何可能之爲可能;邏輯命題的真是形式的真。與此不同,本然陳述也不斷定任何事實,但它解釋任何事實;本然陳述的真是實質的真。本然陳述與經驗命題和科學命題的不同在於,後者斷定固然的理(自然律),它有界域,其真是分別的真,是合於此而不合於彼的真。而前者則斷定最普遍的理,它無界域,是彼此都能合的真。金的這種對本體的看法,是包括老子在內的中國哲學家所不曾有的。

就“道”這一概念本身而言,在老子那裏,雖已經是一個本體論範疇,但他對道的規定還比較模糊,而且偏重於“純料”(“物”)上。之後的形上學,如,朱熹的“以理爲道”,都有使“道”陷入一偏的弊病。但是,金的“道”既不單獨是“純料”(或氣),也不單獨是“純式”(或理),而是“純料”與“純式”的統一。金的陳述是:“道有‘有’,曰式曰能。”(《論道》第 19 頁)“道是‘式與能’。僅‘式’無以爲道,僅‘能’亦無以爲道。……道是二者之‘合’,不單獨地是‘式’,也不單獨地是‘能’。”(同上書,第 35 頁)而且,在老子那裏,“道”還有被等同於“無”的一面,王弼則把這一點引向極端,完全以“無”爲道。而金則否定了道的“無性”,他陳述說:“道無‘無’。”(同上書,第 24 頁)

由於老子之道,作爲一種實體側重於“純料”上,因而它難以說明事物的“現實化”過程“何以”有性質上的不同或各自的規定性。同樣,張載和戴震“以氣化爲道”,祇注意到了“氣”而忽視了“理”,因而也難以說明在變化過程何以化出性質不同的事物。而金的“道”作爲“實體”不僅有“能”,而且有“式”,通過能與式的結合,就說明了變化過程何以有不同性質的事物現出。與此相關,老子的道作爲一種過程究竟是什麼,還不清楚。而金則改變了這一點,他明確地指出道的過程是“居式由能”,是“由是而之焉”,即是“能”不斷地與“式”結合的過程,他也明確說:“能出爲道,入爲道。”(同上書,第 36 頁)。

　　而且,老子的"道"有強烈的"退化論"和"復歸論"色彩,他把事物的分化視之爲非自然化和衰退,要求事物重新回到原來的"樸"中,把"樸"作爲事物的最理想狀態。不僅老子,在其他一些哲學家中,這種"退化論"的格調也是很濃厚的。而金的"道"則徹底地逆轉和抑制了這種觀念,他賦予"無極而太極"這一中國古典哲學命題以全新的意義。在邏輯上,把"無極"作爲事物的最原始狀態,類似於老子的"樸",認爲這一狀態"非能而近乎能",也就是"近乎無名"或"混沌",這一近乎能的"無極",通過"能"的主動性,而向"太極"方向發展、演進。"太極"是邏輯上未來的最理想的狀態,這種狀態恰恰與原始的"無極"狀態相反,它是"非式而近乎式",也可以說是"近乎有名",是極端的清楚,到了這種狀態一切事物都進入到最高的境界,照金的說法即"至真、至善、至美、至如"。正因爲事物是從非理想的"無極"朝向最理想的"太極"演進的,所以這一過程就是有意義、有價值程序,是自然的合理化過程,金說:"太極絕逆盡順,……這就是說現實底歷程不是毫無目的,毫無宗旨的,它不僅是歷程而且是程序。無極而太極不僅表示方向而且表示目標,表示價值,不過在短時期內,我們看不出來而已。以千年、萬年、百萬年爲單位,我們看不出整個的道演的踪迹。雖然如此,局部的道演不見得毫無象徵。即以人類幾千年的歷史而論,人類本身我們不能不說有進步,雖然以道觀之我們不免滄海一粟,而小可以喻大,這點子成績也可以表示現實底歷程不是毫無意義的歷程。這歷程既是有意義,同時也是一種程序。"(《論道》第 203 頁)

　　老子的"道"作爲本體,應是超時空的,但他卻又賦予給它時空的內容,從而限制了"道"的超越性。但是,金的"道"卻完全超越了任何的相對性,當然包括相對的時空,如他說:"道無生滅,無新舊,無加減,無終始,無所謂存在。""道無動静,無剛柔,無陰陽，無顯晦。"(《論道》第 35 頁) 因爲 "這些表示意味的形容詞都不能引用到道身上去，引上去，就有偏，有蔽，有所限制，而所謂道者，就不是此處的道。"(同上書，第 35 頁) 同時，老子的 "道" 形上學還缺乏形式的系統，没有把觀念嚴密地組織起來，以清楚地顯示出觀念之間的關係。這種情形，當然不限於老子一人，老子之後的中國古代形上學，都是如此。而金的 "道" 形上學，則完全把觀念組織爲一個嚴密的邏輯系統，從而一舉改變了中國形上學一直土裏土氣的面貌，其突破性極其難能可貴。

肯定金的 "道" 形上學的新的突破性，并不意味着這一形上學是十全十美的，實際上，它也是有局限的 (參見拙著《理性與浪漫——金岳霖的生活及其哲學》，河南人民出版社，1993)，克服這種局限性，將是中國 "道" 形上學再次突破的預期目標。

作者簡介　王中江，1957 年生，北京大學哲學博士，現爲河南省社會科學院副研究員。著有《嚴復與福澤諭吉——中日啟蒙思想比較》、《理性與浪漫——金岳霖的生活及其哲學》等。

道家黃老學的"天、地、人"一體觀

胡家聰

内容提要 本文較全面地考察了道家黃老學的"天、地、人"一體觀的思想。首先指出黃老學的這一思想淵源於春秋末年的老子與范蠡的哲學思想。之後全面地探討了"天、地、人"一體觀的豐富的思想内容。最後在此基礎上,分析了"天、地、人"一體觀對先秦諸家思想的影響。

在"百家爭鳴"於戰國中後期興起高潮之時,道家黃老學説好像異軍突起,廣泛傳流於齊、楚、韓、趙、魏等地。黃老學,其學派屬道家,如《史記》所説:稷下先生慎到、田駢、環淵"皆學黃老道德之術"(《孟子荀卿列傳》);又説:樂臣公"善修黃帝、老子之言……"(《樂毅列傳》)從遺存至今的黃老學文獻來考察,包括長沙馬王堆漢墓出土的《黃老帛書》(或許是《漢書・藝文志》著錄的《黃帝四經》)、《管子》中的道家篇章、《慎子》書、田駢遺説、《尹文子》、《鶡冠子》、《文子》等等,可知衆家的黃老道論多精言萃語,結合現實推衍老子學説,哲學内涵十分豐富。尤其引人注目的是,其中"天、地、人"聯提之處甚多("天、地、人"聯提,《易傳》稱之爲"三才")。茲略舉如次:

王天下之道,有天焉,有人焉,又(讀有)地焉,三者參用之。(黃老帛書《經法・六分》)

王者不以幸治國,治國固有前道,上知天時,下知地利,中知人事。(帛書《十六經·前道》)

天主正,地主平,人主安静。(《管子·内業》)

天或維之,地或載之……人有治之,闢之若夫雷鼓之動也。(《管子·白心》)

天不一時,地不一利,人不一事,是以著業不得不多分,名位不得不殊方。(《管子·宙合》)

天有明,不憂人之暗也;地有材,不憂人之貧也;聖人有德,不憂人之危也。(《慎子·威德》)

道凡四稽:一曰天,二曰地,三曰人,四曰命(指君主之政令)。(《鶡冠子·博選》)

如此等等的“天、地、人”聯提,意味着道家黄老學在客觀上把天地萬物和人類社會看成是一個總的體系,這個體系以人類爲本位,人類與整個自然天體的運行具有辯證的普遍聯繫的規律性。這就是道家哲學的“天、地、人”一體觀。如果説,老子哲學自然主義的“道”對於西周以來德治主義的“道”具有劃時代的意義,那麼,黄老學結合社會現實創造性地推衍老子哲學道論,從而形成了內涵更爲豐富的“天、地、人”一體觀,這樣就更上一層樓,集中反映了先秦道家哲學時代精神的精華,它對於傳統民族文化的發展起着不容忽視的積極推進作用。

一、“天、地、人”一體觀的哲學淵源

道家黄老學者總是要吸取前輩的思想成果。經詳密考察,黄老學“天、地、人”一體觀的思想淵源主要有二,一是范蠡思想,二是老子哲學。

(一)范蠡思想。范蠡爲越王勾踐的大夫,《國語·越語下》記述范蠡協助越王伐吳的事,其中的主導思想即“持盈者與天,定

傾者與人，節事者與地”。(這裏指天、地、人三種因素或條件，天道盈縮轉化，盈而不溢，盛而不驕，“與天”意即法天；“節事者與地”，地能包萬物，容禽獸，時不至不可強生，事不究不可強成，守時、因時便能得地利；“定傾者與人”，“傾”，危之意，“定傾”要靠“與人”，指取人之心，脫離危難。) 范蠡在政治、軍事上具體運用上述指導思想，因而取得伐吳的勝利。這段史事很吸引人，論述其事及范蠡言論的《越語下》簡書，可能流傳頗廣。

　　說范蠡思想是“天、地、人”一體觀的哲學淵源，不是沒有根據的，其根據正在於帛書《十六經·觀》抄襲了《越語下》范蠡言論的原文。現將兩者文字相合處列爲對照表。

《十六經·觀》	《越語下》
是故爲人主者，時挃三樂，毋亂民功，毋逆天時。然則五穀溜孰 (熟)，民〔乃〕蕃茲 (滋)。君臣上下，交得其志。	四封之內，百姓之事，時節三樂，不亂民功，不逆天時，五穀睦熟，民迺蕃滋。君臣上下，交得其志。

　　兩者對照，帛書《十六經·觀》抄襲《越語下》的痕迹甚明。其文字稍有不同之處：(1)“時挃三樂”的“挃”，《越語下》作“節”，韋昭注：“三樂、三時之務 (指春、夏、秋農事)，使人勸事樂業。”(2)“五穀溜孰”，《越語下》作“睦熟”，文義亦相通。據此可見，《十六經》作者必讀過《越語下》原篇，有意吸收范蠡“天、地、人”的持盈、定傾思想，不僅抄襲其中文字，而且作了進一步的表述：“王者不以幸 (僥幸) 治國，治國固有前道，上知天時，下知地利，中知人事。”

　　(二) 老子哲學。黃老學的“天、地、人”一體觀更直接地淵源於老子“道法自然”的哲學思想。《老子》二十五章說：

　　……故“道”大，天大，地大，人亦大。域中有四大，而人居其一焉。人法地，地法天，天法“道”，“道”法自然。

黃老學"天、地、人"爲一體,因襲老學"'道'大,天大,地大,人亦大"的"域中有四大",轍迹鮮明。從本體論說,"道"是天地萬物實存性的本體,即天地萬物生化、運作能力的源泉。落實在"四大"之一的人類社會層面上,"道"即是"德","道"又是天地萬物生化、運作的自然規律。由此可見,"天、地、人"是普遍聯繫爲一體的。

二、"天、地、人"一體觀的豐富的思想内容

道家黃老學的各種文獻多道家哲學的精言萃語,内涵豐富而深奧。因此,"天、地、人"一體的思想觀點聯繫着許多方面,如"百家爭鳴"、君主立法決策、持虚守静的唯物反映論、舉事因時而動,等等。其内容豐富多彩,引人入勝,兹簡析如次。

(一)"天、地、人"一體與稷下學百家争鳴

在戰國時期,"諸侯異政,百家異説。"(《荀子·解蔽》)唯獨齊國設有官辦的稷下之學兼容百家,展開爭鳴,而以宣王時爲最盛。著名道家學者尹文曾答齊宣王問:"人君之事,無爲而能容下。……大道容衆,大德容下,聖人寡爲而天下理矣。"(《説苑·君道》)尹文屬黃老學派,他所説的"無爲"、"寡爲"、"大道容衆,大德容下",其深層内蘊便有兼容百家之意,而宣王稱"善"。但這是概略,言之不詳。

若問:"百家爭鳴"有没有指導理論呢? 回答是:有,并與"天、地、人"一體觀相聯繫。出於稷下學的《管子·宙合》(以下凡引《管子》,只注篇名)説:

> 天不一時,地不一利,人不一事,是以著業不得不多分,名位不得不殊方。明者察於事,故不官於物,而旁通於"道"。
>
> "道"也者,通乎無上,詳乎無窮,運乎諸生。是故辨於一言,察於一治,攻於一事者,可以曲説而不可以廣舉。聖人由此

　　知言之不可兼(通“嗛”,歉缺之意),故博爲之治而計其意;知
　　事之不可兼(嗛)也,故多(原作“名”)爲之説而况(比較)其
　　功。

這段引文的涵義精深,可分作三個要點理解:

　　(1)“天不一時,地不一利,人不一事”,意指“天、地、人”一
體的自然之“道”,即“‘道’也者,通乎無上,詳乎無窮,運乎諸
生”,涵括整個宇宙,天地萬物,概莫能外。

　　何謂“天不一時”? 原文:“歲有春秋冬夏,月有上下中旬,
日有朝暮,夜有昏晨,半星辰序,各有其司。”

　　何謂“地不一利”? 原文:“山陵岑岩,淵泉閎流,泉逾瀵
(小河) 而不盡,薄(泊) 承瀵而不滿,高下肥磽,物有所宜。”

　　何謂“人不一事”? 原文:“鄉有俗,國有法,食飲不同味,
衣服異彩,世用器械,規矩繩準,稱量數度,品有所成。”接着强
調:“此各事之儀,其詳不可盡也。”

　　正因如此,社會上“著業不得不多分,名位不得不殊方”,即
事業不能不分爲多種,名位不能不分爲多樣。

　　(2) 所謂“明者察於事,故不官於物,而旁通(即廣通) 於
‘道’”,是説明體道之人(意指君主),不專注於具體事物,而要透
過種種有形的具體事物,認知寓於其中的無形的本質、規律,即
“通乎無上、詳乎無窮、運乎諸生”的大道。基於這“旁(廣也)通
於‘道’”的宏觀認識論,“是故辨於一言,察於一治,攻於一事者,
可以曲説,而不可以廣舉”,這是指局部與總體、微觀與宏觀的辯
證關係,只局限於微觀局部“辨於一言(一家學説),察於一治(一
種政治),攻於一事(一種專業)”的人,只能作囿於一曲的“曲
説”,不能提升到“天、地、人”一體宏觀高度的“廣舉”,從而
通於“大道”、“大理”。

　　“聖人由此知言之不可兼也(兼,通‘嗛’,讀‘歉’,歉缺之意),
故博爲之治而計(通‘稽’)其意;知事之不可嗛(歉缺)也,故多爲

之説而況（比較）其功。"這是説，執政的聖君賢佐之流，知道"言"與"事"的不可歉缺，故此"博爲之治"、"多爲之説"，意即對"百家學"要兼容并包，通過"爭鳴"而稽其意、況其功，使百家衆説各獻其長，以利於治。

(二)"天、地、人"一體與君主立法決策

老子説："'道'常無爲而無不爲，侯王若能守之，萬物將自化。"(三十七章) 黄老學推衍爲君臣的分工，君道"無爲"管決策，臣道"有爲"去執行。《宙合》説得明白：

> 君出令佚 (指決策)，故立 (位) 於左；臣任力勞 (指執行)，故立 (位) 於右。夫五音不同聲而能調，此言君之所出令無妄也，而無所不順，順而 (則) 令行政成。五味不同物而能和，此言臣之任力無妄也，而無所不得，得而 (則) 力務財多。

這裏，"君出令佚"的"佚"指君道"無爲"，"臣任力勞"的"勞"指臣道"有爲"。君主決策、臣下執行，這一對矛盾是以君主決策爲主導。恰如《任法》所説：聖君"守道要，處佚樂。"關鍵在於君主立法出令的決策，必須持守"道"的要領，簡稱"道要"。

君主決策的"守道要"與"天、地、人"一體緊密聯繫着。《五輔》論説君主行使國家權力，謂"權有三度"：

> 上度之天祥，下度之地宜，中度之人順，此所謂"三度"。

> 故曰：天時不祥，則有水旱；地道不宜，則有飢饉；人道不順，則有禍亂。此三者之來，政召之 (政策招致之)。曰：審時以舉事，以事動民，以民動國，以國動天下。

君主"守道要"而決策，黄老學多有與"三度"相關的哲理，可以分爲兩個方面加深理解。

(一) 經常把握"天、地、人"運作的規律。帛書《經法·六分》："王天下者之道，有天焉，有人焉，又 (有) 地焉，三者參用之。"這與上説"三度"義同，三者參合而用，指把握"天、地、

人"一體的規律性。帛書《經法·四度》更強調:"極而反,盛而衰,天地之道也,人之李(理)也。逆順同道而異理,審知逆順,是謂道紀。"

怎樣審知自然天道的順逆呢?《管子·形勢》説得清楚:"天不變其常,地不易其則,春秋冬夏不更其節","常、則、節"都是有規律的。所謂"得天之道,其事若自然;失天之道,雖立不安",認知并把握自然天道的規律性,舉事自然而然會成功;相反,抛開、脱離這種規律,事情雖有所成也不能安穩。所謂"其功順天者,天助之;其功逆天者,天圍(違)之。天之所助,雖小必大;天之所違,雖成必敗。順天者有其功,逆天者懷其凶。"這裏強調的是,施政辦事一定要遵循"天之道"的自然規律,違反規律而行事,必遭規律的懲罰,即《五輔》所説"天時不祥則有水旱,地道不宜則有飢饉,人道不順則有禍亂,此三者之來政召之。"而這恰恰是帛書《經法》所謂"審知逆順,是謂道紀",強調順任自然天道而不逆。

(二)"審時以舉事"。君主及其輔臣經常把握"天、地、人"一體的規律性,而在施政上審時度勢、不失時機地決策而舉事。諸如:

帛書《十六經·五政》説:"今天下大爭,時至矣……作爭者凶,不爭〔者〕亦無成功。""天下大爭"的時候到了,雖明知"作爭者凶",但還是要因時而動,決意去爭,又説:"因天之時,與之皆斷(決策之裁斷)。當斷不斷,反受其亂。"(帛書《十六經·觀》)對此《宙合》又作了哲學概括:"聖人之動静、開闔、詘信(即屈伸)、涅儒(即盈縮)、取與(予),必因於時也。時則動,不時則静。"黃老道論"因時"而動的辯證法,可能更多地淵源於范蠡思想,如"得時勿怠,時不再來;天予不取,反爲之災"等等(《越語下》),比老子哲學有更多的積極因素。

(三)"天、地、人"一體觀與身心正静的養生論

　　黃老學認爲,人以天爲父,地爲母,君主"父母之行備,則天地之德也。"(帛書《經法·君正》)《內業》也説:"天主正,地主平,人主安静。"這是"天、地、人"一體的聯繫,因而"能正能静,然後能定。定心在中,耳目聰明,四肢堅固可以爲精舍。精也者,氣之精者也。"這裏論述的"定心在中,耳目聰明,四肢堅固"的養生論,是同"精氣"説緊密聯繫的。重視身心修養,迺因襲老子學:"修之於身,其德迺真。"(五十四章)有幾個要點:

　　(1) 養氣論。這與"精氣"説結合着,《樞言》依托管子:"管子曰:'道之在天者,日也;其在人者,心也。'故曰:有氣則生,無氣則死,生者以其氣。"這裏的"氣"指精氣,《內業》説得明白:"精存自生,其外安榮。內藏以爲泉原,浩然和平,以爲氣淵。淵之不涸,四體迺固;泉之不竭,九竅遂通。迺能窮天地,被四海;中無惑意,外無邪災。心全於中,形全於外;不逢天災,不遇人害。"這種"浩然和平,以爲氣淵",看來是內以養"心"、外以養"身"的內外結合,所以"心全於中,形全於外",便有古之導引、今之氣功的意味。《莊子·刻意》記導引之士:"吹呴呼吸,吐故納新,熊經鳥申 (伸),爲壽 (長壽) 而已矣。"所謂"導引",明明是內氣與形體結合的養氣之功 (長沙馬王堆漢墓有出土帛書《導引圖》可以爲證)。

　　(2) 正静論。黃老學認爲:"人能正静,皮膚裕寬,耳目聰明,筋信 (伸) 骨強。迺能戴大圜 (頂天) 而履大方 (立地),鑒 (心之如鏡) 於大清,視 (指耳目) 於大明,敬慎無忒 (無差失),日新其德。"(《內業》) 這裏説的是身心"正静",修身要正,養心要静,以此養生,身心健康,迺能頂天立地,心及耳目的察覺和思維能力達到"大清、大明"的境界,慎行無失便能"日新其德",智慧不斷更新。

　　(3) 飲食適度。《內業》説:"凡食之道:大充,傷而 (則) 形不臧 (不臧,意同不善);大攝(攝,收斂,節省),骨枯而血沍 (沍,塞而不通)。充攝之間,此謂和成,精之所舍,而知之所生。"這裏說得很明白,用饍不可食之過飽,即"大充",也不可過於飢餓,即"大攝",而應保持在"充攝之間",從身心修養說來,叫作"和成"。其內心爲"精氣"之舍,心智便由此而生,這又歸於"精氣"說。

總之,君主體"道"而爲政,內以修心養生,外以治國治民,此即"內聖外王之道"(《莊子·天下》)。

三、"天、地、人"一體觀在各家學說中的滲透

黃老學是內涵甚爲豐富的哲學道論,因而"天、地、人"一體觀便自然而然地在稷下"百家說"中有所影響和滲透。這是基於"百家爭鳴"的學術大交流,導致法、道、儒、形名、陰陽等百家衆說交融滲透,多元互補。

(一)對孟子、荀子儒家思想的影響。孟子曾於威王和宣王時兩次去齊,熟悉齊國國情,深受齊學影響。孟子學說以倡導"王道仁政"爲主,但其說駁雜,哲學方面多受道家影響。如孟子的名言:"天時不如地利,地利不如人和"(《孟子·公孫丑下》);這種"天、地、人"一體說,與黃老學"治國固有前道,上知天時,下知地利,中知人事"(帛書《十六經·前道》)相合,只是孟子結合實際特別強調人事之和順。又如孟子的名言"我善養吾浩然之氣",解釋說:"其爲氣也,至大至剛,以直養而無害,則塞於天地之間。"(《孟子·公孫丑上》)這恰與黃老學《內業》中"天、地、人"一體的精氣說相合,精氣說"浩然和平,以爲氣淵"正指養氣。郭沫若先生說得對:"孟子顯然是揣摩過《心術》、《內業》、《白心》這幾篇重要作品的。只是襲取了來,稍微改造一下。他形容'浩然之氣'說道:'其爲氣也,至大至剛,以直養而無害,則塞於天地之間。"(見《稷下黃老學派的批判》,在《十批判書》內)

荀子自認"大儒"(《荀子·儒效》),青年時來稷下,晚年曾"三爲祭酒",深受齊學影響。其政治學説以"隆禮"、"重法"(《荀子·强國》)爲主;其哲學思想承襲黃老學,《天論》、《解蔽》等篇滲透着"天、地、人"一體的道論。《天論》所謂"天有其時,地有其財,人有其治,夫是之謂能參",這與黃老帛書"王天下之道,有天焉,有人焉,又(有)地焉,三者參用之"(《經法·六分》)吻合一致。《天論》强調"明於天人之分",其哲理多襲自黃老學。但指明"唯聖人爲不求知天",又與道家拉開了距離。《解蔽》指出:"夫道者體常而盡變,一隅不足以舉之。曲知之人,觀於道之一隅,而不能識也。"這裏的兩個"道"字,并非儒家德治主義的"道",實爲道家"天、地、人"一體之"道";所謂"道"的"體常而盡變",猶黃老學"天、地、人"運作均有其"常、則"的規律性。這是一。其二,"曲知之人,觀於道之一隅而不能識",此即《管子·宙合》所説:"'道'也者,通乎無上,詳乎無窮,運乎諸生。是故辨於一言,察於一治,攻於一事者,可以曲説而不可以廣舉。"兩處涵義相同,"曲知之人觀於'道'之一隅",即是"辨於一言,察於一治,攻於一事",只能作蔽於微觀局部的"曲説",不能提升到宏觀總體的"廣舉",從而通於大道、大理。《解蔽》後文所論"虛一而静謂之大清明",亦承襲黃老學《內業》、《心術》等而又加以發揮。

(二)在《易傳》中的滲透。《易傳》的《彖傳》、《繫辭》均受老子、莊子思想影響[1]。不僅如此,經筆者考察,《易傳·繫辭》思想亦與道家黃老學相通[2],其中"天、地、人"一體論尤爲顯著:

　　《易》之爲書也,廣大悉備。有天道焉,有人道焉,有地道焉。

兼三材(《説卦》稱三才)而兩之……(《繫辭下》)

─────────

[1]參考陳鼓應先生:《老莊新論》第三部分《〈易傳〉與老莊》,上海古籍出版社1992年版。
[2]胡家聰:《〈易傳·繫辭〉思想與道家黃老學相通》,《道家文化研究》第一輯,上海古籍出版社1992年版。

六爻之動,三極(三,爲三才,指天、地、人;極,極至)之道也。(《繫
辭上》)

這裏的所謂"三才",與黄老學"天、地、人"一體的自然之道,
兩者聲息相通。

《易傳》作於戰國,幾乎已成爲學術界的共識。考其學派淵源,
由楚學到齊學,齊學有可能在稷下,其《易》學深受道家影響。

(三) 在陰陽家學説中的滲透。《管子》中的《四時》、《五行》闡
發陰陽家五行相生的學説,滲透着"天、地、人"一體思想。《四
時》説:

"道"生天地,"德"出賢人(此即道家"天、地、人"一
體觀)。道生德,德生正,正生事。是以聖王治天下,窮則反,
終則始。德始於春,長於夏;刑始於秋,流於冬。刑德不失,四時
如一。刑德離鄉(指離向),時乃逆行;作事不成,必有大殃。

陰陽家強調:"務時而寄政",遵循農業生産春耕、夏耘、秋收、冬
藏的規律性,以四時配合五行(木、火、土、金、水)相生的次序,春
三月、夏三月、秋三月、冬三月各發"五政"。五政的內容包括農
業生産、社會活動,以及夏季"量功賞賢,以助陽氣",冬季"斷
刑致罰,無赦有罪,以符陰氣"等等(詳見原文)。這種四時教令,
有其科學合理的因素。但是,四時季節與五行方位相配的陰陽家
説,強調"刑德合於時則生福,詭(違反)則生禍";更以嚇人的程
度,論述"刑德易節失次"所帶來的災殃,《四時》、《五行》篇內均
有具體的論述。這是迷信的、反科學的,對社會帶來惡劣影響。

由此可見,陰陽家五行配四時的"天、地、人"一體,具有濃
重的機祥災異因素,與黄老學再三闡發的"天、地、人"一體,有
實質上的不同。後者屬於樸素唯物論的,前者則有"天人感應"
的唯心論的很大成分。

還應提到,《管子·四時》與《幼官》篇中五行配四時的五行相
生體系相同,而《幼官》即《玄宫》,本布置爲"玄宫圖",郭沫若先

生曾説:"此爲《呂氏春秋·十二紀》之雛形。"(《管子集校·幼官篇》)其實,《幼官》、《四時》這兩篇都該是《十二紀》的雛形①。《四時》、《幼官》僅僅是春夏秋冬四季配五形方位,而《十二紀》進一步展開陰陽家"天、地、人"的體系,由四時季節延伸到每季的三個月,其内涵更爲豐富,成爲"天人一體"的世界圖式。

(四)對《呂氏春秋》編撰的影響。《呂氏春秋》係秦末著名政治家呂不韋主持編撰的。秦王政即位,年少,呂不韋當權,嬴政尊呂氏爲相國,號稱,"仲父"。呂氏商人出身,思想開放,仿效齊國稷下之學,招致天下士,有食客三千人,咸陽之學可謂盛大。於是,"呂不韋迺使其客人人著所聞,集論以爲八覽、六論、十二紀,二十餘萬言,以爲備天地萬物古今之事,號曰《呂氏春秋》"(《史記·呂不韋列傳》)。

《呂氏春秋》是呂不韋主持編定的,其編撰思想見於《序意篇》:

> 文信侯(即呂不韋)曰:"嘗得學黃帝之所以誨顓頊矣,'爰有大圜在上(指天),大矩在下(指地),汝能法之,爲民父母。'蓋聞古之清世,是法天地。凡十二紀者,所以紀治亂存亡也,所以知壽夭吉凶也。上揆之天,下驗之地,中審知人,若此,則是非可不可無所循矣。"

這裏,呂氏前面説"爲民父母","是法天地",後面又説"上揆之天,下驗之地,中審之人",正是"天、地、人"一體觀,從而包容天地萬物,也兼容百家衆説,其實質即是《呂氏春秋》的編撰思想。齊國稷下學"百家爭鳴"的百家説兼容並包,是以道家黃老學"天、地、人"一體觀爲指導理論。而秦末咸陽之學,呂氏"使其客人人著所聞","備天地萬物古今之事",不也是以黃老學

---

① 胡家聰:《〈管子·幼官篇〉新探》,《社會科學戰綫》1981 年第 2 期。

"天、地、人"一體觀爲編撰的指導思想嗎？

　　詳察《呂氏春秋》全書，確是兼採百家衆説之長，包括道家（有老莊學、黄老學、子華子等）、法家、墨家、儒家、名家、兵家、陰陽家、農家等等。由秦末的《呂氏春秋》編撰，到西漢淮南王劉安主編《淮南子》成書，貫穿着一條主導脈絡，即道家黄老學的"天、地、人"一體觀①。從先秦、兩漢以至後世，這種哲學思想源遠流長，深入人心，影響着社會生産生活的實踐，以致形成一種傳統的思維方式，在民族文化發展中起着重要作用。

　　作者簡介　胡家聰，1921 年生，北京人。中國社會科學院政治學所研究員。發表有《管子》研究論文三十餘篇。

---

　　①參考牟鍾鑒著《〈呂氏春秋〉與〈淮南子〉思想研究》，齊魯書社 1987 年版。

道家的超越哲學與中國文藝的
超 越 精 神

成復旺

內容提要　道家哲學是一種超越哲學。道家的超越哲學哺育了中國文藝的超越精神。對現象世界的超越引導中國文藝"超以象外,得其環中",追求深邃悠遠的"神韻"之美;對功利態度的超越推動中國文藝家超技巧而泯人工,以"人籟悉歸天籟"爲最高境界;對物我對待的超越則使中國文藝超越了"再現"與"表現"的對立,走上了融物我爲一體的道路。

表面上看來,道家是否定文藝的。但說來奇怪,中國古代關於文藝的一系列精深獨到的概念、命題,卻大都來自道家。正是否定文藝的道家學說,賦予了中國文藝以獨特的魅力。

道家哲學是一種超越的哲學。就總體而言,是對人的現實生存的超越。從客觀事物來說,是對現象世界的超越,即所謂"無形"。從人自身來說,是對功利態度的超越,即所謂"無爲"。從物我關係來說,是對物我界限的超越,即所謂"無際"。道家的這種超越哲學哺育了中國文藝的超越精神。對現象世界的超越引導中國文藝"超以象外,得其環中",追求深邃悠遠的"神韻"之美。對功利態度的超越推動中國文藝家超技巧而泯人工,以"人籟悉歸天籟"爲最高境界。對物我對待的超越則使中國文藝超越了"再現"與"表現"的對立,走上了融物我爲一體的道路。而中國文藝的這種超越精神,也就是中國文藝的獨特魅力。

一、 "大象無形"與對形式美的超越

提到文藝作品,人們首先想到的,往往是藝術形式和形象。但在中國古代看來,真正的文藝作品恰恰是對形式和形象的超越。

而這,正是道家對"道"的追求中所包含的深刻思想。

道家之"道",是對形而下的現象世界的超越,是形而上的宇宙本體。相對於形而下的現象世界而言,"道"是"無"。如老子所説:"道之出口,淡乎其無味,視之不足見,聽之不足聞,用之不足既。"(章三十五)莊子亦稱:"道不可聞,聞而非也;道不可見,見而非也;道不可言,言而非也。知形形之不形乎? 道不當名。"(《知北遊》)因此,道家貴"無"。但此所謂"無",又蘊含着天地之萬有,而不是真正的空無。老子説:"有物混成,先天地生。寂兮寥兮,獨立而不改,周行而不殆,可以爲天地母。"(章二十五)莊子也説:"視乎冥冥,聽乎無聲。冥冥之中,獨見曉焉;無聲之中,獨聞和焉。故深之有深,而能物焉;神之有神,而能精焉。故其與萬物接也,至無而供其求,時騁而要其宿。"(《天地》)由此可見,"道"的"無"衹是無形、無限;而無形、無限的"無",同時就是無形、無限的有,即內在的、深邃的、無限豐富的有。老子稱"道"爲"無狀之狀,無物之象"(章十四),就是言"道"是無中之有,又云"大音希聲,大象無形"(章四十一),更是指無聲、無形纔是"大音"、"大象",即大有。他還提出"味無味"(章六十三)。"無味"有何可"味"? 此"無味"正是超出表面之味的、深邃而無限的味,亦即最可玩味的、味之無窮的味。莊子進一步發揮了這種思想,不僅大力強調"夫道,有情有信,無爲無形"(《大

宗師》),而且把這種思想延展開來,提出了與文藝直接相關的言意問題和形神問題。關於言意問題,他説:

> 書不貴語,語有貴也。語之所貴者,意也;意有所隨。意之所隨者,不可以言傳也。(《天道》)

> 可以言論者,物之粗也;可以意至者,物之精也;言之所不能論、意之所不能察致者,不期精粗焉。(《秋水》)

> 筌者所以在魚,得魚而忘筌。蹄者所以在兔,得兔而忘蹄。
> 言者所以在意,得意而忘言。吾安得夫忘言之人而與之言哉!

(《外物》)

"道不可言",又不得不言;故需尋言外之意,"得意而忘言",如此方可體道。關於形神問題,他説:

> 抱神以静,形將自正。……神將守形,形乃長生。(《在宥》)

"道"作爲形而上的宇宙本體,就是形而下的萬物之"神";"道"與"物"的關係就是"神"與"形"的關係。莊子重"道",故而重"神"。前引《知北游》所謂"形形之不形","不形"就是"道"、就是"神"。他還稱"神"爲"使其形者"(《德充符》)。這些説法都表現了在形神關係上對神的重視。言意問題是作爲語言藝術的文學的根本問題,形神問題是一切藝術的根本問題。莊子的這些言論直接推動了中國文藝對言外之意、形上之神的追求。

　道家對文藝的否定,如老子所謂"五色令人目盲,五音令人耳聾,五味令人口爽"(《章十二》),莊子所謂"擢亂六律,鑠絶竽瑟","滅文章,散五采"(《胠篋》)等等,實質上祗是否定把文藝局限於表面的形式美、否定專注於文藝的外在特徵。這是他們對形而下的現象世界的超越的固有涵義。恰恰是他們這種對形而下的現象世界的超越,濾去了文藝的形而下的渣滓,拯救了文藝的形而上的靈魂,引導中國文藝走上了追求內在的意蘊美的道路。

　關於言意問題。《周易·繫辭》謂:"子曰:'書不盡言,言不盡意。'然則聖人之意其不可見乎？子曰:'聖人立象以盡意，設卦以盡情偽。'"　"書不盡言，言不盡意"之語，不見於孔子之書，卻明載於《莊子》；故所謂"子曰"祇能是莊子曰。雖然以卦象爲"象"是《周易》的特點，但整個這段話的思想顯然來自道家。道家的這種思想又引出了主要繼承道家精神的魏晉玄學的"言意之辯"。王弼謂:"夫象者，出意者也；言者，明象者也。盡意莫若象，盡象莫若言。言生於象，故可尋言以觀象；象生於意，故可尋象以觀意。意以象盡，象以言著。故言者，所以明象，得象而忘言；象者，所以存意，得意而忘象。"（《周易略例‧明象》）荀粲謂:"理之微者，非物象之所舉也。今稱立象以盡意，此非通於意外者也；繫辭焉以盡言，此非言乎係表者也。斯則象外之意，係表之言，固蘊而不出矣。"（《三國志》卷十注二引《晉陽秋》）這雖是"言盡意"與"言不盡意"之爭，但爭論雙方所注重的卻都是言外、象外之意。隨之，言意問題、或言象意問題便正式進入了文學理論，並成了文學創作的關鍵問題。陸機《文賦》開篇談文學創作之難，即稱"恆患意不稱物，文不逮意。"這篇中國古代第一篇專論文學創作的文章，通篇就是圍繞言、象、意的關係展開的。此後論者迭出，如:

　　文已盡而意有餘，興也。（鍾嶸《詩品》）

　　必能狀難寫之景如在目前，含不盡之意見於言外，然後爲

至矣。（歐陽修《六一詩話》）

　　古人之詩，貴於意在言外，使人思而得之。（司馬光《續詩

話》）

　　蓋意伏象外，隨所至而與俱流。（王夫之《古詩評選》卷1）

總之，無不是強調言外、象外之意。有無言外、象外之意，是中國古代衡量文學之優劣，乃至文學與非文學的標準。

　　關於形神問題。莊子重神的觀點，得到漢代延續道家思想的《淮南子》的繼承和發展。該書談形神關係的言論甚多，如:"以神

爲主者,形從而利;以形爲制者,神從而害。"(《原道訓》)"神貴於
形也。故神制則形從,形勝則神窮。"(《詮言訓》)"畫西施之面,美
而不可悦;規孟賁之目,大而不可畏:君形者亡焉。"(《説山訓》)
魏晉以還被各種文藝所接受,並日益強化。這一點最突出地表現
繪畫上。繪畫是典型的造型藝術。所謂"畫,形也。"(《爾雅》)"無
以傳其意,故有書;無以見其形,故有畫。"(《歷代名畫記》卷1)這
個常識我們的古人當然是很清楚的。然而重神的觀點恰恰是首先
從繪畫理論中表現出來的。繪畫藝術的自覺從魏晉始,對神的強
調就是繪畫藝術走向自覺的標誌。第一個專業畫家和繪畫理論家
顧愷之,即提出了"以形寫神"這個近於繪畫定義的論斷,並説:
"四體妍蚩本無關於妙處,傳神寫照正在阿睹中。"(見《世説新
語‧巧藝》)第一本繪畫理論專著、謝赫的《古畫品錄》,歸納"繪
畫六法",以"氣韻生動"爲第一。書中還有"神韻"、"入神"
等語。"氣韻"、"神韻"大體上都是指神。至晚唐張彥遠,進一
步提出了"形似之外求其畫"的説法:

> 古之畫或能移其形似,而尚其骨氣。以形似之外求其畫,此
> 難可與俗人道也。今之畫縱得形似,而氣韻不生。以氣韻求其
> 畫,則形似在其間矣。(《歷代名畫記》)

接着歐陽修謂:"古畫畫意不畫形。"(《題盤車圖》)蘇軾稱:"論
畫以形似,見與兒童鄰。"(《書鄢陵王主簿所畫折枝》)鄧椿説:
"畫之爲用大矣! 盈天地之間者萬物,悉皆含毫運思,曲盡其態。
而所以能曲盡者,止一法耳。一者何也? 曰傳神而已矣。"(《畫繼》
卷9)傳神從六法第一上升爲"一法",神幾乎成了中國繪畫的
唯一追求。不僅是繪畫,對神的追求貫穿着整個中國藝術。書法理
論家王僧虔説:"書之妙道,神采爲上,形質次之。"(《筆意贊》)
詩歌理論家司空圖稱:"離形得似,庶幾其人。"(《二十四詩品》)
古文理論家茅坤言:"神者,文章中淵然之光,杳然之思,一唱三
嘆,餘音裊裊,即之不可得,而味之又無窮者也。"(《文訣》)

關於韻味問題。"韻"字雖出現較晚，但一出現在審美領域，就帶有聲外、形外、味外的意思。在審美領域始於論樂。漢末蔡邕《彈琴賦》："繁弦既抑，雅韻乃揚。""繁弦"之後的"雅韻"，就是聲外之音。不久用於人物品藻和論畫，如所謂"玄韻淡泊"（《宋書·王敬弘傳》）、"情韻連綿"（姚最《續畫品》）等等，係指從形貌、體態上飄溢而出的某種意味。後人言"韻謂風神"（清王士禎《師友詩傳續錄》），恰合此意。又逐漸擴展到文學等領域，宋代范溫《潛溪詩眼》寫道："有余意之謂韻。……嘗聞之撞鐘，大聲已去，餘音復來，悠揚宛轉，聲外之音，其是之謂矣。"這就把"韻"的言外、聲外的涵義闡述得非常明確了。這樣的"韻"與味外之味、無味之味的"味"極其相似，故司空圖"韻"、"味"通論，提倡"韻外之致"和"味外之旨"（《與李生論詩書》）。"韻外之致"即聲外之韻，"味外之旨"即味外之味。因爲兩語所指略同，人稱其詩論爲"韻味説"。此前鍾嶸曾有"滋味説"，雖以"味"論詩，似尚未至味外之味。司空圖的"韻味説"則純然是指味外之味、即無味之味了：

> 文之難，而詩之難尤難。古今之喻多矣，而愚以爲辨於味而後可以言詩也。江嶺之南，凡資於適口者，若醯，非不酸也，止於酸而已；若鹺，非不鹹也，止於鹹而已。華之人以充飢而遽輟者，知其鹹酸之外，醇美者有所乏耳。（《與李生論詩書》）

味在鹹酸之外，這是司空圖最著名的觀點，也是中國詩歌的主要價值取向。後來楊萬里對此作了更透徹的論述：

> 夫詩，何爲者也？尚其詞而已矣？曰："善詩者去詞。"然則尚其意而已矣？曰："善詩者去意。"然則去詞、去意則詩安在乎？曰："去詞、去意而詩有在矣。"然則詩果焉在？曰："嘗食夫飴與荼乎？人孰不飴之嗜也，初而甘，卒而酸，至於荼也，人病其苦也，然苦未既而不勝其甘。詩亦如是而已矣。"（《頤庵詩稿序》）

從表面上看,詩無非詞與意。"去詞、去意",便只剩下了"無"。而詩恰恰就在這"無"之中,就是那詞、意之外的妙不可言的"味"。而這詞、意之外的"味"正是"味外之味",即如茶的那種微苦之後而"不勝其甘"的味。這正是老子所說的"味無味"。

神,韻,味,神韻,氣韻,韻味,以及言外之意、形外之神等等,這些概念和命題的具體涵義雖不盡相同,但其藝術追求卻只有一個,那就是超越文辭、形象、音響等文藝作品的外在形式和表層意義,追求那種深層的、形上的、渾含無迹、似有若無的意蘊之美。

倡導"神韻"的王士禎舉例說:"陸魯望《白蓮》詩'無情有恨何人見,月白風清欲墮時',語自傳神,不可移易。"(《池北偶談》)"無情有恨何人見,月白風清欲墮時"這兩句詩,沒有一字描摹白蓮的外形,甚至根本沒有提到白蓮。但仔細品來:蓮花出污泥而不染,本來就有一種高潔的氣質;又是白蓮,就更顯得淡雅脫俗了;如此之情態自然難遇相知,難免感到寂寞凄涼;而月白風清之夜,芳華欲墮之時,則更是此情之景,更爲此情着色;清高,寂寞,哀怨,悲涼,種種難言之情狀,并於此兩語發之。未提白蓮,正是白蓮;不是此詩,恰是此詩。王夫之說:"把定一題、一人、一事、一物,於其上求形模、求比似、求詞采、求故實,如鈍斧子劈櫟柞,皮屑紛霏,何嘗動得一絲紋理?"(《薑齋詩話》)着意摹刻外形的作品,縱酷似逼肖,在中國傳統審美眼光看來,絕非佳製。下面是經常被人用來對比的幾組詩例:

　　咏　梅:認桃無綠葉,辨杏有青枝。(石曼卿)

　　　　　疏影橫斜水清淺,暗香浮動月黃昏。(林逋)

　　咏　雪:隨車翻縞帶,逐馬散銀盃。(韓愈)

　　　　　怪來詩思清入骨,門對寒流雪滿山。(韋應物)

　　咏魚鳥:魚躍練江抛玉尺,鶯穿柳絲織金梭。(晚唐)

　　　　　細雨魚兒出,微風燕子斜。(杜甫)

咏瀑布:古今常如白練飛,一條界破山河色。(徐凝)

飛流直下三千尺,疑是銀河落九天。(李白)

如上四組詩中,前者皆摹刻外形,後者則"離形得似"。故前者屢
被譏誚,後者倍受贊賞,幾乎有口皆碑。從這種眼光看來,西方那
種精確摹仿物象的繪畫根本就算不上繪畫。中國人初見西方繪畫
時作了這樣的評價:"西洋人善勾股法,故其繪畫於陰陽遠近不
差錙黍。所畫人、物、屋、樹皆有日影。其所用顏色與筆與中國絕
異。布影由闊而狹,以三角量之。畫宮室於牆壁,令人幾欲走進。學
者能參用一二,亦其醒法。但筆法全無,雖工亦匠,故不入畫品。"
(清鄒一桂《小山畫譜》)明乎此,纔能真正進入中國藝術的寶庫。

二、　"至人無爲"與對人工技巧的超越

提到文藝創作,人們首先想到的,往往是創作技法和技巧。但
在中國古代看來,真正的文藝創作恰恰是對技法和技術的超越。

而這,又是道家從道生萬物的原則中提煉出來的。

道之產生萬物,是自然而然的化育,而不是有意識的作爲;正
因爲是自然而然的化育,纔具有了任何有意識的作爲都不可比擬
的無限偉大而神奇的創造力。這就是老、莊所反覆強調的"道常
無爲而無不爲"。如莊子所說:"黂萬物而不爲義,澤及萬世而不
爲仁,長於上古而不爲壽,覆載天地、刻雕衆形而不爲巧。"(《天
道》)道的這種"無爲而無不爲"的創造原則,是人的一切行爲的
最高典範。老子就提倡"爲無爲,事無事"(章六十三)。莊子更要
人象天那樣,"屍居而龍見,淵默而雷聲,神動而天隨,從容無爲
而萬物炊累"(《在宥》);此即所謂"至人無爲,大聖不作,觀於天
地之謂也"(《知北遊》)。

爲此,莊子作了充分的論述,講了許多故事,提出了一系列概
念和命題。例如,他指出"無爲而無不爲"是一種內在的、發於自

然的創造機制，與任何功利性的動機無緣；因而把這種機制稱做
“天機”，云“其嗜欲深者，其天機淺”（《大宗師》）。梓慶做鐻的
故事，又對這一觀點作了詳細説明：

> 梓慶削木爲鐻，見者驚猶鬼神。魯侯見而問焉，曰：“子何
> 術以爲焉？”對曰：“臣，工人；何術之有？雖然，有一焉。臣將
> 爲鐻，未嘗敢以耗氣也。必齋以静心。齋三日而不敢懷慶賞爵
> 禄，齋五日不敢懷非譽巧拙，齋七日輒然忘吾有四肢形體也。當
> 是時也，無公朝，其巧專而外滑消。然後入山林，觀天性，形軀至
> 矣然後成，見鐻然後加手焉。不然則已。則以天合天。哭之所以
> 疑神者，其是歟！”（《達生》）

不僅不能懷得失（“慶賞爵禄”）之心，也不能有毀譽（“非譽巧
拙”）之想，甚至應該忘記是自己在製作（“忘吾有四肢形體”）。
純以自然之心觀自然之木，一旦相合則自然而成（“形軀至矣然
後成，見鐻然後加手焉”①）。這就是“以天合天”，亦即“天機”
自成。“天機”作爲内在的、發於自然的創造機制，不是技術、法
則，而是更爲根本的、心靈的創造力，即超越於製作之“技”的創
造之“道”。庖丁解牛的故事，就突出強調了這一點：

> 庖丁爲文惠君解牛，……合於桑林之舞，乃中經首之會。文
> 惠君曰：“嘻！善哉！技蓋至此乎？”庖丁釋刀對曰：“臣之
> 所好者，道也，進乎技矣。始臣之解牛之時，所見無非牛者；三年
> 之後，未嘗見全牛也。方今之時，臣以神遇而不以目視，官知止
> 而神欲行。依乎天理，批大郤，導大窾，因其固然。”（《養生主》）

“進乎技”就是對技的超越。這種心靈的創造之“道”，是不能
形諸言文、口傳目得的，它只能心得意會，得於心而應於手，即所
謂“神遇”。《大宗師》云：“夫道，有情有信，無爲無形。可傳而不

---

①王夫之《莊子解》注此兩語曰，“木之天成，適如其形軀”；“確然見鐻於胸中，然
後加手以成之”。愚以爲深合文意。

可授,可得而不可見。""可傳而不可授",就是衹可以心傳而不可以口授;"可得而不可見",就是衹可以意得而不可以目見。輪扁斫輪的故事,也在於説明這個道理:

　　　徐則甘而不固,疾則苦而不入;不徐不疾,得之於手而應於

　　心,口不能言,有數存焉於其間。臣不能以喻臣之子,臣之子不

　　能受之於臣。是以行年七十而老斫輪。(《天道》)

"得之於手而應於心"就是得於心而應於手。"臣不能以喻臣之子,臣之子不能受之於臣"就是指創造之道的衹可以意會而不可以言傳的特徵。因此,這種心靈的創造之道也衹能"自得",而不能從別處學來。《駢拇》就堅決批評了"得人之得而不自得其得"的社會陋習:

　　　吾所謂聰者,非謂其聞彼也,自聞而已矣。吾所謂明者,非

　　謂其見彼也,自見而已矣。夫不自見而見彼、不自得而得彼者,

　　是得人之得而不自得其得者也,適人之適而不自適其適者也。

由這種"自得"的"天機"所進行的創造,莊子名之爲"天籟"。即《齊物論》所説:"汝聞天籟而未聞地籟,汝聞地籟而未聞天籟夫!""夫天籟者,吹萬不同,而使其自已也;咸其自取,怒者其誰邪!""天籟",這是完全無意於做作、無所謂技法,純粹從內在的精神中自然發出的聲音,因而也是超越了一切人工的至高至美的創造。如此等等。所有這些概念、命題、故事,要義都在於強調從外在的製作之技超越爲內在的創造之道,以像天道那樣"無爲而無不爲"。上面這些言論雖然是就一般作爲而發的,但顯然已經包括了藝術創作。下面一段話則是專論藝術創作的:

　　　宋元君將畫圖,衆史皆至。受揖而立,舐筆和墨,在外者半。

　　有一史後至,受揖不立,因之舍。公使人視之,則解衣般礴,裸。

　　君曰:"可矣! 是真畫者也。"(《田子方》)

將要作畫而"解衣般礴,裸",何等自在! 何等瀟灑! 這裏雖然沒有提到應當怎樣作畫,但顯然衹有徹底超越了嗜欲之心、製作

之技等一切人為的動機，纔能如此。因而這正是"天機"、"天籟"、"神遇"、"自得"等所有"無為而無不為"的創造之道的最高體現。王夫之《莊子解》注道："挾其成心以求當，未當也，而貌似神離多矣。夫畫以肖神者為真，迎心之新機而不用其故，於物無不肖也。此有道者所以異於循規矩、仿龍虎、喋喋多言以求當者也。"可謂深得莊子之要領。

　　道家、尤其是莊子的此類言論本是人所共知的。但它們在中國文藝思想史上的地位卻迄今沒有得到應有的評價。以往的文藝理論家一般祇是注意到了《莊子》中的寓言具有一定的文藝性，那些巧匠製器的故事與文藝創作有一定的相通性。其實，老、莊此類言論中的每一個概念、每一個命題、每一個觀點，都被原封不動地移入了文藝理論，并且作為骨幹構築了中國文藝創作論的豐富完整的理論體系和精深獨到的思想精神。我們之所以不避略顯詳瞻地引述這些言論（其實類似言論還有許多），就是為了說明道家這種"無為而無不為"的思想乃是中國文藝創作論的主體。

　　這完全可以用編寫詞源學詞典的方法來說明。但這裏我們卻祇能擇其要者舉例論證了。

　　唐代《樂府解題》"水仙操"一節載："伯牙學琴於成連先生，三年不成，至於精神寂寞，情之專一，尚未能也。成連云：'吾師方子春今在東海中，能移人情。'乃與伯牙俱往。至蓬萊山，留宿伯牙曰：'子居習之，吾將迎師。'刺船而去，旬時不返。伯牙近望無人，但聞洞滑崩澌之聲，山林杳寞，群鳥悲號，愴然而嘆曰：'先生將移我情！'乃援琴而歌。曲終，成連回，刺船迎之而還。伯牙遂為天下妙矣。"這裏之所謂"移情"并不是西方"移情說"的"移情"。它不是指把自己的情感移向外物，而是指轉變自己的情性。這種"移情"論就是認為，文藝創作的關鍵不在於技術、方法，而在於某種獨特的精神、情性。這種獨特的精神、情性究竟是什麼，極難卒言；但無疑是內在的文藝創作之"道"。作為一種獨特的精

神、情性,作爲內在的文藝創作之"道",它不能傳授,祇能"自得"。故明代李贄就此作了如下的發揮:

　　　夫伯牙於成連,可謂得師矣。按圖指授,可謂有譜有法、有古有今矣。伯牙何以終不得也?且使成連而果以圖譜碩師爲必不可已,則宜窮日夜以教之操,何可移之海濱無人之境、寂寞不見之地?直與世之瞽者等,則又烏用成連先生爲也?此道又何與於海,而必之於海然後可得也?尤足怪矣!蓋成連有成連之音,雖成連不能授之於弟子;伯牙有伯牙之音,雖伯牙不能必得之於成連。所謂音在於是,偶觸而即得者,不可以學人爲也。瞽者唯未嘗學,故觸之即契;伯牙唯學,故至於無所觸而後爲妙也。設伯牙不至於海,設至海而成連先生猶與之偕,亦終不能得矣。唯至於絶海之濱、空洞之野,渺無人迹,而後向之圖譜無存,指授無所,碩師無見,凡昔之一切可得而傳者,今皆不可復得矣,故乃自得之也。此其道蓋出於絲桐之表、指授之外者,而又烏用成連先生爲耶?(《征途與共後語》)

這段話透徹而精闢地闡述了文藝創作必須由乎"自得"的道理,是莊子批評"得人之得而不自得其得"的思想在文藝領域的如實貫徹。其中"雖成連不能授之於弟子"、"雖伯牙不能必得之於成連"的説法,完全是莊子"臣不能以喻臣之子,臣之子不能受之於臣"的翻版。

　　不能傳授,祇能"自得",則內在的文藝創作之道也就祇能"神遇"、即心得意會了。這更是中國文藝學的習見之論,幾爲人人之所常言、處處之所必言。如唐代符載論繪畫:"觀夫張公之藝,非畫也,真道也。當其有事,已知遺去機巧,意冥玄化,而物在靈府,不在耳目。故得於心,應於手,孤姿絶狀,觸毫而出,氣交衝漠,與神爲徒。若忖短長於隘度,算妍蚩於陋目,凝觚舐墨,依違良久,乃繪物之贅疣也,寧置於齒牙間哉!"(《觀張員外畫松石序》)這段話的後半段,"凝觚舐墨,依違良久"云云,顯然是對莊子

"宋元君將畫圖"那段話中"舐筆和墨,在外者半"數語的擴展和形容。如唐代虞世南論書法:"字雖有質,迹本無爲。禀陰陽而動靜,體萬物以成形,達性通變,其常不主。故知書道玄妙,必資神遇,不可以力求也;機巧必須心悟,不可以目取也。"(《筆髓論》)又如宋代歐陽修論樂與詩:"樂之道深矣!故工之善者,必得於心應於手,而不可述之言也;聽之善,亦必得於心而會以意,不可得而言也。……余嘗問詩於聖俞。其聲律之高下,文語之疵病,可以指而告余也;至其心之得者,不可以言而告也。余亦將以心得意會,而未能至之者也。"(《書梅聖俞藁後》)所有這些話,都可以在莊子那裏找到確鑿無疑的藍本。

"神遇"之後的文藝創作,都是"天機自動,天籟自鳴"。即使參以人工,亦需泯滅痕迹。這是中國歷朝歷代、各家各派對文藝創作的共同要求:

文之爲物,自然靈氣。惚恍而來,不思而至。杼軸得之,淡而無味。琢刻藻繪,彌不足貴。(唐李德裕《文章論》)

聖人文章自深,與學爲文者不同。如《繫辭》之文,後人絕學不得。譬之化工生物,且如生出一枝花。或有剪裁爲之者,或有繪畫爲之者,看時雖似相類,然終不若化工所生,自有一般生意。(北宋程頤《二程遺書》卷18)

古人於詩不苟作,不多作。而或一詩之出,必極天下之至精,狀理則理趣渾然,狀情則事情昭然,狀物則物態宛然,有窮智極力之所不能到者,猶造化自然之聲也。蓋天機自動,天籟自鳴,鼓以雷霆,豫順以動,發自中節,聲自成文。此詩之至也。(南宋包恢《答曾子華論詩》)

夫所謂畫工者,以其能奪天地之化工;而其孰知天地之無工乎!今夫天之所生,地之所長,百卉俱在,人見而愛之矣;至覓其工,了不可得。豈其智固不能得之歟?要知造化無工,雖有神聖亦不能識知化工之所在,而其誰能得之?由此觀之,畫工

雖巧,已落二意矣。(明李贄《雜説》)

　　古樂府中至語,本祇是常語,一經道出,便成獨得。詞得此
意,則極煉如不煉,出色而本色,人籟悉歸天籟矣。(清劉熙載《藝
概》)

這裏由唐至清,有正統儒家(李德裕、劉熙載),道學家(程頤),心
學家(包恢),叛逆思想家(李贄)。而在提倡“天機”、“天籟”、
“化工”、“自然”這一點上,可謂衆口一詞。

　　人工創造的文藝,卻要求毫無人工的痕迹,需如天之所生,地
之所長,一派天然。這是中國文藝的又一大特徵。在同西方藝術的
對比中,這個特徵表現得極其鮮明。當一些歐洲人初到中國的時
候,中國園林同他們所熟悉的西方園林形成了強烈的對比,使他
們大爲震驚。他們異口同聲地説,中國的園林“同歐洲的大異其
趣”:“他們寧願去表現大自然的創造力”,而“把他們所使用
的藝術隱藏起來”,“在他們的花園裏,人工的山丘形成複雜的
地形,許多小徑在裏面穿來穿去”,“有一些在平地和澗谷裏通
過,有一些越過橋梁,由荒石蹬道攀躋山巔。湖裏點綴着小島,上
面造着小小的庵廟,用船隻或者橋梁通過去”,總之,“中國的花
園如同大自然的一個單元”。而“我們追求以藝術排斥自然,鏟
平山丘,平湎湖泊,砍伐樹木,把道路修成直綫一條,花許多錢建
造噴泉,把花卉種得成行成列”。“(我們)不是去適應自然,而是
喜歡脱離自然,越遠越好,我們的樹木修成圓錐形、球形和方錐
形,我們在每一棵樹、每一叢灌木上都見到剪刀的痕迹。”[1]

三、 “與物無際”與對表現和再現的超越

---

[1]見賓武《中國造園藝術在歐洲的影響》,載清華大學建工系編《建築史論文集》第
三輯。

　　前面第一部分講的是超形而入神，即對愉悦感觀的外在美的超越；第二部分講的是超技而入道，即對法、對人工技巧的超越。這兩種超越其實都產生於、因而亦統一於一種更根本、更深刻的超越，都是一種更根本、更深刻的超越的伴生現象。這種更根本、更深刻的超越，就是對主客對待、亦即物我界限的超越；從文藝理論上説，就是對所謂"表現"和"再現"的超越。而這種超越，則源於道家對天人關係的根本看法。

　　從現象世界來看，人與物，以及物與物之間是有差別的；從宇宙本體來看，人與萬物便冥漠無際、渾然一體了。而道家之所謂"道"，正是這樣的宇宙本體。它涵蓋萬有，獨立無待，是個不可分析的絕對的"一"。道家的全部學説，歸根結底，就是讓人超越人物分立的現象世界，回到那冥漠無際、獨立無待的宇宙本體。如莊子所説：人與天本來是合一的，不管人是否承認、是否喜歡；因而祇有與天合一的人，纔是"真人"，纔有"天樂"。其《大宗師》謂："其好之也一，其弗好之也一。其一也一，其不一也一。其一與天爲徒，其不一與人爲徒。天與人不相勝也，是之謂真人。"其《天道》又謂："以虛静推於天地，通於萬物，此之謂天樂。"

　　要做到這一點，關鍵在於改變看待世界的那種主客分立、物我對待的態度。爲此，莊子提出了"吾喪我"和"物物"兩個命題。《齊物論》寫道：

　　　　　南郭子綦隱机而臥，仰天而噓，荅焉似喪其耦。顏成子游立
　　　侍乎前，曰："何居乎？形固可使如槁木，而心固可使如死灰
　　　乎？今之隱机者非昔之隱機者乎？"子曰："偃，不亦善乎！
　　　而問之也。今者吾喪我，汝知之乎？……"

"喪其耦"，注家謂："謂似忘我與物之相對。"本段文意，學者謂："即去除'成心'、揚棄我執、打破自我中心。"①總之，就是放

---

①見陳鼓應《莊子今注今譯》。

棄自我意識,不再以主體的態度、以主客對立的眼光看待世界。這樣,人也就化入無限的宇宙,與萬物爲一體了。《大宗師》謂"離形去智,同於大通,此謂坐忘。"亦此意。這是對自我的超越。《知北游》寫道:

> 物物者與物無際。而物有際者,所謂物際者也;不際之際,
> 際之不際者也。

"物物者"就是物的支配者,此即指道。"無際"就是無界限。道在宥萬物,渾而爲一,與物是没有界限的。所謂界限祇是物與物的界限。莊子的意思是説,人不應當把自己放在與物相對待的地位,不應當把自己與物放在同一個層次上,而應當像道那樣在宥萬物而"與物無際"。這是對外物的超越。對自我的超越("吾喪我")與對外物的超越("物物"),其實都是對主客分立、物我對待的現象世界的超越,是這同一個超越的兩個方面。經過了這樣的超越,也就成爲"天地與我並生,而萬物與我爲一"(《齊物論》)的"真人"了。故莊子描繪他所提倡的"真人"道:

> 不忘其所始,不求其所終,受而喜之,忘而復之,是之謂不
> 以心捐道,不以人助天,是之謂真人。若然者,其心志,其容寂,
> 其顙頯,淒然似秋,暖然似春,喜怒通四時,與物有宜而莫知其
> 極。(《大宗師》)

至此,界限消失,人與物已經親密無間了。

道家這種天人合一、物我一體的思想,是中國古代哲學的根本立場。中國古代的文藝家們,就是以這樣的思想看待文藝的。

文藝當然要狀物,即所謂"再現"。那麼中國古代的文藝家是怎樣"再現"的呢?南宋畫家曾無疑工畫草蟲,栩栩如生。人問有否可傳之法,無疑回答:

> 是豈有法可傳哉!某自少時,取草蟲籠而觀之,窮晝夜不
> 厭。又恐其神之不完也,復就草地之間觀之,於是始得其天。方
> 其落筆之際,不知我之爲草蟲耶? 草蟲之爲我耶? 此與造化生

物之機緘蓋無以異，豈有可傳之法哉？（羅大經《鶴林玉露》
丙編卷 9)

這位畫家畫草蟲的過程，就是在觀察和體驗中逐漸泯滅物我界
限、達到物我一體的過程。落筆之際，畫家已經不知"我之爲草
蟲"還是"草蟲之爲我"。就是説他與他所描繪的事物已經不是
相互對待的主體與客體、相互外在的畫家與對象，而重合、凝聚成
了同一個生命。甚至可以説不是他畫草蟲，而是他變成了草蟲，同
時草蟲也變成了他。他以自己的生命再現了草蟲的生命，也以草
蟲的生命表現了自己的生命。這裏無物無我，亦即物即我；畫家的
生命與草蟲的生命是作爲同一個生命，從大化流行之中不知其所
以然而然地創生出來的。其神完氣足、栩栩如生，自屬當然之事。
這就是對主客對待、物我界限的超越。而這段話又不僅體現了這
種超越，很顯然還包含着前兩種超越。"此與造化生物之機緘蓋
無以異，豈有可傳之法哉"，這就是對法、對人爲技巧的超越。當
畫草蟲已經不再是對外在事物的描繪、而成了自我生命的自然表
現的時候，還有什麼人爲技巧可言？還有什麼"可傳之法"？
"恐其神之不完"、"始得其天"等等，這就是對形、對外在美的
超越。當畫家的生命與草蟲的生命凝爲一體的時候，所表現出來
的祇能是共同的生命精神，而不可能是不同的外在形體。因而，對
主客對待、物我界限的超越同時就帶來了對法、對形的超越。明白
了曾無疑畫草蟲的道理，下面的話也就很容易理解了："凡畫山
水，最要得山水性情。得其性情，山便得環抱起伏之勢，如跳如坐、
如俯仰、如掛腳，自然山性即我性、山情即我情，而落筆不軟矣；水
便得濤浪潆回之勢，如綺如雲、如奔如怒、如鬼面，自然水性即我
性、水情即我情，而落筆不板呆矣。"（明唐志契《繪事微言・山水
性情》）山水的性情就是我的性情：這是"再現"還是"表現"？

文藝當然也要抒情，即所謂"表現"。那麼中國古代的文藝
家又是怎樣"表現"的呢？清人廖燕説：

　　　　萬物在秋之中，而吾人又在萬物之中，其殆將與秋俱變者
　　歟！……借彼物理，抒我心胸；即秋而物在，即物而我之性情俱
　　在。然則物非物也，一我之性情變幻而成者也。性情散而爲萬
　　物，萬物復聚而爲性情。(《李謙三十九秋詩題詞》)

黃宗羲則說得更爲簡明："詩人萃天地之清氣，以月露、風雲、花
鳥爲其性情。"(《景州詩集序》)由此，便可明了古人何以會提出
"不能作景語，又何能作情語"(王夫之《薑齋詩話》)這樣的觀
點，亦可想到古詩何以會有那種全不及情而情自無限的所謂"不
着一字，盡得風流"(司空圖《二十四詩品》)的獨特魅力了。"借
彼物理，抒我心胸"：這是"表現"還是"再現"？

　　物與人、或物與心，在常識的層次上，我們的古人當然是知道
二者的分別的。但是在精神追求上，他們正是要取消這種分別；在
藝術境界裏，他們便統一了這種分別。無論是從物出發，還是從心
出發，最後都是要達到二者的統一。祇有達到了二者的統一，纔算
進入了藝術的境界。所以，清代詩論家葉燮，一方面提倡"內求之
察識之心，而專徵之自然之理"(《己畦集自序》)，但同時卻又強
調："彼詩人胸中有千古，目中有四時，萬物能一一驅策之，使令
之以發我之性情，資我歌詠。"他根本不覺得這之間有什麼矛盾。

　　"再現"與"表現"，這是從西方那種主客分立、物我對待
的文化傳統中產生的文藝概念。用它們來談論中國古代文藝，便
怎麼說都難確切。由於西方"摹仿"說的盛行，有人提出西方文
藝重再現，中國文藝重表現。稍後，有人發現中國文藝似乎也不乏
對客觀事物的描繪，又提出中國文藝是表現與再現的統一。深入
探討了這個問題的學者進一步指出，中國文藝的特點是以再現爲
表現。這當然很有道理。但就曾無疑畫草蟲那樣的情況來說，稱之
爲以表現爲再現亦無不可。其實，在中國古代的文藝觀念中，根本
就沒有這樣的區分。這裏是表現即再現、再現即表現，不再現就無
以表現，不表現就無以再現。那麼是否可以說這是表現與再現的

結合呢？也不妥當。先有了區分，纔談得到結合；不作區分，何來結合？因此，這衹能説是對再現與表現的超越。而對再現與表現的超越，是中國古代文藝的最基本的特徵。

　　文藝雖然也是社會現象，但比之其他文化門類，同個人的精神生活有着更爲密切的聯繫。而在個人的精神生活領域，道家又有着遠比儒家更爲深刻的影響。如果説在社會政治倫理方面儒家占着不容置疑的主導地位的話，那麼在個人精神生活領域則恰恰相反。知識分子們，往往在官場、在公衆場合是一副一本正經的儒家面貌，而回到家裏、換上便服便是一派瀟灑的道家氣象。或者爲官時以儒自任，而退野後便以道自居。這是中國古代廣大知識分子的生存方式和人格特徵。所謂儒道互補，其主要表現之一正在這裏。這就是爲什麼是道家、而不是儒家，培育了中國文藝的基本精神。

　　作者簡介　成復旺，北京人，1939 年生。現爲中國人民大學哲學系副教授。著有《神與物游──論中國傳統審美方式》、《中國古代的人學與美學》等。

道家中興和中古美學風氣的轉換

朱良志

魏晉南北朝時期，道家哲學中興，老子哲學被重新闡釋、重新發現，在漢代足足沉寂數百年的莊子哲學也一躍成爲人們關注的中心。人們競相馳騁莊門、排登李室，以致出現了"戶詠怡曠之辭，家畫老莊之像"(《晉書·嵇含傳》)的狀況。

這股哲學思潮，給那痛苦而窒悶的時代吹去了一縷新風，引發了一場深刻的思想解放運動。它以自然無爲，消解了經典的文化權威；又以自由放達，重構了新的人學模式。這場思想解放運動突出了人的主體地位，帶來了人們思維認知的巨大變化，也促使了真正的審美生活的開始。美學作爲一種理論系統正式取得了獨立地位，審美領域被大大拓展，人們重新確立嶄新的審美價值標準。道家哲學中興改變了中國美學的原有發展軌迹，促進了中古美學的轉型，同時也在一定程度上規定了後代中國美學的發展方向。道家中興是中古美學風氣轉變的根源。

貴無——一種渴望超越的美學系統的建立

老莊哲學在中古的復興，首先帶來一種超越美學的建立。

這次美學變革的主要思想根源是王弼的貴無論哲學。王弼"祖述老莊"，根據老子"有生於無"的思想，演化出獨特的貴無論哲學體系。他説："天下之物，皆以有爲生，有之所生，以無爲本，將欲全有，必返於無。"（《老子》四十一章注）他並不否認"有"的存在，但"有"祇是"無"的外在感性載體，"無"爲本，"有"爲末；"無"爲體，"有"爲用，本末不二，體用一如。認識的途徑就是披"有"而見"無"，以"無"而統"有"。

不過，王弼所説的"有"、"無"，並非植根於宇宙生成論，而主要着眼於本體論。他完成了由漢代宇宙生成論到魏晉本體論的轉換，從而建立了形而上的哲學體系。道家哲學本來就具有形而上的基質，如老子所謂"道"，"惟恍惟惚"，視之不見，聽之不聞，玄之又玄，因而虛空而不可道。但即便如此，王弼爲了導入徹底的虛無，對老子的"道"猶感不足，猶憾未盡。王弼認爲，老子雖然講"有生於無"，但其"無"，總是"未免於有"，没有能脱盡感性具體的束縛。而王弼所説的"無"是絕對的玄默空無，是超越於一切感性表相的絕對精神本體。依他所説，這個"無"就是"玄"、"道"、"一"。王弼玄學完成了中國哲學的革命化進程，將形上學的終極實在作爲其本體哲學追求的根本目標，一改漢時立足形而下思路的那種有限哲學。

王弼徹底的本無論哲學源自道家，又超越道家，它在推動中國古代思辨哲學前行的同時，帶來了人們思維認知上的巨大變化，表現在：名士們喜歡説空談玄，并以玄遠作爲價值評判的重要標準；蹈虛逐無的高蹈之風吹拂於士林，在思維傾向上獨鍾於超越，而對質實、有限注目無多；返歸內心的傾向日趨嚴重。"空"、"無"的追求，祇有在心靈中纔能展開，祇有在超言絕象的空茫心境中纔能"悟"得。因此，王弼的"貴無"最終在思維上落實爲"貴心"，即如何在心靈中擺脱有限表相的束縛，如何拓展自己的胸襟，以含納至大無外、至小無內的對象，如何使心靈怡然自適、俄然高蹈，這便是魏晉名士追求的中心，這在深層與名士們追求生命安頓的意旨恰相融契。阮籍、嵇康承王弼之余緒，拉出莊學正脈,從多種角度論述拓展心靈境界的問題,化有無本末的本體之辯爲玄遠心靈境界的追求,"無"成了自由心靈境界的同義語,從而使貴無論玄學更具美學意味。

貴無論玄學對中古美學的影響是巨大的,它的出現,改變了中國美學的發展方向。在審美認識上,將了悟作爲審美經驗的唯一形式;在審美境界上,以靜遠空靈作爲衡量美的重要標準;在審美趣味上,氣韻獲得了崇高的地位。這些,都遊離了中國美學的原有發展軌迹,使其進入一片完全嶄新的審美天地中。

"遠"的突出

玄學在當時又稱"玄遠"之學,《世說新語·文學》:"苟粲談尚玄遠。"同書《德行》:"晉文王稱阮嗣宗至愼,每與之言,言皆玄遠。"同書《規箴》:"王夷甫雅尚玄遠。"以"玄遠"代玄學,實道出了玄學的一般特徵,即:玄學在表達方式上,是清談玄論;清談對象,是玄言奧理;清談目的,是要超言越象,一任自由心靈翻飛。而這一切,都在於創造一種"遠"的心空,那種闊大浩瀚的精神境界,如湛方生《秋夜》詩所云:"拂塵襟於玄風。"玄風之用,正在於去除胸中的滯塞,將心靈拓展爲廣大無限的世界,此即爲玄學之秘奧。

追求玄遠的心境,成爲名士們生活方式中的一大樂趣,這種追求,使他們能告別齷齪和滯悶,伴着一縷清風、一彎明月、一聲清音潔韻,去達到浪漫的詩意的棲居。

他們不嬰世務,偏重玄理;在談玄中,黜質實,尚虛勝;在行止上,放蕩飄舉,不落凡塵,悠悠然有凌雲之意;在對待名節的態度上,一改漢人之風,祇圖一晌之歡,不較今世功名、來生勛德。成了一批空談家,飄然欲逝的準仙客,不食人間烟火的出世者。孤傲如冷月,飄渺似孤鴻!

玄談中人,莫不以"遠"相標榜。《晉書》對此有大量記載:卷四十三謂樂廣"性沖約,有遠識",衛瓘贊曰:"此人之水鏡,見

之瑩然若披雲霧而睹青天也。"卷四十九謂向秀"清悟有遠
識",作《莊子注》,"發爲素趣,振起玄風,讀之者超然心悟,莫不
見足一時也"。同卷謂劉伶心懷曠遠,"放情肆志,常以細宇宙齊
萬物爲心"。如此等等。

　　尚遠本是一種哲學旨趣,但在這裏卻演化成一種行爲風操和
思維習慣,它也帶來了美學觀念的變化。

　　它促使美學走出質實,突入虛空,追求玄遠的審美旨趣。玄學
又名"虛勝",即善言虛空之理。玄學家從"本無論"思想出發,
認爲外在表相是質實的、有限的、有所限隔的,因而也是個別的、
不全面的,而內在的"無"則是無限的、完然自足的,因而也是美
的。好虛尚玄的風習,正如戴逵、王坦之等所言,有荒蕪世事之虞,
但它在美學上卻具有較高的價值,魏晉時人生的藝術化在一定程
度上就體現在玄遠化上。它使人們在清談中,面對外在感性,能蹈
虛逐無,追光躡影,領略靜寂空靈的美。《世說新語・文學》載:
"郭景純詩云:'林無靜樹,川無停流。'阮孚云:'泓崢蕭瑟,實不可
言,每讀此文,輒覺神超形越。'"郭璞詩所描寫的靜穆的時空中含
有生命的躍動,阮孚在這聯詩中感受到人與宇宙優遊的深層意
趣,都是對玄遠審美旨趣的一種把握。

　　魏晉人心靈具有這樣的穿透力,生在此而言寄於彼,事關人
而心至於天,能勘破鴻濛,披開雜多和個別,感受混沌中的光明,
淒冷中的熱烈,質實中的玄奧。《世說新語・言語》載:"王右軍與
謝太傅共登冶城,悠然遠想,有高世之志。""荀中郎在京口,登
北固,望海雲,雖未睹三山,便自使人有凌雲意。""袁彥伯爲謝
安南司馬,都下諸人送至瀨鄉,將別,既自悽惘,嘆曰:'江山遼落,
居然有萬里之勢。'"因近思遠,居今念昔,腳踏大地,心思青天悠
雲,突破此在,將心靈拉向廣袤和永恆,從而領略至尚的美感。

　　在藝術審美活動中,伴着玄學清談的展開,尚遠也成爲人們
普遍的審美風習。詩歌創作中凝聚着追求遠韻的詩心。嵇康《四言

詩》云："抄抄翔鷺，舒翼太清，俯眺紫辰，仰看素庭，凌躡玄虛，浮
沉無形，將遊區外，嘯侶長鳴。神□不存，誰與獨征？"通篇充滿
對"遠"的渴慕。東晉時出現的玄言詩對這一點表現更加充分，
山水詩、田園詩中表現雖没有玄言詩那樣明顯，但詩人也嘗試通
過一草一木、一山一水去興遠想、致遙思、抒幽情，陶淵明的"心
遠地自偏"即是一例。在藝術理論上，鍾嶸《詩品》就推崇"遠"
的境界，如其贊揚《古詩十九首》"文温以麗，意悲而遠"的特點，
評阮籍詩："言在耳目之内，情寄八荒之表"，能使人"忘其鄙
近，自致遠大"。在《書論》中，衛恆《四體書勢》云："睹物象之致
思，非言辭之所宣"，也注意到"遠"的意蘊。其時爲數不多的畫
論，也有重"遠"之論，如王微《叙畫》云："望秋雲，思飛揚；臨春
風，思浩蕩"，意即身居於此，意寄於彼，從而在實處覽得"虛
勝"。

　　它促進了美學對無限的追求。在本無論哲學的激發下，人的
心靈境界被極大地拓寬了。通過清談玄遠，使人解脱胸中的種種
束縛，突破身觀限制，達到悠悠然與天地同歸的境界。魏晉文化中
充滿了對精神絶對大的追求，讓精神向無限延伸，進而能涵蓋乾
坤，高高特立於衆生之上。此時感到宇宙正在我手，生機在眼前騰
運，羣山在我腳下，大海任我翻卷，我心與宇宙同擊着一個節奏，
一樣地潈洄起伏。阮籍的《大人先生傳》最能體現這種境界：

　　　　夫大人者，乃與造化同體，天地并生，逍遥浮世，與道俱成，
　　變化聚散，不常其形，天地製域於内，而浮明開達於外。
這種"大人先生"，是一種絶對自由的人，他能"飄搖於四野，翻
翰翔乎八隅"，他"廓無外以爲宅，周宇宙以爲廬"，精神絶對地
膨脹，包納宇宙，涵括無垠。

　　阮籍所塑造的這種理想人格，激越了幾代人的心靈。瀰漫開
來的對無限追求的精神，不僅使當時的文化氛圍洋溢着浪漫情
調，欲在詩意的棲息中完成對血腥現實的補償，同時也促進了中

國美學向縱深發展。此種精神對後代美學沾溉甚多,細宇宙齊萬物成爲後代中國藝術家追求的最高精神境界,不了解這一點,就不能真正理解中國藝術。

"韻"的高揚

清人梁巘在評書法時説:"晉人尚韻。"在魏晉南北朝時期,不僅書法,而且畫、詩以及人物品藻等都推舉"韻",重"韻"是當時的藝術審美趣尚,也是一種文化趣尚。它是在本無論的哲學思潮中産生的,當時出現的三個重要命題(氣韻、形神和得意忘言)均體現出重"韻"之意旨。

首談"氣韻"。本無論哲學重"無"貴"遠",必然帶來對虛無飄渺美感的推重,對滯於形質的鄙棄。"韻"是虛空的,它具有音樂那種不着形迹又縹緲難盡的特點,它似近若遠,似有若無,飄移不定;同時"韻"又具有強烈的心理色彩,它常被理解爲在人的心靈中持續一定時間又給人帶來悦適和美感的對象。因此,"韻"受到當時人們的普遍重視。"韻"在漢以前不見經籍所載,它大約出現於漢末,至西晉,已成爲使用頻率極高的詞。從語源上就可看出對"韻"的推重。

"韻"進入審美領域,首先在人物品藻方面。受王弼、何晏玄學的影響,兩晉時品評人物多重其"風氣韻度",而不論其外在形質。品評人物和清談玄虛結合在一起,或者人就是清談的對象。因此,"韻"成了衡量名士的基本標準。

> 雅有遠韻。(《晉書·庾敳傳》)
>
> 安法師器識倫通,風韻標朗。(晉哀帝《俸給釋道安詔》)
>
> 樂彥輔道韻平淡,體識衝粹。(《晉書·郗鑒傳》)
>
> 人之體韻,猶器之方圓。(王坦之《答謝安書》)

《世説新語》以及劉孝標注所引品評人物重氣韻之例最集中,如《任誕》云:"阮渾長成,風氣韻度似父。"《品藻》謂楊喬"有高韻"。《雅量》注引《中興書》:"孚(阮孚)風韻疏淡,少有門風。"

該篇注又引《王澄別傳》："澄風韻邁達,志氣不羣。"

　　魏晉人之美在韻,其時藝術之美亦在韻。藝術中重"韻"之論是由人物品藻直接移用而來的。在本無論哲學影響下,魏晉人推崇之藝術乃境界中藝術,如嵇康"目送歸鴻,手揮五弦,俯仰自得,遊心太玄"詩境所顯示的那樣,空靈、精澄、渺遠,不黏不滯。南齊謝赫總結前人評人論藝之經驗,以"氣韻生動"爲繪畫"六法"之首,並將其貫串於具體的繪畫品評中,如評張墨、荀勖云:"風範氣韻,極妙參神。"評顧愷之云:"神韻氣力,不逮前賢。"評陸綏:"體韻遒舉。"評毛惠遠:"力遒韻雅。"評戴逵:"情韻連綿,風趣巧拔。"六法精論,萬古不移,六法之中,唯氣韻爲重,唐宋以後氣韻一躍而成爲最重要的美學範疇之一,由魏晉貴無論玄學中潺湲流出的"韻"的精神孕育了中國獨特的藝術。

　　次談形神問題。形神乃魏晉玄學的重要命題之一。在此問題上,貴無論玄學根據無爲本、有爲末,本末不二的觀點,認爲形神二者是不可分隔的,形是神賴以存在的媒介,在價值評判上以神爲主,而對形持比較漠視的態度。嵇康《養生論》云:"形恃神以生,神恃形以存。"就體現了重神輕形的態度。

　　魏晉人評人重神,曹魏中期出現的"觀眸子"說,就已注意到這一點,蔣濟以觀眸子,以定人品。嵇康曾説趙至的眼黑白分明,所以心胸狹隘,觀眸子也就是觀人的氣韻神情。

　　魏晉人不僅重眸子,更重人的整體神氣。在富有濃厚審美意味的"以象評人"風習中,這一點表現最充分,如"森森如千丈之松"、"謖謖如勁松下風"、"瑩然如廓雲霧而睹青天"、"朗朗如日月之入懷"、"軒軒如朝霞舉"、"濯濯如春風柳"、"巖巖如壁立千仞",這裏都立足於人的神韻來品評。

　　當時人對待自然也是如此。宗炳説:"山水質有而趣靈。""質有"是其具體的存在,"趣靈"是山水的神韻和精神,"趣靈"是由"質有"傳達而出,而山水之高妙,之宜人,正在其"趣靈"。傍及動物以至一鳥一蟲,都有"神"存焉。《世說新語‧言語》載:"支道林常養數匹馬,或言道人畜馬不韻,支曰:'貧道重其神駿。'"

在藝術中,"神"也受到人們的普遍重視。顧愷之説:"手揮五弦易,目送歸鴻難。"劉勰説:"神道難摹,形器易寫。"但當時人們偏偏棄易求難,去追求"目送歸鴻"的神秘和奇特。

這種重神的普遍審美趣尚,恰恰是貴無論玄學漬染的結果。因爲"神本無端"(宗炳),最難捉摸,是無、是空、是玄,因而其中必有奧義,也就值得追求。"神"提供了茫無涯際的空間,這樣也就有了自己性靈安頓的地方,有了自己的選擇、評價、趣味和體驗。

再談意、象、言。言意之辨是魏晉玄學的中心論題之一。當時出現了"言盡意"和"言不盡意"等多種看法,其中王弼的觀點影響最大。他説:"夫象者,出意者也;言者,明象者也。盡意莫若象,盡象言。"將意、象、言三者整合爲不可或缺又漸次遞進的關係。同時他強調,在認識中,象、言均是工具,達意纔是目的,認識過程要經過"得象忘言"和"得意忘象"的兩次超越過程,最終把握住"意"。此説一出,後之名士談玄,即把"散以象外之説"(孫綽《遊天臺山賦》,《文選》卷 11) 作爲追求之根本。稽叔良贊阮籍爲:"得意忘言,尋妙於萬物之始。"(《全上古漢魏晉六朝文》,卷 53) 晉僧衞云:"撫玄節於希聲,暢微言於象外。"(僧衞《十住經合經序》) 顧愷之云:"托形超象,比朗玄珠,一宗理而常全,經百谷而彌切。"(據《初學記》卷 7 引) 文人們競相"標舉會宗,而不留心象喻"(《世說新語‧輕詆》注引《支遁傳》),推重象外之意,已蔚成一種時代風氣,以致歐陽建作《言盡意論》,還要化名爲"違衆先生"。

因不執言象,惟重"意"、"幾"、"無"、"微",兩晉出現了一獨特的詞語:"妙象"。"妙"本是"道"的同義語,《老子》

云："玄之又玄，衆妙之門。""妙中象"即是體現妙道的感性之象。"妙象"之中，以"妙"統"象"。郭璞《遊仙詩》："明道雖若昧，其中有妙象。"庾闡《蓍龜論》："是以象以求妙，妙得則象忘。"郗超《答傅郎詩》："森森羣象，妙歸玄同。"孫盛曾作《易象妙於見形論》，亦申"妙象"之旨。"妙象"一詞可謂最簡捷地體現了貴無論哲學的宗旨。

中國美學重視"象外之象"、"韻外之致"至晚唐司空圖已形成具有一定系統和相當影響力的理論，其理論淵源則來自魏晉。魏晉南北朝時雖未形成完整的"象外之象"的理論系統，但許多理論家都對此予以關注。如《文心雕龍·隱秀》中提出的"秘響傍通"說，追求"文外之重旨"，就已觸及到象外之象說的內核。

崇有——重視感性生命的新的美學傾向

同是闡發道家哲學，在玄學發展到第三階段——元康時期，卻出現了不同於王、何的哲學傾向，這就是向、郭哲學的興起。這一流派對道家的創造性闡釋，給中國美學帶來了新的氣息。王、何玄學重在"無"，促進了中國美學對玄虛空茫境界的追求；向、郭玄學貴在"有"引發了中古美學對感性生命的重視。二者之間的衝突和互補，使中古美學出現了空前繁榮的局面。

郭象哲學在歷史上被誤解勝過被理解。一方面，因《世說新語·文學》載郭象爲人輕薄，竊向秀《莊子注》爲己有，故爲世所譏，其言亦不爲世所重。另一方面，因郭象獨標羣有，後之論者有的認爲他乖違道家本旨，促進了道家哲學走向衰落，因而遭致詆評。

其實這兩種看法均未爲允當。就前者而言，郭注雖然對向注有所取資，但又有重大發展。如湯一介先生所言，向、郭思想有巨大差異,向秀還没有完全擺脱王何貴無思想的影響,仍認爲有一個不生不化的"生化之本",而郭注則完全否認了"無能生有",明確擎起了"有"的旗幟。郭注是一具有獨立價值的哲學理論系統。自後者而言,郭象思想確有和莊子出入之處,但他是"有意地誤導",是一種創造性闡釋。故此,在美學研究中,郭象哲學長期被忽視的局面應該改變,忽視了郭象,也就缺少了中古美學發展一個重要的有機環節。

郭象對莊子哲學的創造性剔發,引發了一場"美學革命",在許多方面具有較高的美學價值。

一、面向物自身。傅偉勳説:"郭象哲學可以規定爲'徹底的自然主義'(radical naturelism),他破除整個道家的(超)形上學,一切還原之爲萬事萬物自然獨化的現象過程。"王弼認爲,天地萬物都生於"無",而郭象認爲,"無則無矣,不能生有"。意思是説,本身是無,怎能生有,從而斷言"有"不待他物而自建。《天下注》云:"夫無有,何能所建? 建之以常無有,則明有物之自建也。自天地以及羣物,皆各自得而已。"萬物皆自得自建,自本自根,自發自生。郭象這一看法,脱去了王弼哲學的神秘特性,把"無"的哲學拉回到現實存在中來,使人們的運思態度不爲形而上的問題所纏繞,而直指面向感性現象本身。這使得中古美學避免陷入絶對的空茫虚廓之中,重視感性美獲得了應有的歷史地位。

二、重視自然的生命特點。郭象既肯定"有"是唯一真實的存在,同時又認爲"有"是各自獨立的,各有自己的"性分"。《山木注》云:"凡所謂天,皆明不爲而自然。言自然則自然矣,人安能故有此自然哉? 自然耳,故曰性。"物各"自性"、"自爾",在在有别,這是絶對的,一花一天國,一草一世界,一物有一物存在之理。然從另方面看,物物又是相通無礙的,他説:"物各自然,不知所以然而然,則形雖彌異,其然彌同。"不過這"同"

不是王弼的絕對的化生萬物之“理”，而是生命的共通。和王弼哲學的重大差異是，王關心的是“一”，郭關心的是“羣”。由於郭象認爲萬物是一個自生自足、自我生成、自在運作的現象實在，因此，它在美學上不僅啟發人們注重感性，同時促使人們把自然當作生命實體來對待，重視感性生命的豐富變化，重視感性生命無礙興現的整體特點，使得高揚生命一躍而成爲東晉到宋齊時期的根本審美流向。修篁自修篁，溪澗自溪澗，修篁有修篁之圓足的世界，溪澗自是一種生命的實體，僅僅重視自然是不夠的，袛有把自然當作一種生命實體，纔能真正具有美學意義，所以郭象此論對中古美學尤具啟發意義。

三、目擊道存的認識方式。在認識論上，郭象既然認爲萬物是一自爾獨化的生命實體，因此人們造臨萬物，亦須以平等的態度相待，郭象將莊子的齊物論思想更加向前推進一步。郭象認爲，莊子之濠梁之樂還欠徹底，“以陸生之所安，知水生之所樂，未足稱妙”。物各自性，率爾自極，無待乎真人真知，更沒有小大之辯的必要。郭象之《逍遙遊注》云：“夫小大雖殊，而放於自得之場，則物任其性，事稱其能，各當其分，逍遙一也，豈容勝負於其間哉。”他所要強調的是物物之間的平等，故而人作爲萬物之一份子，也應以徹底平等的態度看物，以“物態化”的心靈去體驗物，與物融爲一體。

同時，郭象之獨立無待的物，是一個具有自身價值的自足整體，人們觀照對象，不是披“有”尋“無”，而是即自然即實在，感受獨化玄冥之境的“有”，亦即“目擊道存”，“羣有”自身就是“道”，而不是它的媒介和載體。這種思想在後代即色宗支道林那裏表現得更充分，支氏提出“即色遊玄論”，精神氣質與郭象豁然貫通。支氏云：“吾以爲，即色之空，非色滅空，此斯言至矣。何者？夫色之性，色不自色，雖色而空。”（《即色論》）他認爲，袛有“色”，沒有“空”，“色”後沒有一抽象的本體，因而“即

色即空”，並非色滅乃空。郭象之“目擊道存”説和支道林之
“即色遊玄”論，立足於“有”、“色”的觀照，對培養中國人即
色即真的審美觀照態度起到了引發作用。

可見，郭象闡釋莊子不是死於句下，而是天才地誤讀。他對莊
子哲學的創造性闡釋使其更貼近美學。如在對感性生命的注視
上，莊子哲學所重在心靈境界的拓展，對旁日月、挾宇宙、遊於塵
垢之外的逍遥無待境界投以極大的關注，這成就了後代的中國體
驗美學。但莊子和老子一樣，認爲萬物之後有一抽象絶對的精神
本體，因此他所重即在“道”，心齋坐忘也是爲了探得“道”的
“玄珠”。莊子對具體的感性形態注目無多，他認爲，人籟不如地
籟，地籟不如天籟，抽象絶對的美勝過人間的具體感性。他雖然也
説道無所不在，以致瓦礫矢溺，但顯然以“道”爲主，外在感性祇
是“道”的載體。故此他對感性生命至少没有充分重視，他所言
感性之美，多是殘缺的、病態的，如醫缺、哀駘它、支離流、王駘(兀
者)、申徒嘉(兀者、斷足)、叔山無趾(兀者)、支離無脤(曲足、傴背、
無脣)。且常用相對論的觀點看待物，認爲天下莫大於秋毫之末，
莫小於高山，由此否定感性對象的自身規定性。而郭象的徹底的
自然主義和現象實在論，抛棄了莊學一味重視虛無之道的觀點，
并將其一些明而未觸的一面挑明了，將人置於感性生命之前，這
是郭象的貢獻。

郭象的思想，改變了一代美學之風，我們可以從以下兩方面
來看。

第一、東晉至宋齊時期，感性形式美得到重視，人們開始真正
的審美生活。今人所謂晉人發現了自然，正指的這一點。這種風氣
首先出現在東晉，其時，風烟俱淨、天山共色的江南自然風光，自
然對人們的審美認識有所刺激。但更重要的是道家哲學的中興。
但道家中興在漢末到西晉時已趨隆盛，爲何那時没有出現此一傾
向，而偏偏出現於東晉之時呢？這是因爲王何的貴無哲學直指虛

空,不可能引發人們對自然形態美的重視,而產生於西晉末元康、永嘉年間的郭象哲學,纔是這種審美飛躍的直接助推器,他所開拓的莊學的"山水即天理"思想成爲東晉感性美學的思想綱領。郭象《莊子注》成爲東晉名士清談核心之一,他的直指感性的哲學,使人們從清辯玄言妙理,轉而面對活潑潑的感性形態。不是嗎? 我們在蘭亭詩人撫愛山川風物的吟詠中,的確可感受到目擊道存的崇有哲學的神韻;我們在晉宋之交那窮形盡相的山水詩中,也同樣感受到萬物自在自足哲學精魂的跳蕩。

在東晉的詩作中,充滿了對自然聲色的描繪,如孫綽《三月三日詩》:

姑洗幹運,首陽穆闡。嘉卉蔓蔓,温風暖暖。言滌長瀨,聊以遊衍。飄萍浹流,緑柳蔭坂。羽人風颸,鱗隨沼轉。

庾闡《三月三日詩》云:

心結湘川渚,目散衝霄外。清泉吐翠流,渌醽漂素瀨。悠想盼長川,輕瀾渺如帶。

《三月三日詩》是玄言詩的重要組成部分,但在這裹我們可以看到,這些詩已不是空談玄理,關心"無"和"道",而更執著於自然聲色美的吟味,流連物趣,即物即真。如王羲之在《蘭亭詩》中所說的:"寥闃無涯觀,寓目理自陳"。它和郭象"山水即天理"的思想如出一轍。東晉時吟物小賦急劇上升,文人們吟花吟柳,吟草吟魚,鸚鵡、枯樹、石榴、芙蓉,乃至一瓜一蟲,也可吟可嘆。這一傾向發展到東晉末和劉宋時,更是"聲色大開"(沈德潛《説詩晬語》)。山水詩創作勃興,詩人競相窺情風景之上,鑽貌草木之中,力求窮形盡相地反映萬物。由玄言詩到山水詩的轉換,學界一般認爲是詩人們厭倦玄言的乏味,因而更張門庭,專詠山川,其實,郭象思想可能正是導致這種轉換的重要契機。

這裹有一問題需交待,即以山水比道的問題。孫綽《庾亮碑》云:"固以玄對山水。"《廬山諸道人遊石門詩序》云:"乃悟幽人之玄覽，達恆物之大情，其爲神趣，豈山水而哉。”江逌《竹賦》：“有嘉生之美竹，挺純姿於自然，含虛中以象道，體圓質而儀天。”（《全上古漢魏兩晉南北朝文》卷一〇七）陶潛説：“此中有真意，欲辯已忘言。”這些都不是以純自然的目光看待山水，而認爲山水中有縷縷神意、疊疊玄思。這種觀點對後代影響甚大，這是兼融王弼貴無和郭象崇有哲學的精髓，同時又以崇有哲學精神爲主所出現的一種思想。

首先，人們重視山水的感性生命（有），又矚目內在的玄思奧理（無）。在這其間，山水不是玄理的簡單表達媒介，而具有獨立的審美價值。正如宗炳所説：“山水以形媚道。”“媚”是一種美的呈露。其次，在“有”與“無”之間，又以“有”爲主。山水美態使人們暢懷抱，散幽情，暢遊於此，進而在灑然自適中俄然高蹈，故明顯重視的是滌神蕩胸、神超形越的功能，而不是去尋找那“無”。復次，不像以前的“比德”模式，山水祇是某種抽象概念的載體，而這裏的“道”基本擺脱了概念的束縛，祇是萬事萬物自在自足之理。質言之，“道”實際上就是充滿圓足、瑩然呈現於心靈中的真實生命。因此，東晉南朝時的“山水比道”，本質上就是“山水即道”，其精神氣質仍然是郭象所開掘出的莊子藝術精神。

第二，它使中國美學經歷了一個由以“人”的目光看物到以“物”的目光看物的轉換過程。我國在兩漢以前，人們從神的隱影中解脱而出後，基本上是以清醒理智的態度看待外物的，將物視爲異在的對象。先秦時的《詩》、《騷》由於採用以“附托外物”的手法處理自然，就不大可能産生齊同物我的態度。這種情況在兩漢并未發生實質性的變化，《淮南子》雖然吸取道家精神，但它主要關心自然之道的生成。董仲舒雖然提出“天人合一”的思想，但它祇是停留在“同類相動”的模式中，與齊同物我的境界并無多少關連。這種風氣的轉換是在魏晉。先是有竹林玄學重莊子的逍遥無待境界，嵇康、阮籍等傲睨物態，卒然高蹈，欲於無智無欲的虛静心胸中達於萬物一體的境界，但竹林玄哲重在憑情馳騖，尚未明顯表現出撫愛萬物的精神。這種傾向在東晉纔漸漸顯露出來。郭象哲學把莊子齊同物我的思想作了創造性剔發，可能正是這種審美趣尚轉換的內在根由。《世説新語·言語》載："簡文入華林園，顧謂左右曰：會心處不必在遠，翳然林水，便自有濠濮間想也，覺鳥獸蟲魚自來親人。"這種思想在當時極爲普遍。

晉宋人以平等的態度待物，認爲萬物本來就有情，殷浩説："當知萬物之情也。"(《遺王羲之書》，見《晉書·王羲之傳》)袁崧《宜都記》稱："山水有靈。"故人必以柔情待物。謝靈運更是摯愛萬物，曾遊弋山川，酷愛之，甚至被人稱爲"山賊"。他在《山居賦》自注中説："物皆好生，但以我而觀，便可知彼之情，咎景懼命，是好生事也，故放生者，但有一往之仁心，便可撥萬族之險難，水性雲物，各尋其生。"山川景物，各有其生命，故人亦必"好生"——摯愛物情，以自己的真實生命去擁抱它，纔能得物之情。唐宋以後，這種美學精神得到進一步張揚。

重適——强調性靈愉悦的美學新風

魏晉南北朝時，出現了一種重視性靈悦適的文化思潮，在名士的清談席上，在幽静的山林裏，在醉意的世界中，騰然而起的是對生命不永的慨嘆，對追求自由的執着。人們第一次把性靈的悦適，作爲生活的目標，陶然獨醉，俄然高蹈，仰而獨嘯，正像那位乘興而來、乘興而去的王子猷一樣，一切拘限似乎都解脱了，有限的時空被無窮地拓展，心靈中的快樂體驗，哪怕再短暫，爲其追求一生也值得。人們悠然品嘗，傾心把玩，如潘岳《秋興賦》所稱："逍遥乎山川之阿，放曠乎人間之世，優哉遊哉，聊以足歲。"魏晉之際，享有盛譽的人，不是那端坐高堂的官宦、謹守禮節的儒夫，而是能盡情暢遊自己生命的人。是那月夜徘徊者，山間閑度人，坐中敏捷穎脱的才士，甚至是那放蕩不羈的狂夫。

由莊學引起的追求適意的風尚，帶來了美學風氣的大轉換，它促使美學從外在的道德參與走向內心的細膩體驗。適意的體驗強調擺脱功利欲望的束縛，進入純粹的自我感覺的過程，這最終促使了對美感認識的突飛。

魏晉時對適意的追求，主要源於莊學的中興。莊子認爲，人生活在世界中，伴隨着無窮無盡的痛苦，他牽於物，惑於言，媚於世，溺於欲，這一切都會勞形束心，使人難以自拔。如何擺脱這些痛苦，莊子認爲，應該摒棄俗念，歸於大道，“芒然彷徨乎塵垢之外，逍遙乎無爲之業”。悟道的過程是一不斷由拘攣走向自由的道路，同時也是不斷擺脱痛苦而達到快樂愉適的體驗過程，同於大道，也就達到了“至樂”的境界。如果説莊子哲學是一種自由哲學，那麼也可以説它是一種快樂的哲學。

莊子認爲，人是嚮往自由的，祇有自由的人纔是真實的人，而人又無往而不在枷鎖之中，追求自由的可能性，卻付出了現實之不自由的代價。人來到這世上，就注定爲這世界所塑造，一己的欲望騷動着人，懷慶賞爵祿毀譽非巧的功名之心煎熬着人，既定的道德觀念擠壓着人。許多人自溺其中而茫然不覺，竊自滿足，實際上完全是“適人之適”——爲他人的歡樂而歡樂。莊子認爲，真正的快樂是“自適其適”，疏瀹五臟，澡雪精神，墮智識，去聰明，以虛静之心造臨萬物，就能達到“自適其適”的境界。

莊學在魏晉的中興，伴隨而來的是對瀟灑浩落人格境界的呼喚。在魏晉人的文章中，充斥着對世間煩情冗務的厭倦，對渺渺世外之情的嚮往。嵇康説：“未若捐外累，肆志養浩然。”（《與阮德如詩》) 孫綽《遊天台山賦》：“釋域中之常戀，暢超然之高情。”王藴之《蘭亭詩》：“散豁情志暢，塵纓或已捐。”均表現了此一思想。

一、重視性靈愉悦的美學價值

在魏晉之前，我國傳統的快樂原則曾經歷了一個由上古重視一般生理快感到重視倫理快感的轉換。先秦兩漢重視道德的快感占主導地位，審美的愉悦往往被看成是某種道德觀念被印證所產生的心理體驗，將羣體的價值置於個體之上。

這種觀念在魏晉時又有了根本轉換，羣體的道德愉悦被個體的愉悦所代替。晉人認為，"遺榮榮在，外身身全"（孫綽語），"忘歡而後樂足，遺身而後身存"（嵇康語）。人俯仰一世，並常感到"塵嬰"、"世累"的沉重，正如東晉戴逵所云："嗜好深則天機淺，名利集則純白離，如此故識鑒逾昏，驕淫彌太，心與慎乖，則理與險會。"（《申三復贊》，見《藝文類聚》卷23）心纏機務，志深軒冕，一心為外在道德所纏繞，終然是昏昏瞶瞶，毫無歡樂可言。塵世紛紛，總是使人心煩；高情遠志，則可滌心蕩意，得融融之樂。

故晉人之樂，樂在遨遊。文士們放情丘壑，寄意山川，道一時之樂，成萬古之趣。孫綽《秋日詩》云："垂綸在林野，交情遠世朝，淡然古懷心，濠上豈逍遙。"華茂《蘭亭詩》云："林榮其郁，浪激其隈，汎汎輕觴，載欣載懷。"山川草木給人帶來多少快適和滿足！

晉人之樂，更樂在隱逸。莽莽原疇，是自我性靈寄托之所；山光鳥性都成了自我靈魂跳蕩的旋律。兩晉時隱士與秦漢大有不同，後者多為避亂而隱居，而晉人多為成就自我恬然自適的心靈，為了"遁世以保真"而隱居。一是遁世保身，一是歸復自我。同時晉之隱士數量也非前代所能比。

因此，此時人們特重莊學的"養生"和"逍遥"之論。阮籍作《清思賦》，嵇康撰《養生論》，專論養生之旨。養生者，頤養性靈之悦適也。向秀、郭象闡發莊子逍遥哲學，支遁特作《逍遥論》，後來成了名士清談的主旨。實際上總論魏晉人之情懷，其清談玄遠，山林遨遊，就是爲了這份逍遥。此所謂魏晉人的藝術化的人生態度也。

這種追求適意的文化思潮，富於濃厚的美學意味，它爲中國美學獲得獨立，提供了良好的文化氛圍。追求適意，是一種細膩的體驗過程，既非生理的滿足，又非道德的快感，是人擺脱外在束縛和宇宙生命契合所産生的心靈震蕩。這種心靈就是審美的心靈。康德在《判斷力批判》中指出，趣味判斷不是一種理智判斷，而是一種情感判斷。在趣味判斷中，我們得到的不是一種知識，而是一種快感。他將快感分爲三種：由於感官上的快適引起的快感，由於道德上的贊許和尊重引起的快感，由於欣賞美引起的快感。他認爲，前兩種快感都涉及利害關係，因而不是審美快感，衹有除去理智欲望束縛的快感纔是審美快感。魏晉南北朝時強調個性獨立，排除官能欲望，推重愉悦的心靈體驗，説明當時人們已經自覺地用審美的方式去把握外物。因此，重適意的精神是一種美學精神，它是中古美學風氣轉換的根本標誌之一。

二、精神愉悦觀的第一境界——耳目之娱

王羲之《蘭亭集序》云："是日也，天朗氣清，惠風和暢，仰觀宇宙之大，俯察品類之盛，所以極目騁懷，足以極視聽之娱，信可樂也。"羲之於此提出一"極視聽之樂"的問題，此乃了解魏晉審美愉悦觀的重要組成部分。魏晉人的審美愉悦觀可分爲兩個層次：一是重視耳目之娱，一是重視心靈深層的愉悦。用王羲之的話説，前者可稱爲"遊目"，後者可稱爲"騁懷"，二者密相關涉，前者是後者的基礎，後者是前者的昇華。

重視外在的耳目之娱，是魏晉審美觀念轉換的有機環節。當時人特別推重對外在聲色的流連，耳之於音，目之於色，衹要能騁一時之歡，都可受而不棄。人們欣賞雲林風物，撫愛花木扶疏，放歌抒懷，長嘯言志，魏晉詩文充滿了這方面的內容。

　　重視耳目之娛不僅停留在觀照自然景物上,放浪形骸,縱情聲色,成爲魏晉名士典型的生活方式,晉張翰云:"使我有身後名,不如即時一盃酒。"(《晉書》卷92)漢世的名節觀至此已蕩然不存。竹林七賢乃至後之名士,幾乎個個是飲中豪客,喝得天昏地暗,喝得裸衣外行,甚至和一羣豬在一塊共飲。何等的放達,又何等的荒唐。當時人還有一癖好,特愛人之美貌,一個美人上街,看得道路水泄不通,所謂"看殺衛玠"即一例也。在中國歷史上,還沒有哪個時代對外在感官愉悦投入如此大的注意力。

　　魏晉人的放達并不悖違道家本旨,他們是要通過"去欲"——去除道德的欲望,達到"縱欲"——放縱自己的自然本性,即欲從一"道德人"變成一"自然人"。它取自於道家思想,又對其有所發展。魏晉人敢於追求自己的個體之樂,同時在個體之樂中又敢於追求具體的生活之樂,這是魏晉人人格自由所迸發出的火花。它在中國美學發展史上具有重要意義,中國美學由上古時代的感官之樂過渡到中古時代的追求精神之樂,同時在追求精神之樂方面,又使感官之樂以新的面貌出現,成爲人的精神氣質的外溢形式,富於它更新穎的意義。它説明,魏晉人在吸取老莊反異化、尚自由思想的同時,又注意剔除其空茫的成分,更切近生活,更易爲人們接受。它對中國藝術創造具有積極影響,同時也對中國美學長期存在的重道輕藝現象具有糾偏作用。

三、精神愉悦觀的第二境界——暢神

　　"暢神"是中古時代的一個重要美學範疇,一般認爲,它率先由劉宋宗炳在《畫山水序》中提出。其實,作爲一具有特定意義的美學範疇,在兩晉時即已提出。"暢神"爲當時習用之語:

　　　　釋域中之常戀,暢超然之高情。(孫綽《遊天台山賦》)

　　　　嘉令欣時遊,豁爾暢心神。(王肅之《蘭亭詩》)

　　　　今我欣斯遊,愠情亦暫暢。(桓偉《蘭亭詩》)

神散宇宙內，形浪濠梁津。寄暢須臾歡，尚想味古人。(虞説
《蘭亭詩》)

蓋適性莫暢於遊，而時和莫喻於春。(李充《春遊賦》)

以上所引均出於東晉詩人之手，其中透析出他們暢叙懷抱，
怡悦性情的般般心迹，不同的詩句匯成一個聲響，就是要暢超然
之高情。將"暢神"這一觀念突現而出。這種觀念是伴着道家的
中興而產生的，它反映了個體自覺後人們對自我精神享受提出更
高的要求，也反映了當時人們已從一般的官能愉悦上升爲高層次
的精神追求。

所謂"暢神"，就是要使席塞的心靈暢然而通，暢遊生命之
樂趣，暢遊悟道之歡樂，反映了魏晉人的終極審美體驗。

在兩晉，暢神之樂首先體現爲悟玄之樂。玄言詩大家許詢説:
"亹亹玄思得，濯濯情累除。"玄思妙意可以熨貼其心，調暢其
意。晉張翼《咏懷詩三首》之三曰:"遙遁播荆衡，杖策憩南鄞，遭
動透浪迹，遇靖適夷性。拊卷從老語，揮綸與莊咏。邈眺獨緬想，蕭
神標塵正。"孫嗣《蘭亭詩》亦云:"望巖(岩)懷逸許，卧流想奇
莊，誰雲真風絶，千載挹余芳。"均表示了此一意旨。

但在大多情況下，暢神之樂體現爲人與宇宙渾然融合所產生
的心靈震顫，借用莊子的話説，叫做"天樂"。宗炳之暢神觀就屬
於此:

於是閑居理氣，拂觴鳴琴，披圖幽對，坐究四荒，不違天勵
之藂，獨應無人之野。峰岫嶢嶷，雲林森渺。聖賢映於絶代，萬趣
融其神思。余復何爲哉? 暢神而已。神之所暢，孰有先焉。

由"閑"而觀畫，畫之"雲林森渺"使自己神思飄卷，忘卻
營營之樂，高蹈於互古莽遠的境界中，暢暢然樂不可支。"山水以
形媚道"，故"仁者"(貫通天地之人)觀之，感受到"天勵之
藂"(自然生命)的湧動和"無人之野"(宇宙精神)的呈現，由此
將自己的生命提升到天人相映的靈光世界中，茫茫古今，渺渺天

地，都盡現於眼前，我便由此而臻於悟得永恆的大樂境界。宗炳
說：「神之所暢，孰有先焉。」這是任何悅適都不能與之相比的終
極快樂。這一快樂境界在晉宋詩歌創作中已有所體現，而在宋元
山水畫的荒天迥地的境界中也有所體現。

　　最後，有幾點需作交待：
　　第一、由道家中興所引發的中古美學風氣的轉變是一種根本
的變化，中國美學至此完全改變了它原先的發展方向，它觸及到
中國美學發展的縱深層次。這場美學變革不是道家美學的重複，
而是一種嶄新的創造。老莊思想改變了中古人的思維認知結構、
生活方式以及價值觀念，并經此對人們的審美生活發生深刻影
響。老莊哲學中原本具有的潛在美學精神被落實到具體的藝術審
美之中，老莊哲學中的許多命題被從美學方面加以創造性剔發。
它所建立起來的追求無限渴望超越的審美價值系統、重視內在體
驗的審美認識方式、泛愛生生的宇宙人生態度、尚遠尚靜尚柔的
審美趣味以及以適意暢神為最高審美境界等思想，構成了一套完
全嶄新的審美理論系統。這套系統對後代美學産生重大影響，成
為最具中國特色的審美理論系統。
　　第二、在以上所言的貴無、崇有、尚靜、重適四者之間，貴無是
根本，是決定中古美學基本精神的核心因素。在審美認識方式上，
它促使了由秦漢時的外在認識論到魏晉時的內在體悟論的轉換；
在審美趣味上，將靜遠空靈作為美學的最高境界，中國傳統的
「意境」理論在這一胚胎上得以滋生；在美的本質上，貴無論哲
學孕育了中國古代獨特的超越美學，使中國美學完成了由有限到
無限、由表層到深層、由現象到本體、由形而下到形而上的躍動。
「崇有」哲學的出現，沒有動搖中古美學這一主體框架，祇是構
成了對這一美學框架的互補，它使貴無哲學、美學原本具有的忽
視感性生命的方面得到了補償。而尚靜尚柔的審美趣味直接受制

於由貴無論哲學產生的新的行爲方式和生活態度,重視性靈愉悦的美學風氣也是貴無論美學重視心靈體驗的進一步昇華。

第三、引起中古美學的轉型,主要來源於重新崛起的道家哲學的影響,但同時也有儒學和佛學的影響,本文爲了分析方便,側重談道家哲學和中古美學的關係,並不意味着忽視儒佛二宗在中古美學建構中的作用。

作者簡介　朱良志,1955 年生,安徽滁州人,現爲安徽師範大學中文系教授。著有《中國藝術的生命精神》、《漢字與中國文化》等。

道實在的雙重結構

金吾倫

内容提要 本文强調了道是實在的,並且具有雙重結構。道實在是整體的、全域的和不可分離的,萬物是從道實在中整合生成的。由此解釋了若干困惑量子物理學家的量子悖論,批評了西方傳統的科學觀,提出道實論的探索有可能成爲一種新科學的生長點。

對科學理論作實在論詮釋的合法性,已越來越爲物理學家和科學哲學家所認可。數百年來,假說——演繹方法應用於科學並日顯成效,更增强了實在論詮釋的合理性和信心。

海森堡(1958)用潛勢(potentia)解釋獨立實在;西莫尼(Shimony,1978,1986)和斯塔普(Stapp,1979,1985)沿着海森堡的路綫,堅持用潛勢概念闡明量子實在的性質;貝爾(Bell,1964)用量子場論的"可存在物"(beables)來談論實在;玻姆(Bohm,1967,1980)則用量子勢(quantum potential)概念及隱序和顯序的展出與卷入描述實在的整體性;德斯帕納(d'Espagnat,1983)提出了"虚實在"(veiled reality)理論。更著名的還有埃弗雷特(Everett,1957)的多世界詮釋,如此等等。人們在這些方向上所作的探索雖有成效,但仍然迷霧重重。

本文嘗試用中國哲學中"道"(Tao)和陰陽的觀念來探討實

在的結構和性質，並解釋量子力學中的若干悖論。在這樣做的時候，我們非常贊成德斯帕納的意見，爲了解決實在論目前所遇到的困難，"建立一種與某些哲學的或文化的傳統之間的聯繫是必要的"①。

一、道　實　論

道是宇宙的本體，又是宇宙的規律。作爲本體的道，如金岳霖教授所指出的，"最崇高概念的道，最基本的原動力的道，絕不是空的，道一定是實的……道可以合起來説，也可以分開來説"②。

首先，道是實的，我們稱之爲"道實"。關於它的理論，我們名之曰"道實論"。

其次，道合起來説，統稱爲道。它是"天下之母"、"萬物之源"。它是有和無的統一。"有"和"無"二者"同出而異名"。道分開來説，就是常道與非常道，即無和有。

第三，有無構成的統一體是不可觀察的。它不同於可感覺的具體事物，它是"視之不見、聽之不聞、博之不得的"。"道不可聞，聞而非也；道不可見，見而非也；道不可言，言而非也；知形形之不形乎，道不可名。"(《道德經·第14章》)但它又絕不是絕對的虛無。"道之爲物，惟恍惟惚。惚兮恍兮，其中有象；恍兮惚兮，其中有物；窈兮冥兮，其中有精，其精甚真，其中有信。"(第二十一章)所以，統一體中的有無是密不可分的。老子説："有無相生，難易相成，長短相形，高下相盈，音聲相和，前後相隨，恆也。"(第二章)它"獨立而不改，周行而不殆"(第二十五章)。有與無是道實在的兩個構成部分，我們名之爲"雙重結構"。

---

①B. d,Espagnut,In Scasch of Reality, Springer-verlag New York, Inc. 1983.P.97.

②金岳霖，《論道》，第17頁，商務印書館，1987年。

　　也有人強調,有和無是道處在循環運動中所呈現出來的兩種存在狀態。無是這個循環運動的起點和終點,而有則是這個循環運動的中點,或者説極點。因此,"無"和"有"雖然不同,但是,它們都是用來指稱道的,都是道的不可或缺的方面。道和有、無的關係如圖所示①:

無(惚)

道

有(恍)

圖1.

　　這裏的道就是終極實在,是有無的統一體。它是萬物之本源,世界萬物從道(實在)中產生,又復歸於道,而道自身則是永恆存在的。"萬物各異理,而道盡稽萬物之理。"(《韓非子·解老》)

　　由此可見,道實論之道,比之海森堡的"潛勢"具有更豐富的內涵。海森堡的"潛勢"是"存在的傾向性或可能性"(tendencies or prossibilities for being)。它没有內在的結構,祇是表達出在測量中由潛在突然轉變爲現實的過程。道實在則具有雙重結構,是有和無的統一。"潛勢"祇相當於道實在中"有"的部分。然而,"有"不能離開"無"而單獨存在。更重要的是,觀察測量的是道實在生成物,而不是道實在本身。道實在是一個整體。可觀察物是在一定條件下從道實在中"生成"出來的。從這個意義上説,生成物是與我們的主體相關聯的,而道實在則處在我們的意識之外作爲一個整體而獨立存在的。用法國物理學家和科學哲學家B.德斯帕納的話説,道實在是"遠實在"(far reality),而"生成物"則是"近實在"(near reality)。關於"遠實在"的理論,我們稱爲"遠實在論";②同樣,關於"道實在"的理論,我們稱之

　　①王博:《老子哲學中"道"和"有","無"的關係試探》,《哲學研究》,1991年第8期第44頁。
　　②B.德斯帕納,《探索實在》(In Search of reality),Springer-verlag,New York,1983,P.95.德斯帕納在那裏説,"佛教,道……的世界觀都是遠實在論的例子"。

爲“道實在論”或簡稱“道實論”。

二、 道 變 論

道是實在的，它具有雙重結構。

道是成毀的，它具有雙向運動的機制。

道是可變的。有和無組成的道又可以被打破而生成爲現實的萬物(道生一、一生二、二生三、三生萬物)。這種生成是相互作用的結果，尤其是借助於陰陽的力量相互作用的結果。正如哈佛大學天文學家David Layzer在解決量子佯謬時所説的，“在中國哲學中，它使人想起陰陽學説；陽，整合性力量，對應於序的增長；陰，破壞性力量，對應於熵增産生的序衰”。[1]

有無統一體的一個重要特徵是變異。“變易就是有與無的統一”[2]。變易就有“開始”。“當一種事情在其開始時，尚没有實現，但也并不是單純的無，而是已經包含它的有或存在了。開始本身也是變易，不過‘開始’還包含有向前進展之意”[3]。

客觀幾率所表達的事物或對象就是有無統一體。它在表象上是“無”，但卻暗含着“有”。蘊含着“變易”和“開始”。例如，放射性物質在它自發放射粒子之前，相對於將放射的粒子來説，是一種有與無相統一的狀態。無，即没有輻射，有，即具有輻射的傾向性。這種狀態的破壞，即是粒子的生成。有無統一的有與無衹在意義上有區別而無指稱上的區別，這種狀態是不可觀察的，生成的粒子纔是被觀察的對象。

真空狀態也是這種有無統一體的最好例證。真空絶非是絶對的虛空。我們目前已知的真空態，希格斯(Higgs)場不是零。這種

---

[1]D.雷澤爾，《宇宙生成論》(Cosmogenesis)，英國牛津大學出版社，1990年，中譯文，劉明譯，金吾倫校，即將由河北教育出版社出版。

[2][3]黑格爾，《小邏輯》，第197頁。商務印書館，1987。

有與無統一其內的真實態，會發生失稱或自發破缺。"宇宙和其
中的每物都可能僅僅是这些真空漲落中的一种漲落，這些真空漲
落容許粒子從無中產生；一段時間後，又重被吸收而成真空"。①
真空對稱性的破缺，真空相變是產生基本物質及基本相互作用的
前提。有了基本物質及基本相互作用，纔有萬物。"一個封閉宇宙
具有全域零能，而通過真空漲落就不難從全域零能中產生出某種
東西來"。②有了"某種東西"，即基本物質和基本相互作用，纔
能捕捉，纔能觀察，纔能測量。這説明，從潛在(有無統一態)到現實
(經驗現象)有一個相當復雜的生成演變過程。

　　這種生成過程的一個重要特點是整合生成。例如，一個粒子
的生成，不是從原先就已存在於潛在狀態中游離出來，而是整合
了有無統一體網絡內的全部信息所得的結果。它不像從西瓜中剝
離出一顆西瓜籽來，倒是像從西瓜籽內發出一個嫩芽來。所以，這
種生成不是一種機械的割裂，而是一種整合生成。

　　整合生成觀強調，事物的變化是用"產生"、"消亡"或
"轉化"來闡明的。這種觀點被稱爲"生成論"。它與占西方主
導思想的"構成論"相反，"構成論"主張，事物的變化是不變
要素的結合與分離，其方法是"分析重構法"。③

　　我們知道，費曼圖代表了粒子及其相互作用的產生與消失。
例如，時空中的一個光子自發地產生出一個電子／正電子對，正
電子與一個電子相遇並隨之消失、如此等等，都是粒子的生成與
消滅。這些現象，構成論無法解釋，而祇有生成論纔能加以説明。

　　生成論特別強調，這種生成不是機械地分離，而是一種整合
生成。

　　從這個角度看測量，那末，測量所涉及的祇是生成的物，而不

---

　　①②約翰·蓋利賓，《薛定諤貓探索——量子物理學與實在》，(英)矮腳書店，1984年
第271頁。
　　③董光璧，《當代新道家》，第90頁及以下各頁，華夏出版社，1991年。

是道實在本身。道實在是不以測量與否而轉移的。這就是我們所要維護的實在觀。這種實在觀區別於形而上學實在觀的地方是：形而上學實在觀沒有把被測物看作是生成物，而看作是原先就實存在那裏的，觀察測量祇是把被測物從宇宙中提取出來，測量對被測物之外的宇宙其餘部分不發生影響。道實論強調的是，被測物是有無統一體(道)之生成物，這種生成物又是整合生成的。對它們的測量反過來又會影響整體實在。

這種生成與相互作用的機制是受陰陽力量支配的。陰陽學說認爲，有無統一體乃是陰陽合二爲一的。生成的物對其自身也是有陰有陽的，這是因爲“萬物負陰而抱陽”(《道德經・第四十二章》)。但生成的物對測量來說，它祇顯示陰的力量，測量則是陽的力量。因此，物和測量的關係是陰陽互補。這種情況與玻爾的互補框架是一致的、符合的。這一點我們可以通過男女和父子關係中顯示的陰陽中看出。對單獨一位男性而言，他具有陰陽兩者，但對於其妻子來說，他顯示陽的力量，而對其父而言卻又顯示陰性的力量。宇宙萬物之間的關係無不如此。陰陽合二爲一，它們的分離祇是就關係而言的。

用陰陽學說來看待EPR遠距關聯，就順理成章地可以獲得說明。

當微觀客體組成的體系AB分離時，儘管其間沒有物理的相互作用，但在經受測量時，則是以一種陽的力量施於其中之一上，則該客體(例如B)相對於測量儀器這種陽力量而迅即轉變爲陰的力量；而在它轉變爲陰的同時，與之相關的實在部分(A)便即時轉變爲陽。具體地說，如果測A，則A呈陰而B呈陽；如果測B，則B呈

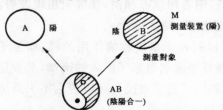

圖2.EPR關聯的陰陽變化機制

陰而A呈陽,反之亦然。這時,被測物成爲聯繫與之相關的實在和
測量裝置之間的中介物,又由於陰陽總是共存的,由測量把三者
聯結成一個不可分割的整體。所以,即使分離後A與B之間不存在
物理相互作用,但兩者卻通過陰陽而整體地關聯了起來。在測量
結果上表現爲不可分離性、非定域性以及世界的整體性與普遍聯
繫性;表現爲西莫尼教授所説的"遠距相愛"(passion-at-a-
distance)。可以説,陰陽變易正是EPR關聯之謎的實質所在,也是
微觀粒子糾結的實質。這種"遠距相愛"的基礎就是由陰陽聯繫
的道實在的整體性、全域性和不可分離性。

　　用"道實論"同樣可對雙縫實驗作出合理的解釋。按照陰陽
學説,陰陽成物,任一物都是陰陽合一的。陽與陽,或陰與陰,兩種
力量是衝突的,兩者不能合二爲一而成物。單縫與雙縫實驗的結
果反映在屏上就顯現出奇異的圖象。

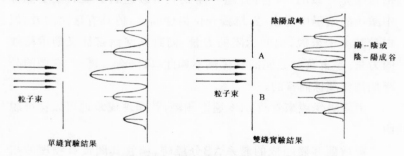

圖3.陰陽學説詮釋雙縫實驗

祇有當陰陽合一時纔生成粒子,在屏上出現尖峯,而當陽陽或陰
陰兩種同性的力量在一起時,兩者相斥而相消,在屏上出現波谷。
這有點相似於極化分子:異性相吸,同性相斥。

　　由上可見,用道實論可以對若干量子悖論作用詮釋。而量子
悖論給當代物理學家和物理哲學家們帶來了巨大的衝擊,至今還
在苦苦地折磨他們。現在我們的"道實在論"可以説它不失爲這
些量子悖論的詮釋提供一條解決的途徑。

　　道實論是一種徹底的整體論。用整體論的道實論來考察波粒

二象性，便可以得到非常完滿的解答。因為按照道實論，道實在是一個整體，波或粒子都是由測量過程中生成的，不同的測量裝置和測量方法就會有不同的生成物，或者生成波或者生成粒子。道實在就是道實在，它既不是波也不是粒子。波和粒子祇是作為整體的道實在在不同條件下的反映。這正同我們用一個盒子從湖中提水，方形的盒子內的水呈方形，圓盒子內的水呈圓形是一個道理。所以嚴格說來，波和粒子的區分是假象，它們乃是作為整體的湖水的反映。這也就是"道可道，非常道"的內在涵義。因為既然是映像就不是原物，映像與原物絕不會絕對對稱，絕對守恆。李政道、楊振寧揭示出了在弱作用下連宇稱也是不守恆的。

三、　建　構　論

為了進一步闡明道實論所揭示的整體世界圖象的合理性，認識道實論可以用來詮釋目前科學發展，尤其是量子物理學發展所遇到的巨大困難，探索道實論是否有可能成為科學發展的一個新的生長點，我們似有必要對西方傳統的科學觀和世界圖景作一初步的考察與分析。

西方傳統的科學觀和方法論就是"分析重構"，其核心是"建構論"與"嵌入說"。我們從"建構論"說起。

科學家建構科學理論以解釋物理世界的觀察為特徵，他們往往通過建構被研究對象隱結構模型來進行。這種結構被用來對可觀察現象的因果進行說明，而理論模型則提供對現象的近似解釋。

科學實在論認為，理論結構在某種程度上是對世界結構或者說實在結構的某種洞察，但科學實在論者並不認為，建構起來的理論結構必定就是我們生活在其中的真實結構。

一般說來，這個建構過程大致是，從觀察到的感性現象出發，科學家運用自己的認知結構(包括背景知識)提出一組基本概念或基本原理作爲理論基礎,在此基礎上通過邏輯演繹過程推導出一系列可與感性現象直接對比之結論。這些結論還需要與其他已成熟的理論以及進一步的觀察現象進行比較。在比較過程中不斷修正補充並日臻完善。

建構不是"依樣畫葫蘆",因爲没有"樣子"可依。建構寧可説是"照貓畫虎"。虎是人們按照貓的形象(觀察現象)加上畫家自己的"自由想像"畫出來的。所以,所繪出的圖像常常不像虎,倒像狗。

這樣一種建構程序被稱作"分析重構法"。它力圖通過建構局部現象以描述實在的整體結構或整體特徵。在中國有"坐井觀天","瞎子摸象"的比喻。雖然看到的那部分天是實在的和真的,摸到的象的那部分也是實在的和真的,但一個部分與另一個部分有極大的差别。每一個部分都處在一定的條件和環境中,不能從已知的那部分真實無誤地推出未知的另一部分,更無法推出整體的特徵。而各部分之間也許實際上在庫恩意義上是不可通約的。

四、嵌入説

我們目前所得到的世界圖像是建構與嵌入的結果,正像呈現在我們面前的一幅達·芬奇的油畫,是畫家經過構思之後,用他的畫筆一筆一筆畫上去的。這幅整體的畫像是經由畫家建構與嵌入之產物。

科學的世界圖像也是科學家將局部現象建構並嵌入到畫面中去的結果。正如愛因斯坦所説,這裏"真正的困難在於,物理學是一種形而上學;物理學描述實在。但是,我們並不知道實在是什麼;我們知道的祇是用物理學方法所描述的實在。"①這就是説,我們所知道的實在,祇是科學理論的建構模型被嵌入自然中去的

①愛因斯坦給薛定諤的信,1935年6月19日。

結果。

　　從德謨克利特的原子，經道爾頓到玻爾，都是建構而成的產物。

　　電子更是如此。科學家通過油滴實驗或雲霧室所確立的電子容易使人誤導爲，電子是一些非常小的單個實體並具有質量和動量的標準力學性質的東西。然而，一個束縛的電子也許把它看作是一個體系的態更加恰當，因爲它比起一個游離的可區別的實體要受到更多的束縛。這祇是因爲它帶的電荷與同它耦合的質子電荷相比極小，所以自由電子纔可看作是一種獨立的實體。當耦合強度增大，自由電子的屬性就將喪失。我們遠沒有弄清無任何相互作用的自由電子的面貌。按照相對論量子力學理論，像質子和中子這些核實體之間的力是由交換介子(mesons)產生的。這種情況下的"粒子"意味着可以用特殊的場(強相互作用場)表達，它們已經遠不是經典力學意義下的質點。如果再考慮量子場論中的誇克假説，雖然誇克被設想爲一種實體，是質子和中子的"組成成分"，而且已確認有多種誇克存在。但是，我們絕不可把它們看作是普通物理意義上的"組成成分"了。它們被幽禁了，既不能分解又不能以自由狀態存在。

　　原子、電子、基本粒子，乃至誇克，都是由科學家經由科學理論認定的現象背後的實在，它們都是建構起來後被嵌入自然界的。它們的實在性與科學理論密不可分地聯繫在一起，無不打上科學家主觀的印記。正如物理學家H.赫兹所説，"從人的觀點來看，光是一種電磁波。"這是説，"光"，"電磁波"，都是從人的觀點看的，是人用言語所作的描述與詮釋。物理學家M.玻恩則説得更明白，他經過一段思索，"恍然大悟從根本上説，一切東西都是主觀的，一切都沒有例外。"①它們都具有屬人的性質。當然，我

―――――――――

①M.玻恩，《我的一生和我的觀點》第85頁，商務印書館，1979年。

們也知道,雖則物理理論是科學家建構而成的,帶有主觀的性質,但觀察能提供足夠的限制因素以選擇一個合適的單一理論,以滿足科學的客觀性的需要,不過這是一種"弱客觀性"。

嵌入就是把按客觀性原則建構而成的理論模型返回自然,返回道實在。用中國哲學家金岳霖教授的話說,這個過程就是"得自所與還治所與"①。

但是,通過科學建構而成的實在圖像與自然圖像,即道實在的圖像往往相距甚遠,正因爲此,纔會有勞丹批評收歛實在論所遇到的種種困難②;也纔會有庫恩所指出的"範式"變革與世界觀的格式塔轉換③。

現在的問題是我們如何跳出這個怪圈?途徑之一就是抛棄"分析重構法",走向整合生成論,而整合生成論,即是道實論。所以,我在前面說到,道實論的深入闡發與探究,很有可能將成爲一種新科學的生長點!

五、　探索道實在的整體論方法

實在是整體的。它由陰陽關聯在一起。萬物借助陰陽而從道中生成。萬物祇是道實在的生成物。道實在本身是不可觀察,不可測量的。

科學所揭示的實在(或世界圖像)是建構與嵌入所得的圖像。它用以揭示實在的方法是"分析重構法"。對於這種方法,甚至在物理學家中間也對之提出了強烈的質疑④。這種方法有如下局限性。

1.它是通過認識部分的結果,力圖用機械組裝的方法描述整

①金岳霖,《知識論》,第493頁,商務印書館,1986年。
②拉里·勞丹,《科學與價值》(英文版),第5章,加利福尼亞大學出版社,1984年。
③托馬斯·庫恩,《科學革命的結構》(英文版),芝加哥大學出版社,第2版,1970年。
④R.A.希勒:《整體論和不可分離性》,美國《哲學雜誌》,1991年8月號,第398頁。

體。如果用"人"作例子，那麼，建構而成的人，是一個機器人，而不是一個活生生的人。

2.它的哲學基礎是還原論。按照還原論，整體由各部分組成。它認爲，通過對各個部分的分析，找出支配它們的規律，人們就能達到對整體行爲的完整而適當的理解。這種還原論的方法論自伽利略時代以來，物理科學中已證明大有成效，以致人們認爲，了解了物質的最基本構成，就能揭示整個宇宙的基本規律，這種被普利高津批評爲"宇宙簡單性原則"的神話已受到了新科學的挑戰。

3.它重於揭示靜態結構而忽視或難於探討聯繫、過程與變易。

儘管它也注意到部分建構成整體時具有一種不同於部分加和的關係，但是，它依然是如保羅·特勒所指出的"寄生關係"。就是說，它所承認的這種新出現的關係是"寄生在非關係性質上的關係。"①

分析重構法已受到整體論者的反駁。整體論者主張，某些個體所具有的性質不是由它們的部分決定的。"現在已很清楚，一個整體的歷史的或個體的性質不能期望寄生在它的部分的性質和關係之上。"②

中國哲學中也有這種類似的觀點，這就是所謂的因陀羅網。因陀羅網上的每一交叉點上都有一顆明珠，每一顆明珠照見別的明珠，而又從別的明珠之光照見自身。整個網的整體關係建立在每一個明珠自己的非關係性質(單個明珠的發光)之上。當然，這不是中國哲學中道實在的主導觀念③。

道實論與傳統的"分析重構法"之區分已如上述。道實論與海森堡的"潛勢"論或埃弗雷特的多世界詮釋的不同可用下圖

①保羅·特勒，關係整體論和量子力學，《英國科學哲學雜志》，1986年，71期81頁。
②保羅·特勒，相對論，關係整體論，和貝爾不等式，載庫欣和麥克穆林編的《量子力學哲學含義》一書中。
③許倬雲，《中國文化與世界文化》，第67頁，貴州人民出版社，1991年。

展示：

海森堡、西莫尼斯塔普等	潛在性 (Potentialities)	(通過測量)　現實化 (actualization)
埃弗雷特	多世界 (Many-Worlds)	(通過測量)　現實世界 (real world)
懷特海	潛在性 (Potentialities)	(價值)　現實化 (actualization)
玻　姆	隱　序 (Implicate order)	(體意義)　顯　序 (Explicate order)
德斯帕納	虛實在 (Veiled Reality)	(測量)　經驗實在 (Expirieal reality)
我們的模型 (道實論)	道實在 (Tao-reality)	(測量)　現象世界 (Phenomenal World)

　　道實論堅持"整合生成的整體論方法"，它特別強調以下幾個主要觀念以區別於其他模型：

　　1.道實在是獨立於我們的意識之外而存在的，是真正的獨立實在。它是一個不可分的整體，一切我們所能感知的現象(即萬物)是由這個獨立實在由於不同條件而生成的，而不是原先就以測量到的物體那樣實存在那裏的。

　　人類是自然進化的產物；人的意識同樣是自然進化的產物。意識的出現有一個從潛在到實現的轉化過程。它與萬物一樣都是以有無統一體形式存在的獨立實在中生成的。獨立實在先於意識而存在。承認了獨立實在，認識論中討論主客體相互作用、主客體統一或分離等等觀念繞有事實上的意義。

　　2.道實在，即獨立實在，超越空時框架，不可能用我們現今的科學概念進行描述；而由它生成的萬物及意識則處在空時框架內，它們是可以用我們的科學概念加以描述的。

3.從上述建構與嵌入過程可知,我們當下的宇宙圖景是從已知現象經由歸納所得的產物,是我們用科學概念理解、描述和表達的結果,所以,它祇是由獨立實在的映象,與外顯部分所組成的。就此而言,獨立實在大於並先在於科學揭示的諸實在之和,且不說科學所揭示的某些實在圖像還是錯誤的。

4.獨立實在所生成的萬物不是從整體的實在中機械的切割與剝離出來,而是有機的整合生成。每一物中都帶有整體宇宙的信息,因而理解與把握實在的方法不能局限於分析重構和歸納,而應轉向假說—演繹的整合生成,要從靜態的分析轉向動態的整合。

整合生成的前提和基礎是道實在具有雙重結構,故我們將本文名之曰"道實在的雙重結構"。

作者簡介　金吾倫,1937年生,浙江蕭山人。現任中國社會科學院哲學研究所研究員,博士生導師。著有《物質可分性新論》(1988年)、《科學變革論》(1991年)等。

"終極關懷"的儒道兩走向

馮天瑜

內容提要　本文探討儒道兩家"終極關懷"的同與異。孔、老多有歧點,但不謀求彼岸的永生,卻大體近似。這正是中國式的終極關懷的共有特徵———一種着意把握"生",而又視"死"如歸的理智主義。

儒、道兩家的"終極關懷"又有明顯的差異。儒家的"終極關懷"尤其體現在"三不朽"說,即《左傳》所稱"大上有立德,其次有立功,其次有立言,雖久不廢,此之謂不朽。""三不朽"說的主旨是將個人有限的生命融入無盡的歷史,這是一種倫理至上的生死觀,其基石便是個體生命價值與歷史相融匯的不朽觀。與儒家這種倫理主義和歷史主義的終極關懷迥然有別,道家則守持一種自然主義的終極關懷。老子認爲復歸自然方是"長生久視之道",莊子則把"死生存亡之一體"視作高妙境界,提倡"坐忘",使人與自然相融化。

儒家的倫理主義和歷史主義,道家的自然主義,是中國式終極關懷的兩大路向,它們共同構成中國人安身立命的精神支柱。

有的西方學者(如蒂里希)將宗教定義爲人的"終極關懷"(Vltimate Concern),如果以這種"泛宗教"觀論之,非神學的中華元典——《詩》、《書》、《禮》、《易》、《春秋》以及《老子》、《莊子》

等也不乏宗教情懷。

宗教典籍往往就人的"終極關懷"鋪陳出龐大的體系，如《聖經》衍出原罪救贖説、天堂地獄説、世界末日説、最後審判説，在人死後的結局和世界的末日等"終極"問題上形成一個完備的"終極論"。中華元典走着一條"循天道，尚人文"、"遠鬼神，近俗世"的思維路向，更多地注目於"現實關懷"，并未着意討論"終極關懷"，但也有論及生死觀和不朽觀的所在，而且頗具特色。

元典創生期的中國哲人大都不詳細討論"死"，他們認爲，"生前"都没有研究清楚明白，何必去議論無從證實的"死後"呢！這便是孔子在子路"問死"時，簡單答覆"未知生，焉知死"（《論語·先進》）的緣故。老子以"出生入死"（《老子·第五十章》）概括人的生命過程，并認爲，當人與不死的"道"同在，人就"無死地"（《老子·第五十章》）。孔、老多有歧點，但在不謀求彼岸的永生方面卻大體近似。這正是中國式的終極關懷的特徵所在——一種着意於把握"生"，而又視"死"如歸的理智主義。

莊子是先秦思想家中最熱中於探討死生問題的。他從相對主義出發，打破死生的嚴格界限，認爲"方生方死，方死方生"（《莊子·齊物論》）。又從生機的氣化論出發，指出生死是氣之聚散，"人之生，氣之聚也；聚則爲生，散則爲死"（《莊子·知北游》）。他既感慨於生的短暫，所謂"人生天地之間，若白駒之過隙，忽然而已"（同前），又祝賀死的到來，其妻死，"鼓盆而歌"（《莊子·至樂》），又描述子桑户、孟子反、子琴張三人"相忘以生，無所終窮"，子桑户死，孟子反、子琴張"臨屍而歌"（《莊子·大宗師》），表達了一種"死生一如"的人生觀。孟子則從仁道觀出發，強調死的道義價值，他説："盡其道而死者，正命也。"（《孟子·盡心上》）又説："生，亦我所欲也；義，亦我所欲也。二者不可得兼，捨身而取義者也。"（《孟子·告子上》）這是一種倫理至上主義的生死觀。

與上述倫理至上主義的"生死觀"互爲因果的,是中國特有的歷史主義的"不朽觀"。

古人的"不朽"意識大體有兩類。一類從"神不滅論"出發,認定人的肉身可亡,而靈魂不死。《聖經》是此類不朽觀的典型代表,這部希伯萊元典反覆訓示,人的"不朽"在於"與上帝同在"。到彼岸世界去求得永生和超脱,是基督教文化系統"終極關懷"的主旨所在。另一類"不朽"意識則寄寓於歷史無窮流變的恆久性,中華元典基本上持這一類不朽觀。對此論述較詳的,見之於《春秋左氏傳》——

魯襄公二十四年春天,魯國的叔孫豹出使晉國,晉國的范宣子問叔孫豹何謂"死而不朽"? 叔孫豹未答。范宣子舉出匄的例子,説他的祖系從堯、舜、夏、殷、周直至當代的晉國都受封享禄,應當算是"不朽"了。叔孫豹則不以爲然,認爲這不過是"世禄"而已,并非"不朽"。他進而正面闡明自己的不朽觀:

> 豹聞之,大上有立德,其次有立功,其次有立言,雖久不廢,
> 此之謂不朽。(《左傳·襄公二十四年》)

"三不朽"説的主旨是將個人有限的生命融入無盡的歷史。當一個人確立起崇高的道德,建樹起宏偉的功業,留下內容與形式雙美的言論文字,其德、行、言影響時人和後人至深至遠,其人便經久而名不廢,與無止境的歷史同在,斯之可謂"不朽"。

《韓詩外傳》曾舉出一系列歷史故事,論證這種不朽觀:

> 王子比干殺身以成其忠,柳下惠殺身以成其信,伯夷叔齊
> 殺身以成其廉,此三子者皆天下之通士也。豈不愛其身哉? 爲
> 夫義之不立,名之不顯,則士恥之,故殺身以遂其行。由是觀之,
> 卑賤貧窮非士之恥也,天下舉忠而士不與焉,舉信而士不與焉,
> 舉廉而士不與焉,三者存乎,身名傳於世,與日月竝而息,天不
> 能殺,地不能生,當桀紂之世不之能污也。(卷一)

這裏贊揚了一種倫理至上的生死觀,其基石便是個體生命價值與歷史相融匯的不朽觀,由此構成中國式的"終極關懷",樹立起"君子生以辱不如死以榮"(《春秋繁露·竹林》)的信念,培養出墨家式的"赴火蹈刃,死不還踵"的精誠勇毅,儒家式的殺身成仁、捨生取義的節操。宋人文天祥(1256——1283)在被元軍俘虜後,堅不投降,慷慨就義時,衣帶中有一贊詞曰:

> 孔曰成仁,孟曰取義,惟其義盡,所以仁至。讀聖賢書,所學
> 何事? 而今而後,庶幾無愧。①

文天祥的"所學何事"之問,其答案正是那"三不朽",尤其是"立德",也即道德的完成。這是中國式"終極關懷"的生動注解:辭別人世時考慮的既不是現世的享樂和苟延偷生,也不是求得彼岸世界的超脫,而是立德行於永恆的歷史,所謂"時窮節乃見,一一垂丹青"②,所謂"人生自古誰無死,留取丹心照汗青。"③實現了道德的完成,便能垂之於史册,上可順乎天道,告慰列祖列宗,下可教育後人,使正氣長存,自己的靈魂也就得到了安頓,"而今而後,庶幾無愧"。

如果說,從《左傳》的"三不朽"到文天祥的"留取丹心照汗青",主要體現了儒家式的終極關懷,那麼,道家則顯示了一種自然主義的終極關懷。老聃把"自然"視作最高範疇,所謂"人法地,地法天,天法道,道法自然"(《老子·第二十五章》)。認爲崇仰並復歸於自然,方是"長生久視之道"。莊周也主張順應自然,認爲人的生,適時而來;人的死,適時而去④。生與死像黑夜和白天轉換一般自然⑤。因而莊周把"死生存亡之一體"視作高妙境界,提倡"坐忘",使人與自然相融化。儒家的倫理主義和歷史主義,道家的自然主義,是中國式終極關懷的兩大路向,它們互爲補充,

①②③《文山全集》卷一四。"丹青",指丹砂、青臒兩種可作顏料的礦物,丹青之色不易泯滅,比喻堅貞不渝。"汗青",指史冊,古時在竹簡上書寫,爲免蟲蛀,先以火炙青竹令汗。"垂丹青""照汗青"指載諸史冊,永垂不朽。
④《莊子·養生主》:"適來,時也;適去,順也。"
⑤《莊子·大宗師》:"死生,命也,其有夜旦之常,天也。"

共同構成中國人安身立命的精神支柱。

　　作者簡介　馮天瑜,1942 年生,湖北紅安人,湖北大學教授,著有《明清文化史散論》、《中華文化史》、《中華元典精神》等思想文化史論著十部。

莊子氣論發微

王世舜　王犕

内容提要　莊子的氣論是莊子哲學的基石。莊子在氣論中所提出的"氣母"、"陰陽"、"六氣",可以理解爲氣的三種類型,也可以理解爲氣在發展過程中的三個階段。莊子用"一氣"説將三者統一起來,並直接從"一氣"説出發探討宇宙萬物的起源,得出"通天下一氣耳"的結論。莊子所提出的"氣"、"無"、"一"、"道"等範疇,相互之間既有聯繫又有區別。這種聯繫和區別表明莊子哲學中最高範疇——"道"是以"氣"爲基礎的。在莊子論述中,"氣"是一種物質性的實體,同時莊子又提出了"化"的觀點並加以論述。説明莊子不但是一位氣一元論者,而且是一位氣化生論者。莊子的氣論是先秦氣論發展史上的一塊里程碑,在中國哲學史上作出了不可磨滅的貢獻,對後世產生了深刻的巨大的影響。

莊子的氣論是莊子哲學體系的重要組成部分。莊子哲學思想撲朔迷離極難把握,研究莊子的氣論是揭示莊子哲學底蘊的一個重要的方法和途徑。

《國語·周語上》記載,周幽王二年,周的首都鎬京(今陝西省長安縣西豐鎬村附近)發生一次大地震。周的大夫伯陽父分析説:"夫天地之氣,不失其序……陽伏而不能出,陰迫而不能烝,於是有地震。"在這裏伯陽父用陰陽二氣的"失其序"來解釋地震的成因。這是氣、陰陽作爲哲學範疇用來解釋自然現象的最早的文獻記載。這個記載還説明氣作爲哲學範疇是和陰陽這一哲學範疇同時產生的。

　　從西周末年到莊子所處的戰國中葉以前,氣論有了很大的發展,莊子的氣論便是在這個基礎上發展起來的。

一

　　莊子的氣論中所提到的"氣母"、"陰陽"、"六氣"是首先應當加以注意和研究的。我們認爲在莊子的氣論中,可以把這三者看作是氣的三種類型,也可以理解爲氣在發展過程中的三個階段。

　　《莊子・大宗師》:"伏戲氏得之,以襲氣母。"《經典釋文・莊子音義》引司馬云:"氣母,元氣之母也。"元氣之説不見於《莊子》,除《鶡冠子》外也不見於先秦其他典籍。《鶡冠子・泰録》:"故天地成於元氣,萬物乘於天地。"第一次提出了元氣説。到了漢代元氣纔成爲哲學家們所普遍使用的哲學範疇。王充《論衡・談天》:"元氣未分,渾沌爲一。"古人所理解的元氣,即渾沌未分之氣。這種氣是氣的原始形態,故稱之爲元氣,可見元氣就是"氣母"。司馬注將氣母與元氣分作兩個概念是不確切的,今人鍾泰《莊子發微・大宗師第六》:"氣母,謂元氣也。"(上海古籍出版社版144頁)這種解釋是正確的。莊子所説的氣母與元氣没有什麼分别,指的就是氣的原始狀態。

　　伏戲氏,在《莊子》書中又簡稱伏戲(見《田子方》)或伏犧氏(見《胠篋》)、伏羲(見《人間世》、《繕性》),一共出現五次,但均未提及伏羲與八卦及《周易》的關係。《周易》在《莊子》書中稱作《易》,提到兩次。(見《天運》、《天下》)《天下》:"《易》以道陰陽。"《周易》

是以陰陽作基礎的，這一點在《周易大傳》中講得很清楚。無論《周易》還是《周易大傳》均產生於莊子之前。《莊子》的氣論雖然受《周易》及《周易大傳》的影響，但在表述上則有所不同。《繫辭傳》說："是故易有太極，是生兩儀，兩儀生四象，四象生八卦。"《序卦傳》說："有天地，然後萬物生焉。"《周易大傳》所描繪的宇宙萬物演生的序列爲太極——兩儀——四象——八卦——萬物。兩儀即陰陽。在《莊子》中没有這樣的演生序列。什麼是太極呢？唐孔穎達《周易正義》解釋說："太極謂天地未分之前，元氣混而爲一，即是太初、太一也。"這個解釋多爲學者所信從，我們同意這個解釋，同時我們還認爲《莊子》的"氣母"和《周易大傳》的"太極"基本上是相同的。《繫辭傳》又說："古者包犧氏之王天下也，仰則觀象於天，俯則察法於地，觀鳥獸之文與地之宜，近取諸身，遠取諸物，於是始作八卦。"包，《經典釋文》："孟京作伏。"包犧即伏羲。《周易》作者托始於伏羲，在莊子以前已經流行。"伏戲氏得之，以襲氣母。"之，聯繫上文指的是道。道，在《莊子》書中，就哲學意義而言，我們認爲包含三層意思：一是指宇宙萬物的本體、本原；二是指宇宙萬物本體本原的運動規律；三是指對宇宙萬物本體本原及其運動規律的認識。這裏指的是第三層意思。襲，成玄英疏："合也……爲得至道，故能畫八卦，演六爻，調陰陽，合元氣也。"《經典釋文》引司馬云："入也。"司馬的解釋於義爲長。"襲氣母"意思是說由於伏羲氏得到了關於宇宙本體本原及其運動規律的認識，便能深入"氣母"而認識其底蘊。

　　有一點我們應當注意，"伏戲氏得之，以襲氣母"這句話之前，也提到了"太極"。原文是："夫道，有情有信，無爲無形，可傳而不可受，可得而不可見……在太極之先而不爲高，在六極之下而不爲深。"在《莊子》書中太極一詞的出現僅此一次。對此處所說的太極，注家多與《周易大傳》所說的太極相混，解釋爲陰陽未分之前的元氣。此釋恐不確。極，《説文解字》："棟也。"段玉裁

注：“引伸之義，凡至高至遠皆謂之極。”棟，俗稱脊檁，在房屋的最高處。“在太極之先而不爲高，在六極之下而不爲深。”“先”與“下”相對爲文；當解作“上”，指的是空間而不是時間。此處“太極”似是極言其高，並無特殊涵義，應屬一般語彙，與《周易大傳》中作爲哲學範疇的“太極”其涵義恐不相同。

《莊子·天下》：“建之以常無有，主之以太一。”這是《莊子》綜述老子思想時所説的話。“太一”一詞不見於《老子》，是《莊子》對老子思想體系進行歸納和概括時所使用的語彙。什麼是“太一”呢？要回答這個問題首先要弄清什麼是“無”和“有”。“無名天地之始，有名萬物之母。”（《老子·一章》）“無”是天地的本始，“有”是萬物的根源，“太一”則是這兩者的主宰。可見，這個“太一”就是老子的道的同義語。《老子》也有一個宇宙萬物的演生序列，這個序列是：“道生一，一生二，二生三，三生萬物。”（《老子·四十二章》）一、二、三均指氣而言，一指渾沌未分的元氣，二指陰陽二氣，三指陰陽二氣在對立統一的運動中所形成的萬物的始基，即老子所説的“衝氣以爲和”（四十二章）的“和”，亦即莊子所説的“太和萬物”（《天運》）的“太和”。

“道生一”並非説道比一更爲根本。道不僅指宇宙萬物的本原，而且指運動規律。而運動規律這層意義則是一或元氣所無法涵蓋的。從宇宙本原的意義上講，“一”也就是道。因此，莊子用“太一”來指稱老子所説的道。“太一”一詞在《莊子》中出現過兩次，除《天下》篇外，在《列禦寇》篇中也出現過一次。原文如下：“小夫之知，不離苞苴竿牘，敝精神乎蹇淺，而欲兼濟道物，太一形虛。若是者，迷惑於宇宙，形纍不知太初。”大意是説思想淺薄的人雖想疏導羣生，合於“太一”，但爲萬物的形體所圍蔽，是不可能了解“太初”的。這裏的“太一”和“太初”都是指萬物的本原——元氣而言。“太一形虛”，“形虛”正是對元氣的形容。

"太初"又作"泰初"。《莊子·天地》篇以"泰初"爲始基,給人們描繪出如下一種宇宙演化序列:"泰初有無,無有無名;一之所起,有一而未形。物得以生,謂之德;未形者有分,且然無間,謂之命;留動而生物,物成生理,謂之形。"

"泰初",成玄英疏:"泰,太;初,始也。元氣始萌,謂之太初,言其氣廣大,能爲萬物之始本,故名太初。"這個泰初也就是無,無,言其無形無象。然後由泰初產生了一。其實由泰初至一,指的都是元氣。如果有所分別的話,那麼泰初是指元氣的始萌階段,而一則是指元氣的運動已經形成的階段。由此又產生了"分",分指陰陽。"留動"謂運動與靜止。通過陰陽的運動與靜止,便產生了物。物產生了,有了生命,從而形成形體。

這個宇宙演化序列,可以表述爲:

泰初(無)———一(德)———分(命;陰陽)———物。

上述所引孔穎達《周易正義》對太極的解釋,不但將太極解釋爲元氣,而且認爲太一、太初也是元氣。根據上面的分析,我們認爲《莊子》中的太一、太初(泰初)就是這樣的元氣。

《莊子·在宥》:"墮爾形體,吐爾聰明,倫與物忘;大同乎涬溟。""涬溟"《經典釋文》引司馬云:"自然氣也。"成玄英疏:"自然之氣也。"所謂自然之氣即混沌未分的元氣。"涬溟"又作"溟涬"。"若然者,豈兄堯舜之教民,溟涬然弟之哉?"(《天地》)"溟涬"仍指元氣。這句話前人注解多有歧異。其實這段話所討論的問題是怎樣纔可以使"民心"達到最高的境界。莊子與儒家不同,既不把堯舜看作理想的明君,也不把堯舜時代看作理想的社會。莊子認爲"民心"的最高境界是《在宥》篇所說的"大同乎涬溟"。達到這種境界的前提是"墮爾形體,吐爾聰明,倫與物忘。"如果要使"民心"達到最高境界,就不應當推崇堯舜的教化把它放在第一位,而把"溟涬然"亦即"大同乎涬溟"放在第二位。"兄"在這裏比喻首要亦即第一位的意思,"弟"比喻

次要亦即第二位的意思。所以句中用"豈"這樣的反詰副詞表示
否定。

　　"溟涬"一詞,到了漢代便被哲學家們用來明確地指稱元
氣。王充《論衡·談天》:"溟涬蒙澒,氣未分之類也。"稍晚於王
充的東漢著名科學家張衡更把"溟涬"提高到哲學範疇。請看下
面這段論述:

> 太素之前,幽清玄静,寂寞冥默,不可爲象,厥中惟虚,厥外
>
> 惟無,如是者永久焉,斯謂溟涬,蓋乃道之根也。道根既建,自無
>
> 生有,太素始萌,萌而未兆,並氣同色,渾沌不分。(《靈憲》)

　　在這裏,張衡把"溟涬"這種渾沌未分的元氣,作爲宇宙的
原始,因而稱"溟涬"爲"道根"。"道根"之後,便是"自無生
有"。這種説法顯然是受莊子思想的影響。

　　"氣母"、"太一"、"太初"、"泰初"、"涬溟"、"溟
涬",在《莊子》中異名而同實,指的都是元氣。莊子把這種元氣當
作宇宙的初始。而宇宙的初始在莊子看來是一個十分玄妙而又複
雜的現象,上述詞彙無法確切地全面地反映這種現象,因而莊子
極少使用這些詞彙,在一些論述中,常常根據不同情況、不同場
合、不同需要用"道"、"無"、"一"等來代替上述詞彙指稱氣
的原始狀態,用以探究宇宙的初始。

　　陰陽在莊子的氣論中,占有重要地位。"陰陽相照相蓋相治,
四時相代相生相殺,欲惡去就於是橋起,雌雄片合於是庸有。安危
相易,禍福相生,緩急相摩,聚散以成。"(《則陽》)郭慶藩《莊子集
釋》引俞樾曰:"蓋當讀爲害。《爾雅·釋言》:'蓋,割,裂也。'《釋
文》曰:'蓋,舍人本作害。'是蓋害古字通。陰陽或相害,或相治,猶
下句云四時相代相生相殺也。"陰和陽既互相照耀,又互相侵害,
互相統治。可見,在莊子看來,陰和陽既是對立的又是統一的。陰
陽和四時被説成是下列諸現象的成因,而這些現象既包括自然現
象也包括社會現象。

　　《莊子·大宗師》:"父母於子,東西南北,唯命之從。陰陽於人,不翅於父母;彼近吾死而我不聽,我則悍矣,彼何罪焉! 夫大塊載我以形,勞我以生,佚我以老,息我以死。故善吾生者,乃所以善吾死也。"陰陽既是"善吾生者"又是"善吾死者"。這就是說人的死生受陰陽所支配。《莊子·秋水》篇中,北海若回答河伯的問題時,有這樣一句話:"自比形于天地而受氣於陰陽。""自"是北海若自指,即大海。比,通庇,謂寄託。"比形於天地"是說將形體寄托在天地之間;"受氣於陰陽"則是說自身的產生乃陰陽作用的結果,也就是說陰陽是大海的成因。

　　莊子還認為,陰陽既是萬物形成的因素,同時也是使萬物夭傷的因素。"陰陽和靜,鬼神不擾,四時得節,萬物不傷,羣生不夭。"(《繕性》)陰陽和諧,萬物便"不傷"、"不夭"。"陰陽不和,寒暑不時,以傷庶物。"(《漁父》)陰陽不和諧,萬物就會受到傷害。

　　陰陽和諧與否,在莊子看來,是一個客觀的自然的過程,是不以人們的主觀意志為轉移的。

　　《莊子·大宗師》篇記載這樣一則故事:

　　　　俄而子輿有病,子祀往問之。曰:"偉哉,夫造物者,將以予為此拘拘也! 曲僂發背,上有五管,頤隱於齊,肩高於頂,句贅指天。"陰陽之氣有沴,其心閒而無事,跰𨇤而鑑於井,曰:"嗟乎! 夫造物者又將以予為此拘拘也!"

　　子輿的病,是"陰陽之氣有沴"造成的。"有沴",指陰陽之氣不和而產生的禍害。而陰陽之氣不和,是陰陽自身運動的結果,是一個自然的過程。所以對於這種禍害,人是無法躲避的。在莊子的筆下,子輿是一位得道之士,他完全了解這個道理,因而他的態度是"心閒而無事",心胸寬廣而不以為意。在下文的議論中,子輿又就此得出"物不勝天"的結論,物,實即指人,所謂"物不勝天",就是"人不勝天"。

"六氣"之説在《莊子》中出現過兩次。

若夫乘天地之正,而御六氣之辯,以遊無窮者,彼且惡乎待哉!(《逍遥遊》)

天氣不和,地氣鬱結,六氣不調,四時不節。今我願合六氣之精以育羣生,爲之奈何?(《在宥》)

"六氣"之説,並不始於《莊子》。《左傳·昭公元年》:"天有六氣。……六氣曰陰陽風雨晦明也,分爲四時。"這段話出自秦醫和之口,醫和不但提出了六氣的説法,而且將六氣解釋爲陰、陽、風、雨、晦、明。《經典釋文》所引司馬注,即依此爲説。唐代成玄英《莊子》疏亦取此説。《管子·戒》:"是故聖人齊滋味而時動静,御正六氣之變。"可見,"六氣"説在莊子之前便已存在,莊子把這種氣論吸收到自己的氣論中來,成爲莊子氣論的組成部分。

關於"六氣"的解釋,前人説法不一,而以醫和之説爲最古。秦漢以後的解説受其時代思潮的影響而創爲新解,與莊子的原意恐不相符。醫和之説在莊子之前,莊子在採用"六氣"之説的時候,也同時採用醫和關於六氣的解説是完全可能的。"御六氣之辯"的"辯",晚清學者郭慶藩以爲辯與正相對爲文,當讀爲變,並引《廣雅》:"辯,變也"以證成其説(見《莊子集釋》中華書局版21頁)。郭慶藩的意見是正確的。上文所引《管子·戒》"御正六氣之變"即作"變",亦可爲佐證。

"六氣",除陰、陽外,還有風、雨、晦、明,種類有所增加。但無論陰、陽,還是風、雨、晦、明,均爲氣所衍化,而爲氣的一種,所以總稱爲"六氣"。"合六氣之精以育羣生。""六氣"是"羣生"即萬物的生存條件,也是"氣"衍化萬物之中介。可見"六氣"在莊子的氣論中和陰陽一樣也占有一定地位。

莊子的氣論,雖受《周易大傳》、稷下學派的影響,但卻自成體系。莊子把"氣"分作上述三種。莊子的宇宙衍化系列和老子相近,與《周易大傳》有所不同。稷下學派似無"氣"的衍化系列,而提出了"精氣"說。《莊子》書中雖有"合六氣之精"的說法,卻不曾出現"精氣"一詞,可見莊子沒有把"精氣"作爲一個範疇來使用。對於當時流行的"五行"說,雖在《說劍》篇中,出現過"制以五行"的話,也是僅此一次,在其他篇中,就從未出現過"五行"。這些情況都表明莊子的氣論是自成體系的。

二

《莊子·齊物論》:"天地與我並生,而萬物與我爲一。既已爲一矣,且得有言乎? 既已謂之一矣,且得無言乎? 一與言爲二,二與一爲三。自此以往,巧曆不能得,而況其凡乎! 故自無適有以至於三,而況自有適有乎! 無適焉,因是已。"

"萬物與我爲一"的"一",指的就是"氣",意思是說萬物和我都是"氣"。"天地與我並生"也祇有從"氣"的角度去考慮,纔可以理解。"我"的生命雖然極其短暫,"天地"的生命雖然極其長久,但它們都是"氣"的產物,歸根到底都是"氣"。既然都是"氣",所以說"我"與"天地"一同產生。而"一"也就是"自無適有"。由此推演下去,就會產生無窮的數,以致最高明的數學家(巧曆)也算不清楚。因此,莊子主張"無適焉,因是已"。"無適",意思是不要去推算,"是",指的是自然,"因是"的意思是因順自然。其實,這個自然指的仍然是"一"。莊子主張對"天人"的探討,應當停留在"一"上,而不要再去分解。"故爲是舉莛與楹,厲與西施,恢恑憰怪,道通爲一。其分也,成也;其成也,毀也。凡物無成與毀,復通爲一。唯達者知通爲一,爲是不用而寓諸庸。"(《齊物論》)這裏所說的"一",究其極都是指"氣"而言。莊子認爲祇有"達者"(得道之人)纔能夠了解宇宙萬物歸根到底都是"一",亦即都是"氣"。從這一觀點出發,"氣母"也好,"陰陽"也好,"六氣"也好,都是"氣"。既然都是"氣",當然也就應當通而爲"一"。因此,莊子提出了"一氣"說,並直接從"一氣"出發去探討萬物的起源。

> 生也死之徒,死也生之始,孰知其紀! 人之生,氣之聚也;
> 聚則爲生,散則爲死。若死生爲徒,吾又何患! 故萬物一也,是
> 其所美者爲神奇,其所惡者爲臭腐;臭腐復化爲神奇,神奇復化
> 爲臭腐。故曰"通天下一氣耳"。聖人故貴一。(《知北遊》)

這裏以"人"爲例,然後推及於萬物。人之所以有生命,所以能夠活着,就在於"氣之聚";如果"氣"散了,生命也就結束了。所以說"聚則爲生,散則爲死"。人是這樣,萬物也是這樣。不但如此,莊子還進一步發現萬物之間不僅互相聯繫,而且互相轉化。"臭腐復化爲神奇,神奇復化爲臭腐。"生命在延續的時候,其表現爲"神奇";生命結束之後,其表現爲"臭腐"。神奇和臭腐可以互相轉化,就是說生與死可以互相轉化。在莊子看來,此一生命結束,意味着另一生命的開始;此一物的產生,意味着另一物的消失。所以說:"生也死之徒,死也生之始。"生與死不但可以轉化,而且這種轉化又是循環的,因而找不到它的端緒,所以說"莫知其紀"。宇宙間的萬物,就這樣在循環往復中產生着,消失着;消失着,又產生着。因而莊子認爲整個宇宙都是由氣組成的,宇宙間的萬物則是"氣"的流轉與寓形。所以,莊子的結論是"通天下一氣耳"。由于莊子用"氣"來統一宇宙,所以"一"在莊子那裏也就成了哲學範疇。上述引文中"萬物一也"、"聖人故貴一"兩句中的"一",都是哲學意義上的"一"。這個"一",其內涵則是指"氣"。因此,我們認爲莊子是一位"氣"一元論者。

"氣"在莊子那裏既然已經上升到哲學範疇,也就很自然地跟"道"聯繫在一起。

> 舜問乎丞曰:"道可得而有乎? "曰:"汝身非汝有也,汝
> 何得有夫道? "

舜曰："吾身非吾有也,孰有之哉?"曰："是天地之委形
也;生非汝有,是天地之委和也;性命非汝有,是天地之委順也;
孫子非汝有,是天地之委蛻也。故行不知所往,處不知所持,食
不知所味。天地之強陽氣也,又胡可得而有邪!"(《知北遊》)

這裏所討論的問題是:"道"可不可以占有。答案是非常明
確的:不能占有。理由何在呢? 因爲人的形體是"天地之委形",
生是"天地之委和",性命是"天地之委順",孫子是"天地之
委蛻"。天地是什麼呢? 從"一氣"説觀點來看,天地和陰陽一
樣,也是"氣"的演化物。如果説陰陽是氣衍生萬物的中介,那麼
天地和陰陽一樣也是氣衍生萬物的中介。所以,天地和陰陽一樣,
歸根結底都是氣。"彼方且與造物者爲人,而遊乎天地之一氣。"
(《大宗師》) 在這裏,莊子明確地指出天地即"一氣",就説明這
一點。"天地者,萬物之父母也,合則成體,散則成始。"(《達生》)
這和上述《知北遊》篇以"氣"的聚散解釋人的生死,是一個意
思。上文將人的"行"、"處"、"食"亦即人的生存,歸結爲
"天地之強陽氣"也説明這一點。

以人是天地的"委形"、"委和"、"委順"、"委蛻"來回
答"道"不能佔有。這樣的回答已經把"道"和"天地"統一起
來。人的自身既然是由"道"、"天地"、"氣"演化而來,那也
就很自然地得出結論:人不可能去占有"道"。

"今計物之數,不止於萬,而期曰萬物者,以數之多者號而讀
之也。是故天地者,形之大者也;陰陽者,氣之大者也;道者爲之
公。"(《則陽》)天地和陰陽雖然都是氣的衍化物,但天地是有形
體的,而陰陽卻是無形體的。有形體當中當然不祇是天地,但天地
能覆載萬物,是有形體當中最大的;無形體當中也不祇是有陰陽,
然而陰陽卻充塞於宇宙之中,無處不在,因而陰陽是無形體中最
大的。公,共有的意思,道是天地和陰陽所共有的。這裏所説的道,
實際上指的就是氣。這段話表明"道"、"天地"、"氣"是統一

的。

　　"氣"、"一"、"道",在莊子哲學中都是十分重要的哲學
範疇。"氣"是一種物質性的實體。這種實體既存在於天地萬物
之中,又是產生天地萬物的始初物質。"一"指的是天地萬物統
一並產生於"氣",《莊子》書中就是從這一意義上用"一"來指
稱"氣"的。"道"作爲哲學範疇比上述兩者的內涵則更爲豐富
和寬泛,不但概指氣,而且指氣及其所衍化的萬物的運動規律。因
此,這三個範疇在莊子哲學體系中既是相通的,而又有所區別,祇
有在特定的前提條件下,纔可以相互指稱;雖可相互指稱,又有各
自特定的內涵,因而是不可或缺的。我們研究莊子的哲學思想,既
要注意這三個範疇的相通處,又要注意其間的區別。從這裏出發
沿着莊子思維的邏輯進程進行探究,我們纔能通解莊子那些玄奧
莫測的論述,從而解開莊子思想的奧秘。

　　"氣"雖然是一種物質,但人們卻看不見它,摸不着它。因而
莊子又常常用"無"來指稱"氣"。這樣,"無"便成爲莊子哲
學體系中又一重要範疇。

　　《齊物論》是《莊子》的代表作。《齊物論》包含兩方面的涵義:
齊物與齊論。什麼是"齊物"呢?既然在莊子看來宇宙萬物歸根
到底都是從"氣"產生出來,因而應當齊一於"氣",齊一於
"氣"也就是"齊物"。《齊物論》所要表達的正是這種思想。這
篇文章的第一段對所謂"天籟"、"地籟"作了一番極其精彩,
極其生動的描寫。"籟"是古代的一種管樂器,即簫。樂聲是氣流
通過簫的孔穴發出來的,樂聲雖可聞知,但氣流卻是無形的。"夫
大塊噫氣,其名爲風,是唯無作,作則萬竅怒呺。"由於"噫氣"
的作用,這些"竅穴"便發出各種各樣的聲音,形成"萬竅怒
呺"。"厲風濟,則衆竅爲虛。"大風停止了,聲音也就消失了,復
歸於"虛","虛"也就是"無"。這好比天地間的萬物當它產
生出來的時候,千姿百態,生氣勃勃;當它消亡的時候,則又無影

無踪,復歸於"無"。然而它是怎樣產生,又是如何消亡的呢?《齊物論》的回答是:"夫吹萬不同,而使其自己也,咸其自取,怒者其誰耶?"產生與消亡都是"自取",根本不存在自身之外的"怒者"("怒者"比喻發動者)。就這樣,莊子明確地否定了造物主的存在,堅守"氣"一元論的立場,這就是《齊物論》的基本觀點。

《莊子·至樂》篇記載了這樣一則有趣的故事:

> 莊子妻死,惠子吊之,莊子則方箕踞鼓盆而歌。惠子曰:"與人居,長子老身,死不哭亦足矣,又鼓盆而歌,不亦甚乎!"

> 莊子曰:"不然。是其始死也,我獨何能無概然!察其始而本無生,非徒無生也而本無形,非徒無形也而本無氣。雜乎芒芴之間,變而有氣,氣變而有形,形變而有生,今又變而之死,是相與爲春秋冬夏四時行也。人且偃然寢於巨室,而我噭噭然隨而哭之,自以爲不通乎命,故止也。"

在這裏,莊子把生命的產生,分作四個階段:芒芴之間——氣——形——生。"芒芴",我們認爲實際上也是氣,指"氣"的原始階段。從"芒芴"到"氣",用莊子自己的語言來概括就是"無"。

> 有乎生,有乎死,有乎出,有乎人,人出而無見其形,是謂天門。天門者,無有也,萬物出乎無有。有不能以有爲有,必出乎無有。(《庚桑楚》)

什麼是"天門"呢?陳鼓應先生解釋爲:"自然的總門。"(見《莊子今注今譯》中華書局版 612 頁)我們認爲這個解釋是精確的。天,在《莊子》中多指自然。這個自然的總門,是萬物產生的所在。莊子把這個所在又稱之爲"無有"。萬物產生於"天門",也就是產生於"無有"。其實,"無有"也就是"無"。下面一段話清楚地說明了這一點。

　　　芒乎芴乎,而無從出乎! 芴乎芒乎,而無有象乎! 萬物職

　　職,皆從無爲殖。(《至樂》)

　　"萬物職職,皆從無爲殖"與"萬物出乎無有"意思完全相
同,毫無二致。

　　過去有不少學者將莊子的"無"理解爲超乎物質世界之上,
並與之對立的精神實體,指的是宇宙精神。因而斷言莊子的哲學
體系是唯心主義,甚至斷言它是從老子的客觀唯心主義轉化而成
的主觀唯心主義。這實在是一種誤解,或者説是一種曲解。

　　所謂"芒芴"是指"無有象"而言的,這正是對"氣"的特
點的概括。萬物雖由此產生,然而人們卻"無見形"。因此,
"無"是指"無有象"、"無見形"而言。而"氣"則正是"無
有象"和"無見形"的。可見,"無"是對"氣"加以概括和抽
象而形成的範疇。如果我們要對"無"的內涵加以界定的話,那
麼通觀《莊子》的論述,應當是:隱伏的混沌未分的"元氣"。這是
實實在在的物質,根本不是什麼絕對的宇宙精神。

三

　　萬物既然產生於"氣",那麼,萬物是怎樣從"氣"中產生
出來的呢? 爲了解決這個問題,莊子又提出了"化"的思想。因
而,關於"化"的論述,也是莊子氣論中一個重要內容。

　　　天無爲以之清,地無爲以之寧,故兩無爲相合,萬物皆化。

　《至樂》

　　這裏講的是天地之化。這種變化的特點是"無爲"的;天和
地就是這樣在無爲中化育萬物。

　　　至陰肅肅,至陽赫赫;肅肅出乎天,赫赫發乎地;兩者交通

　　成和而物生焉,或爲之紀而莫見其形。消息滿虛,一晦一明,日

　　改月化,日有所爲,而莫見其功。生有所乎萌,死有所乎歸,始終

相反乎無端而莫知乎其所窮。非是也,且孰爲之宗!(《田子方》)

這段話,對天地之化作了進一步論述,十分重要。有三點值得我們注意:第一點,莊子把天地之化理解爲至陰至陽的"交通成和",而這種"交通成和"是陰陽在運動過程中自然而然所形成的變化,所以它仍然是無爲的。第二點,莊子認爲這種變化"始終相反乎無端而莫知乎其所窮。"《大宗師》也說:"萬化而未始有極也。"就是說這種變化既是始終相反的,又是無窮無盡的。第三點,這種無窮無盡的變化,原因何在?動力何在呢?莊子認爲其原因和動力就在於至陰至陽的"始終相反"。唯其"始終相反",纔能"交通成和";唯其"交通成和",纔能化育萬物。莊子反問說:"非是也,且孰爲之宗?"如果不是這些,那麼誰是萬物宗本呢?莊子的立場是十分鮮明而毫不含糊的。變化的原因與動力在於自身而不在別的什麼地方。

> 今彼神明至精,與彼百化,物已死生方圓,莫知其根也,扁然而萬物自古以固存。六合爲巨,未離其內;秋毫爲小,待之成體。天下莫不沉浮,終身不故;陰陽四時運行,各得其序。惛然若亡而存,油然不形而神,萬物畜而不知。此之謂本根,可以觀於天矣。(《知北遊》)

這種"神明至精"的東西是什麼呢?當然是衍生天地的"氣"。這種"氣"不但衍生天地,而且在天地之間形成各種各樣的變化——"百化"。物就是在"百化"中,或產生,或消亡,或者成圓,或者成方。上下四方是最大的了,卻在它之中,而不會脫離它;秋毫是最小的了,也要依賴它,纔能形成它的形體。這清楚地說明"神明至精"的"氣"是萬物的宗本。

這種宗本之所以被稱作"神明",是因爲它能夠使"天下莫不沉浮,終身不故。""沉浮"形容變化;"不故"意謂不守故常,新新相續。就是說,這個宗本能夠使天下萬物不斷地處於變化之中,而且在變化中新新相續。其次,它的"神明"還表現爲"惛然若亡若存，油然不形而神，萬物畜而不知。" "惛然"，形容暗昧的樣子，意思是說這種宗本是暗昧的，好像存在，又好像不存在，它神奇地使萬物自然而然地生長，卻不顯露形迹，以致萬物雖賴之以生存卻不自知。應當說這是莊子對"氣"化生萬物的形象的表述。

在上述引文中，有句話應當注意。這句話是"扁然萬物自古以固存"。是說萬物自古本來就存在着。一方面肯定萬物爲"氣"所化生，另一方面又說萬物自古本來就存在着，這兩種說法豈不互相矛盾？莊子意識到這個矛盾，不但如此，而且試圖解決這個矛盾。首先，如果說萬物自古本來就存在着的話，那麼它的存在一定要有一個處所。"形本生乎精，而萬物以形相生。"（《知北遊》）精，指精微之氣，精微之氣也是"氣"。可見，"氣"就是萬物"固存"的處所。對於這個處所，莊子作了這樣的描繪："無門無房，四達之皇皇也。"（同上）沒有門徑，沒有固定的居處（房喻指居處），廣大無邊。這裏所描繪的情形，用莊子的語言來概括就是"無"。"氣"正是這種"無"。

其次，莊子提出了"種"的觀念。

> 萬物皆種也，以不同形相禪，始卒若環，莫得其倫，是謂天均。（《寓言》）

種，郭象注："雖變化相代，原其氣則一。"成玄英疏："夫物云云，禀之造化，受氣一種而形質不同，運運遷流而更相代謝。"郭注成疏都把"種"解作"氣"，這是符合莊子的原意的。其實，"種"即種子，祇是這種子也是氣。"通天下一氣耳"與"萬物皆種也"意思是相同的。莊子試圖用這種辦法，來解決上述矛盾；這種辦法應當說是模糊的，不清晰的。"道物之極，言默不足以載，非言非默，議有所極。"（《則陽》）上面所探討的問題便屬於"道物之極"，而這樣的問題在莊子看來是無法用言語來表達清楚的。

萬物從"種"或"氣"中産生出來,當它消亡的時候,又復歸於"種"或"氣"。不但如此,而且此生彼死,此死彼生,往復循環,没有盡頭。這就是所謂"始卒若環,莫得其倫。"

在《至樂》篇中,莊子對這種往復循環的過程作了如下描述:

> 種有幾,得水則爲䘣,得水土之際則爲䵷蠙之衣,生於陵屯則爲陵舄,陵舄得鬱棲則爲烏足,烏足之根爲蠐螬,其葉爲胡蝶。胡蝶胥也化而爲蟲,生於竈下,其狀若脱,其名爲鴝掇。鴝掇千日爲鳥,其名爲乾餘骨。乾餘骨之沫爲斯彌,斯彌爲食醯。頤輅生乎食醯,黄軦生乎九猷,瞀芮生乎腐蠸,羊奚比乎不箰,久竹生青寧;青寧生程,程生馬,馬生人,人又反入於機。萬物皆出於機,皆入於機。

"機",郭象注:"此言一氣而萬形,有變化而無死生也。"仍然以氣來解釋"機",成玄英疏:"機者發動,所謂造化也。造化者,無物也。人既從無生有,又反入歸無也。豈唯在人,萬物皆爾。""造化"也是氣,是從化生角度來言氣的。在《莊子》中,常常根據表達的需要用不同的詞彙來代指"氣"。郭象在注解《莊子》時注意到了這一點,這是正確的。這裏所説的"機",仍指"氣"或"無"而言。

以上所述就是莊子所探討的天地之化。

萬物通過天地之化被衍生出來之後,自身仍在不停的變化,而這種變化又引起物與物之間相互變化。

請看下面一則故事。

> 俄而子來有病,喘喘然將死,其妻子環而泣之。子犂往問之,曰:"叱!避!無怛化!"倚其户與之語曰:"偉哉造化!又將奚以汝爲,將奚以汝適?以汝爲鼠肝乎?以汝爲蟲臂乎?"(《大宗師》)

子來在莊子筆下雖然是一位得道之士,但這樣的人跟其他人一樣,難免一死。而且死了之後也許變化爲鼠肝,也許變化爲蟲臂，誰也難以預料。這就是説，在莊子看來，這些變化都是自然運轉的過程，物自身没有選擇的自由，一切都要聽從造化的安排。

> 今之大冶鑄金，金踴躍曰："我且必爲鏌鎁"，大冶必爲不
> 祥之金。今一犯人之形，而曰："人耳人耳"，夫造化者必以爲
> 不祥之人。今一以天地爲大鑪，以造化爲大冶，惡乎往而不可
> 哉！(同上)

應當怎樣理解這裏所説的"造化"呢？我們認爲莊子在這裏所説的造化與有神論者所説的造物主是截然不同的。這裏所説的造化指的是創造化育。這種創造化育，不是上帝和神的作用，而是自然，也就是文中所説的陰陽。正是由於陰陽的作用，萬物之間纔能相互變化。

在莊子關於"化"的論述中，還包含着這樣一些有價值的思想：在肯定上述各種變化的同時，還認爲這些變化具有規律性和永恆性。"夫天下也者，萬物之所一也。得其所一而同焉，則四支百體將爲塵垢，而死生終始將爲晝夜而莫之能滑，而況得喪禍福之所介乎！……且萬化而未始有極也，夫孰足以患心，已爲道者解乎此。"(《田子方》)在天地之間，萬物的死亡和生長，終結和開始，象白天和黑夜那樣不停地有秩序地循環，誰也不能擾亂。就是説這種變化是有規律的，而這種規律是客觀的不可逆轉的。"萬化而未始有極"，這種變化又是無窮的永恆的。在莊子看來，整個宇宙就是這樣有規律的永恆的變化着，運動着。這些思想，應當説是非常深刻的，達到了在當時歷史條件下所能達到的廣度和深度。

綜上所述，莊子關於氣的論述，完全摒棄了那些神秘主義的色彩，從不同角度將"氣"解釋爲一種物質實體，並將這種物質實體理解爲宇宙本原。這是莊子在哲學史上的傑出的貢獻。對後代的影響是深遠的巨大的。從莊子哲學思想體系本身來看，他和

他的前輩老子一樣，將"道"作爲最高的哲學範疇，而莊子則將"道"牢牢地建立在"氣"的基礎之上，以"氣"爲始基來論述"道"。所以我們祇有探明莊子的氣論纔能探明莊子的道論。如果我們要尋找莊子哲理思辨的起點的話，那麼，莊子的氣論就是莊子哲理思辨的起點。從這裏出發，莊子開始了他那天人之辨的漫長的探索歷程，並以他獨特的方式在這個探索歷程結束之際構建出他那充滿深刻思辨色彩的雄奇而瑰麗的思想體系。這個思想體系是那樣的"弘大而闢，深閎而肆"（《天下》），而且"其應於化而解於物也，其理不竭，其來不蛻，芒乎昧乎，未之盡者"（同上）。因而當這個思想體系建立之後，莊子面對着它有些擔心了。他擔心他的思想體系難於爲世人所理解，"是其言也，其名爲弔詭，萬世之後，而一遇大聖，知其解者，是旦暮遇之也"（《齊物論》）。莊子的這種擔心似乎並不是多餘的，兩千多年來，加在莊子身上的許多曲解和誤解便是明證。如果我們把莊子思想體系比作古希臘神話中的迷宮的話，那麼解析莊子的氣論，似乎是解析莊子思想體系的鑰匙，通過這樣的解析，也許可以揭開莊子思想體系的奧秘。

作者簡介　王世舜，1935 年生，安徽靈璧人。現任聊城師範學院古籍整理研究所教授，著有《尚書譯注》、《莊子譯注》、《老子詞典》、《莊子詞典》等。

王蒨，1964 年生，北京大學中文系中國古代文學專業博士研究生，著有《屈賦風格論》、《莊子故里考略》等論文。

莊子超越精神賞析

李德永

内容提要 本文從有情到無情、從有限到無限、從有我到無我等方面論述了莊子超越現實的逍遙遊對人生的意義。

　　莊子思想中最啟發心智、令人神往的,是那富有詩情哲理的超越精神。打開《莊子》中的千古名篇《逍遙遊》,你的思緒便不期然地被那幅氣勢磅礴的海天騰飛圖吸引住了。你好像化爲飛鵬,爲了飛向光明的"天池",深深躁動於"北冥"之淵:首先由曳尾之魚化爲插翅之鳥,然後鼓動雙翼,掀起洪波,乘着天風海濤,騰躍而上,自由翔翔於藍天白雲之間,你的視野也隨着無限伸展,投向"遠而無所至極"的廣闊世界。這樣,你身居斗室,神視九天,瞬間片刻中獲得一種"遺物離人而立於獨"(《莊子·田子方》。以下凡引《莊子》處,只注篇名)的超越感。作爲詩人哲學家的莊子是通過什麽樣的思維途徑來作他的超塵拔俗、憑虛凌空的逍遙遊的呢? 這種超越現實的逍遙遊對現實人生是否有其積極意義呢? 這是值得進一步探討的問題。

一、從有情到無情

　　莊子是一位具有深沉的憂患意識的思想家。他面臨"無動而不變,無時而不移"(《秋水》) 的社會大變動,"蒿目而憂世之患"(《駢拇》),首次對人的自然本性、現實遭遇和命運前途作了全面考察和理性思考。

與儒家的"明乎禮義而陋於知人心"(《田子方》)不同,他非常重視被禮義規範所掩蓋、限制了的人的最基本的自然欲求:"目欲視色,耳欲聽聲,口欲察味,志氣欲盈。"(《盜跖》)他所代表的小生產者中的隱士階層不可能有那種目欲視五色、耳欲聽五聲、口欲察五味的過高的物質要求,便轉而追求一種"素樸"生活條件下的精神志氣的充盈和自由。以馬性爲例:"夫馬,陸居則食草飲水,喜則交頸相靡,怒則分背相踶,馬知止此矣。"(《馬蹄》)只要任其喜怒就夠了,此外別無所求。莊子強調的是"自適"、"自得"(《馬蹄》)、"自取"、"自喻"(《齊物論》)、"自事"(《人間世》),即"任其性命之情"(《駢拇》)的自己而然,而不是通過外力"矯飾"、"擾化"(《荀子‧性惡》)的"使之然"(《荀子‧勸學》)。這是莊子追求個性自由的自然人性論觀點。

然而,他的自由幻想卻陷於現實的困境之中。首先,作爲"萬化"之一的人,不能聲稱"人耳人耳"而自我特殊。在"以天地爲大爐,以造化爲大冶"的宇宙大環境下,不得不承認這一辛辣的真理:"死生,命也,其有夜旦之常,天也。人之有所不得與,皆物之情也。"(《大宗師》)其次,作爲羣體之中的個體,在禮樂刑政的社會制約下,有兩個壓頂"大戒":其一是"不可解"的"愛親"的親子之"命",其二是"無所逃"的"事君"的君臣之"義"。正是在自然和社會兩大異己壓力下,芸芸衆生,困苦顛連呼叫於"不能規乎其前"的坎坷命運之中(《田子方》):"天乎!人乎!""君乎!牧乎!""父邪!母邪!"(《齊物論》、《大宗師》)陷於天人、君臣、親子等層層網絡中的人還有什麼個性自由可言:"一受其成形,不忘(亡)以待盡。與物相刃相靡,其行進如馳,而莫之能止,不亦悲乎!終身役役而不見其成功,苶然疲役而不知其所歸,可不哀邪!人謂之不死,奚益!其形化,其心與之然,可不謂大哀乎!"(《齊物論》)鈎心鬥角的人事摩擦,勞而無功的終身奔波,形化心亡的最終結局,這一人生悲劇使莊子一再感嘆。

　　然而悲憤的極端就是亡情的開始。爲了解開生死恨(或生死戀)的情結,莊子冷靜思考生死命運問題。認爲被尊爲靈長類個體生命的人不過是"假於異物,托於同體"的暫時存在(《大宗師》)。或壽或夭,誰貴誰賤,孰美孰醜等等,雖萬有不齊,但都是宇宙自然的"偉哉造化"(《大宗師》)。這種造化,無情意,無計度,完全是冷冰冰的客觀必然性和偶然性在起作用,對之而有感激、怨恨之心,都是自作多情,庸人自擾。不管你的主觀好惡如何,結局終歸要統一於這種"不可奈何"的必然性。只有"知其不可奈何而安之若命,德之至也"(《人間世》)。一旦自覺認識到這一點,就會主動拋丟幻想,積極面對現實:既然"未生不可忌(禁)",就痛痛快快地生;既然"已死不可徂(止)",就坦坦蕩蕩地死(《則陽》)。這不是"無人之情"嗎? 是的;但這是跳出了"以好惡內傷其身"的人情小圈子,而"謷乎大哉,獨成其天",在思想境界中獲得一種與宇宙乾坤同其悠久的"無樂"之樂,名之曰"至樂"(《德充符》、《至樂》)。有了這種覺解,就會欣然面對死亡,"鼓盆而歌"或"臨屍而歌",以無限寬廣的心懷,贊美"變而有生"、"變而有死"的轉化之理,反思"大塊載我以形,勞我以生,佚我以老,息我以死"的生死之義(《大宗師》),從而在更高的層次上"懸解"人生困惑,重估生存價值,開展理想生活:"故善吾生者,乃所以善吾死也。"(《大宗師》)用偉大的生,迎接偉大的死,向偉大的宇宙大家庭報到。此之謂"大歸"(《知北遊》)。

二、從有限到無限

　　莊子把人們的視野從苦難深重的現實人生引向海闊天空的理想世界,在從有限向無限的思想漫遊中,充滿了詩人哲學家的激情和幻想。

　　對於事物，莊子不像惠施那樣的“弱於德，強於物”。缺乏審美情操，專注物理分析，給予人的只是一些名言知識，而不是“備天地之美，稱神明之容”的美感享受（《天下》）。莊子對世界則充滿了審美感。他抱着“與天爲徒”（《大宗師》）的寬廣胸懷，懷着“與物爲春”（《德充符》）的喜悅心情來“乘物以遊心”（《人間世》），乘其所見所聞之凡物，遊其所思所想之春心。他用“恣縱而不儻”（《天下》）的大手筆勾勒出生動活潑、儀態萬千的諧趣圖。鷦鷯巢林圖突出的是“不過一枝”，偃鼠飲河圖突出的是“不過滿腹”，池鷾騰躍圖突出的是“不過數仞”，它們在狹小的天地裏食息蠕動，毫無它慕之心。他的鯤鵬展翅圖，水擊三千里，高飛九萬里，旅程六月息，由陸到空，由北到南，所高揚的是“負山岳而捨故，揚舟壑以趨新”（成玄英疏）的英勇奮搏精神（《逍遙遊》）。他的河伯望洋圖更是意趣橫生，發人深思。當秋水灌河，涇岸曠闊，“不辨牛馬”時，河伯“欣然自喜，以爲天下之美爲盡在己”，及至“順流而東行，至於北海”，看到了“不見水端”的一片汪洋時，“乃知爾醜”，深慚自己的氣量原來如“崖涘”之小（《秋水》）。他的“萬竅怒呺”圖更是不同凡響的風、穴協奏曲，那大地無意發出的氣息（風）吹入形狀不同的孔竅，發出音色不同的聲響，在“前者唱於而隨者唱喁”的感應協奏下，“泠風則小和”，若有“大地微微暖氣吹”；“飄風則大和”，恍如“高天滾滾寒流急”；忽然“厲風濟，則衆竅爲虛”，天籟靜寂了，卻把人們引入深沉的哲學反思：“咸其自取，怒者其誰邪！”（《齊物論》）還有影子問答的短劇，“罔兩”（影外之影）埋怨影子道：“行而止，坐而起，你怎麼這樣‘無特操’呢！”影子回答道：“我是‘有待’而然啊！但我之‘所待’又有‘所待’，我之‘所待’如蛇蚹蟬翼的捉摸不定，我那裏作得了主啊！”聽起來，多麼詼諧，但又多麼令人同情（《齊物論》）。更有別出心裁的“無端崖之辭”：獨腳夔羨慕多足之蚿，蚿又羨慕無脚之蛇，蛇又羨慕無形之風，風又羨慕能見之目，目又羨慕能思之心（《秋水》）。這種物物相慕的苦惱反襯

的則是莊子所渴求的自得之樂。總之，莊子是用多情之眼玩賞自
在之物，賦予它們以人格、氣質、情趣，使"萬物復情"（《天地》）。
這與其叫做"物化"，不如叫做"化物"，把原來無情無思的自
在之物轉化爲有情有思的爲我之物。魚遊而已，但經過莊子一
"觀"，則贊不絕口："儵魚出遊從容，是魚之樂也。"（《秋水》）
蝶飛而已，但經過莊周一"夢"，則"栩栩然胡蝶也，自喻適志
歟！"（《齊物論》）莊子確有"腐朽復化爲神奇"（《知北遊》）的手
法，要把他所見所聞的有限世界化爲他所思所想的理想世界。

　　但莊子的情思不止於此，他眼望天地有形外，思入飄渺無影
中，向更爲廣闊深遠的無限時空超越飛升。

　　孔子"登東山而小魯，登泰山而小天下"（《孟子·盡心上》）。
氣魄夠雄偉了，但抬頭一望，"巍巍乎，唯天爲大！"（《論語·泰
伯》）就此止步了。孟子所養的"至大至剛"之氣"充塞於天地之
間"，也夠"浩乎沛然"了（《孟子·公孫丑上》），但終止點也只
是"天之高也，星辰之遠也"（《孟子·離婁下》）。荀子"登高
山"、"臨深谿"，慨然有感於"天之高"、"地之厚"（《荀子·
勸學》），但他明確提出"將有所止"，反對漫無邊際地"窮無窮，
逐無極"（《荀子·修身》）。惠施在"逐萬物而不反"的基礎上抽
象出"至大無外，謂之大一；至小無內，謂之小一"（《天下》）的最
高命題，但以"無外"、"無內"定其"至大"、"至小"之限，
仍然是個"至此止步"的封閉體系。"善言天"的鄒衍"推而大
之，至於無垠"（空間），"推而遠之，至於天地未生"（時間）的
"先驗後推"之"術"（《史記·孟荀列傳》），是一個無限延伸的
開放體系，但他的興奮點主要在於具有現實意義的"大小九洲
說"和"五德終始論"，對時空無限論沒有進行理論探討。只有
《老子》纔自覺探索有限與無限的關係，提出"有生於無"（第四
十章）、"復歸於無極"（第二十八章）的最高哲學命題。"無"既
"無"矣，不可再"無"；"無"已"極"矣，"無"外無
"極"。《老子》攀登的高峰是否已到"絕頂"，"至矣，盡矣，不

可以加矣"了呢？"遊心於無窮"(《則陽》)的莊子把《老子》的終點作爲繼續前進的起點。他認爲世界"莫知所歸"(《天下》)、"無所終窮"(《大宗師》)，没有最終的歸結點。"無極"到頂了嗎？没有！"無極之外復無極"(據聞一多考證爲《齊物論》佚文)。就時間而論，"其往(過去)無窮"，"其來(未來)無止"。就空間而論，也是"四方上下""無窮"(《則陽》)。因此，尋找開端、確定終點的封頂法是無法封死"未始有封"的無限世界的。因爲："有始也者，有未始有始也者，有未始有夫未始也者。有有也者，有無也者，有未始有無也者，有未始有夫未始有無也者。"(《齊物論》)不管你所開之端、所定之點如何自封爲到了"無極"，但仍然有"未始"爲你所開之端，有"未始"爲你所終之點。因而這篇"未始"論實際上做的是無始無終、永遠開卷、永遠無法交卷的"宇宙"論："有實而無乎處者，宇也；有長而無本剽(末)者，宙也。"(《庚桑楚》)"無"者，強調的是只有超越具體有限性纔能顯示"宇宙"之無限。《墨經》的"宇宙"論則是："宇，彌異所也。""久(宙)，彌異時也。""彌"者，強調的是只有遍及具體有限物始能成就"宇宙"之無限。同一"宇宙"，而所觀不同：《墨經》是"東、西、家、南、北"，"古，今；旦莫(暮)"，目視於方內；莊子是"天地并歟！神明往歟！"(《天下》)神遊於方外。他"乘天正而高興，遊無窮於放浪"(《世説新語·文學》注引支道林《逍遥論》)。縱使高處不勝寒，也要望長空，夢寥闊，"旁日月，挾宇宙"(《齊物論》)，向無限的遠方飛去。多麼積極開放、富有青春活力的逍遥遊啊！

　　莊子"以天下爲沉濁，不可與莊語"，怒而飛，向無限上升；但他還是"獨與天地精神往來，而不敖倪於萬物，不譴(拘泥)是非，以與世俗處"(《天下》)。他從天外飛回了，突破了"以俗觀之"的局限性，換上"以道觀之"的眼鏡，從無限與有限統一的視角高度，多側面、多層次地觀察事物，重新評估其地位和價值。泰山與秋毫不是大小相異太懸殊了嗎？但是與比泰山更大者比較起來，泰山爲小；與比秋毫更小者比較起來，秋毫爲大。因此，兩者都具有二重性，它們的差異性是相對的。這種相對性，誇張一點來說："天下莫大於秋毫之末，而泰山爲小。"這不是弄顛倒了嗎？是的，但這正是一個翻天覆地的大顛倒，它大長了秋毫的志氣，大滅了泰山的威風。思想的解放，認識的深入，精神境界的提高，大大需要這種極富辯證思維的顛倒法！別自高自大吧，與無窮大比較起來，"天地"小如"稊米"；別自卑自賤吧，與無窮小比較起來，"秋毫"大如"丘山"。比上不足，比下有餘。經過這樣一比劃，則大中有小，小中有大，"差數覩矣"，各種思想包袱卸掉，心理重新得到平衡，也好向新的領域輕裝前進了(參見《秋水》、《齊物論》)。這是什麼精神？是阿Ｑ精神嗎？值得商榷。

三、從有我到無我

人總得有點精神。從有我到無我，勇於捨棄，樂乎追求，在對小我的否定中成就大我，實現更高級的理想追求。這是莊子"無己"論中值得剝取的積極內容。

莊子揭露那些"滿苟得"式人物的醜惡靈魂。他們認爲"富之於人，無所不利"，只要掌握了財富，就可以"俠(挾)人之勇力而以爲威強，秉人之知(智)謀以爲明察，因人之德以爲賢良"。既然"勇力"、"知謀"、甚至"賢良"都可以利得之，就不擇手段地牟取暴利，公開宣稱："無恥者富，多信(言)者顯。名利之大者，幾在無恥而信(言)。"莊子把這種"無恥"之言、"無足"之心名之爲"貪"，而把那種"動以百姓，不違其度"的作風尊之爲"廉"，并進一步分析："廉貪之實，非以迫外也，反監之度。"同一外部條件，思想境界高者，"勢爲天子而不以貴驕人，富有天下而不以財戲人"(《盜跖》)。因此，反貪唱廉，要從思想入手。而人人"相與吾之"(《大宗師》)的自我中心思想則是問題癥結之所在。如果"爲人太多，自爲太少"，那當然是"圖傲(高大)乎救世之

士"(《天下》); 如果 "拘 (借爲 "取") 一世之利以爲己私分
(有)"(《天地》),就會利欲薰心,無所不用其極。"其耆欲深者,其
天機淺。"(《大宗師》),發展到 "舐痔" 以邀寵,"誦詩書以發
冢"(《外物》),連起碼的人格都不顧了,還談什麼妙契自然的 "天
機"!

　　針對過分膨脹的自我中心主義者,莊子倡導 "至人無己"
論。既然只有 "至人" 纔能 "無己",不免陳義過高,多有 "不近
人情" 之處 (《逍遥遊》);但它對於淨化心靈,解放思想,確有獨到
之處。

　　莊子以寓言形式講了許多神仙式的修養之道。女偊的 "攖
寧" 之道,歌頌的是置身紛繁境地、保持心情安寧的堅定性。但這
絕非一日之功,而是勇破三關的結果: "三日" 而 "外天下",
"七日" 而 "外物","九日" 而 "外生"。一關比一關難,但一
破再破,最後突破生死關,就一朝解脱,豁然開朗,從小我圈子中
獨立出來,獲得精神上的絕對自由 (《大宗師》)。"三外" 之中,
"外物" 最關緊要,因爲物質生活條件一項最爲切己,喜怒哀樂
之情,有我無我之分,每每縈懷於此。莊子認爲,雖然 "養形必先
之以物"(《達生》),但要 "不以物挫志"(《天地》)。因爲 "有大物
者,不可以物物,而不物,故能物物"(《在宥》)。過分追求難得的
"大物",則物愈大而身愈小,不免身爲物役;只有不爲物役,纔
能超然物外,保持 "獨往獨來" 的主宰地位 (同上)。故 "不物"
不是否定必要的物質生活條件。因此,顏回的 "坐忘" 不是忘懷
一切,他所需要忘卻的,一曰 "仁義",二曰 "禮樂"。因爲他信
守 "克己復禮爲仁"(《論語・顏淵》),"其心三月不違仁"(《論
語・雍也》)。儒家思想包袱較重。至於物質生活條件,僅有 "簞
食"、"瓢飲"、"陋巷" 這最後防生 "三寶" 而已。他之所以
"不改其樂" 者 (同上),取其 "苟簡易養"(《天運》) 而已;并此
"苟簡" 而 "外" 之,身且不養,遑論 "物物"! 故 "坐忘" 之
中不包括 "外物"。物質生活條件之必不可少,莊子是有切身體

會的。他家貧，向監河侯借米而不得，曾"忿然作色"，以魚自況：如果"斗升之水"都喝不到了，不就成了擺在市場上的"枯魚"了嗎？因此，莊子的"外物"之説，僅在抑制過分膨脹的物欲追求，把人們的視野從小我引向大我，躍進到更高的理想目標。

但"人卒未有不興名就利者"（《盜跖》），當其奔命於名利之場，爭先猶恐後，豈能等閑"忘"而"外"之？於是莊子精心設計了一種心理上的封閉——開放療法。這就是假托仲尼教誨顔回的"心齋"，其要訣有三：

其一，止念。念由心生，心由物動，而物之來通過感官渠道的傳導，故首要"無聽之以耳"，使"耳止於聽"；耳已失聽，而心猶思，故次要"無聽之以心"，使"心止於符"（停止心與境會而起計度之念）。這樣"離形去知"（《人間世》），把感覺器官和思維器官全部封閉，不就麻木癡呆，"白黑在前而目不見，雷鼓在側而耳不聞"（《荀子·解蔽》）了麼？荀子所欲解除的認識缺陷，正是莊子所欲達到的情致心態。他所描繪的有道之士都具有"形如槁木、心如死灰"、"答焉（相忘）似喪其耦"（《齊物論》），"慹然（不動貌）似非人（木偶）"（《田子方》等外貌特徵，他們似失去反映能力，但因減少精力耗消而得保"神全"。如"醉者之墜車"，正因其"無知"，故"雖疾不死"。又如養鷄，凡虛憍昂首、盛氣易怒、見影打鳴者均不堪鬥；獨有始終"無變"，"望之似木鷄"者，衆鷄望之卻步，榮獲"鬥鷄"桂冠（《達生》）。唯人亦然，到了"忘其肝膽，遺其耳目"，失去了對於事物的敏感時，也就減少了對於事物的依從性，增強了超然於事物之外的"自行"度（同上）。"夫無所懸（牽掛）者，可以有哀乎？彼視三釜三千鍾，如觀鳥雀蚊虻相過乎前也。"（《寓言》）

其二，集虛。消極封閉，難於做到心"無所懸"："夫且不止，是謂坐馳。"如果形雖枯坐而心卻外馳，怎麼辦？辦法是把意念轉移到"聽之以氣"，"徇（使）耳目內通而外於心知"（《人間世》）。這就是耳目內歛、任氣出入而無所用其心的"集虛"之法。

因爲氣是衝漠無聯的，故目之所視，"視乎冥冥"，耳之所聽，"聽乎無聲"，不斷積纍的結果，而"冥冥之中，獨見曉焉；無聲之中，獨聞和焉"（《天地》）。不知不覺間發現了曙光，聽到了和音。這種奇異景觀的出現并不奇怪，這乃是"游心於淡，合氣於漠"（《應帝王》）而自然產生的結果。在莊子看來，潛心默守清虛淡漠之氣可以積纍無限的能量，這是智慧、勇氣等等取之不盡、用之不竭的深厚來源；而這些原來是被功名利祿等等情結窒息了的，只要持之以恆，心與氣合，這些意想不到的能量就被釋放出來，這叫做"解心釋神"（《在宥》）。同時，"通天下一氣耳"（《知北游》）。借助於清虛之氣的流貫，就會使人的"精神四達并流，無所不極"（《刻意》）。所以，"唯道集虛"（《人間世》），功夫全在積纍清虛之氣。到了"純粹而不雜，靜一而不變，惔（淡）而無爲，動而以天行"的火候，洗滌出來的一顆清虛高潔的靈魂就可以"上際於天，下蟠於地"（《刻意》）。但這種心靈的開放并非一放即逝的閃光，而是"虛而待物"（《人間世》），契機潛藏。物之未至，虛以待之，經常保持至虛至靜之心而靜觀默視，於無有所爲之中蘊藏着大有可爲的潛能。這種心態被莊子描繪爲"尸居而龍見，淵默而雷聲"（《在宥》）。這是居而未飛的潛龍、默而未響的鬱雷，恰如握而未出的拳頭，引而未發的弦箭，力量含藏，隨時可以應機而出。這種"集虛"而成的潛能，其內涵如老子之"虛極靜篤"，其功能同樣可以達到孟子浩然之氣的"至大至剛"。不過孟子的"集義"，其"擴而充之"的道德情操，剛烈之氣外揚；而莊子的"集虛"，其"虛而待物"的淡泊情懷表現爲柔弱中的堅定，瀟灑中的激烈，有更大的韌性和耐力。

　其三，一志。止念是止其所不止，積虛是虛其所不虛。不止而止之，不虛而虛之，沒有極大的韌性和耐力不行。故"心齋"之要貴在"一志"。"虛而待物"是物之未至，虛以待之；而目的是爲了物之已至，順而應之，做到"感而後應，迫而後動"（《刻意》）。這不是被動地被推着走，而是主動地順物行。"無所於忤，虛之至也"(《刻意》)。要使物我之間減少對撞,必須主客之度明確掌握,纔能"明則虛,虛則無爲而無不爲也"(《庚桑楚》)。這種"無爲而無不爲"的絕招是從專心一志的勤苦磨練中得來的。庖丁解牛,"奏刀騞然,莫不中音","技"夠高超的了;解牛成功,"提刀而立,爲之四顧,爲之躊躇滿志",氣夠自豪的了;但"以有厚入無間"的精妙契合恐怕還是從"歲更刀"、"月更刀"的無數失敗中總結出來的(《養生主》)。駝背老人黏蟬如地上拾物之易。這一"巧"招也是經過五、六個月的苦練得來的。當其舉竿黏蟬時,"雖天地之大,萬物之多,而唯蜩翼之知",思想多麼集中。總結經驗,就是"用志不分,乃凝於神"(《達生》)。呂梁能手在"懸水三十仞,流沫四十里"的激流中游泳,"與齊(漩渦)俱入,與汨(湧流)偕出",其虛己以"從水"的自如感也非得自一朝。開始是"生於陵而安於陵",毫無下水經驗;以後"長於水而安於水",不知喝了多少水,最後纔"不知吾所以然而然",從必然王國進入到出没從容的自由王國。名匠慶削木爲鐻(樂器),見者驚爲鬼斧神工。其創作過程,首先是"齋以静心",務使"其巧專而外滑消",做到專心於技藝之巧而消除外念之雜;然後進入深山老林細心觀察,直到發現有"天性"好木近似於其所欲得者,稍一"加手",即成神鐻。其妙合自然("以天合天")之巧也是從"凝神"苦求中得來的(上引材料見《達生》)。

　　總上以觀,莊子的逍遥不是輕鬆的瀟灑,其超越也不是隨心所欲的縱身一躍。"水之積也不厚,則其負大舟也無力。""風之積也不厚,則其負大翼也無力。"(《逍遥遊》)這是有待於客觀條件。還有主觀條件:"以瓦注(作賭注)者巧,以鈎注者憚(膽怯),以黃金注者殙(昏亂)。"這是因爲越是貴重之物就越"有所矜(顧惜)"而產生"重外"心理。"凡外重者内拙。"(《達生》)主觀上不能超越外在壓力,就只有膽怯心慌,無靈巧之可言了。獨有那種"無人"式的神箭手,雖"登高山,履危石,臨百仞之淵,背逡巡(背淵退行),足二分垂(懸)在外",而發射自如,毫無"恂(眩)

目之志"(《田子方》)。但這種無畏之勇恐怕還是"有待"而然。如果沒有諸如"止念"、"積虛"、"一志"等等磨練之功，從何而來如此高超、膽大的智慧和勇氣！"至人者，上窺青天，下潛黃泉，揮斥八極，神氣不變。"(《田子方》)這當然是超越一切的"無待"了。但這種"無待"恐怕還得有待於"有待"，即"無己"的思想準備和刻苦的實際磨練。沒有這兩條，爬行而已，敢於自由翱翔而面不改色心不跳嗎？而且也不可能"泠然(飄然)善也"地永遠翱翔下去。以鵬鵬之遠舉，至多也只能起自北冥，止於南海，不能常保其飄飄然，"時則(或)不至而控於地而已矣"，和池鷃一樣。——這就是我的超越觀。

　　作者簡介　李德永，1924 年生，湖北漢陽人。武漢大學哲學系教授。合編《中國哲學史》上、下卷，主編《中國辯證法史稿》第 1 卷。

中國古代哲學中的混沌

［日］池田知久

一、"混沌"一詞

考察"混沌"在中國古代哲學的歷史發展進程整體中的意味，似乎可以認爲，它的客觀方面當爲"世界自身因其無限定性而具有本來的可能性之表現"。而且還可以説，其主觀方面乃是"人之願求永遠處於無傷狀態的怠惰自尊心的表現"。

在開始分析中國思想史或中國古代哲學史關於"混沌"的辯爭之前，先論述一下漢語"混沌"的意涵和"混沌"一詞的語學表現。

作爲擬音語・擬態語之"混沌"

雖然"混沌"一詞具有"混沌"與"渾沌"兩種表記方式已爲人們所熟知，但遍查中國各種古典文獻資料的實際表記方式，這兩個漢字的使用卻還有各種各樣的表現形式。例如，有關"混"字除"混""渾"之外，還有使用"榾"、"倱"，或者"圂"等字來表記的情形。"沌"字也有以"敦"、"純"、"頓"甚至"涽"等字來表記的情形。由於二字上下兩個系列漢字的組合而形成"混沌"等漢語表記。因此存在非常多的相關搭配詞語寫法，這種表記特徵恰如"混沌"所意味的狀況一樣。雖

然其中“混沌”和“渾沌”的二種寫法最常見,但其他寫法也絕
非誤字或俗字,相反,可以說,哪一種寫法都是正確的(參閱朱桂
曜《莊子內篇證補》應帝王第七。上海商務印書館,1935 年)。

之所以存在這樣的表記方式,大概因為它原來是擬音語‧擬
態語的緣故。總之,作為擬音語‧擬態語的“混沌”是像日語的
“もやもや”(朦朦朧朧)或“ごちゃごちゃ”(凌亂的樣
子)那樣的顯示音聲或狀態的語詞,這種音聲或狀態的語詞表現
形式,在文字上最適切的模寫,人們採用兩個漢字,從而形成種種
寫法。雖然在這種情形中 huan.duan 的母音 uan 是具體的,但一
般而言,同母音成為句子的二字重疊語詞,在疊韻連綿詞中,成為
擬音語‧擬態語的形容詞或副詞的情形較多(參照馬叙倫《莊子
義證》內篇應帝王第七。上海商務印書館,1930 年)。例如,《莊子‧
在宥篇》寫道:

> 解心釋神,莫然無魂,萬物云云,各復其根。各復其根而不
> 知,渾渾沌沌,終身不離。

這裏也是擬聲形容“禍”與“福”的“錯紛”狀態的副詞。
(如此,或許可以認為,“混沌”“渾沌”之語詞,原來是表示如
“もやもや”或“ごちゃごちゃ”意義的擬音語‧擬態語性質
的形容詞或者副詞。)

“混沌”的意涵

因此,就其兩個漢字的字面意義來說明“混沌”“渾沌”究
竟是何種概念是相當困難的。但是,雖然必須明白擬音語‧擬態
語乃感受或者感覺性的東西,但在中國,就學院派成立、成熟的西
漢、東漢時代以後的學者們而言,它大體仍被解釋為“萬物錯紛
的狀態”或者“天(陽氣)與地(陰氣)仍為一體而無明確區別的
狀態”。例如,東漢時期高誘注解《淮南子‧天文篇》的“困敦”
一詞為:

> 困,混;敦,沌也。言陽氣皆混沌,萬物牙孽也。

而晉代李頤在注《莊子・應帝王篇》中的“渾沌”一詞時寫道：

　　　　清濁未分也。此喻自然。

就整體傾向而言，隨着時代的發展，“混沌”“渾沌”意涵的解釋不斷朝着如下節所論述的宇宙論或生成論的方向演進。

二、宇宙生成論中的“混沌”

　　今天，我們日本人經常在例如“政治狀況混沌一片”的日常用語形式上使用“混沌”一詞。此點在現代漢語中也一樣。但是，撇開日常用語而言，在作爲思想上或哲學上所使用的重要概念的場合中，上所論述的宇宙生成論的意涵并不乏見。如是，這一術語也能從中國古代各種古典文獻中尋索其由來。

宇宙生成論中的“混沌”

　　對於日本人來説，從來就較爲熟知的事實是，在中國古典中論及宇宙之事，特別是論及宇宙生成過程之時，指稱宇宙生成始源所處的一個階段或一種狀態爲“混沌”。這是在沿着時間軸追溯我們今天人類所生存的世界（在中國將它稱爲“天地”或“萬物”）更早之前，即這一世界在成爲像今天的形態之前究竟處於何種狀態問題時所給予的有關世界那個階段或那種狀態的回答。在中國哲學中，在推想有關“天地”“萬物”在像今天這種存在狀態之前處於何種狀態時，在逐漸追溯最初的某種階段而及於只有“天”和“地”存在時，即未有從“天地”中產生具體的個別存在“物”之前的狀態時，便至於“天”輕而升、“地”重而沉的狀態。

　　然而，更進而溯及之，如果推想“天”和“地”成形以前狀態的話，那便是世界被設想爲“天”與“地”未分化時的狀態。此即是前所論述的“‘天’(陽氣)和‘地’(陰氣)一體未分的狀態”。“天”和“地”尚且皆未有形狀，更不用説誕生而出的存在

"物"了。此即不可名狀的"天地""萬物"的未分化的狀態。若欲強而名之,則只能像日語那樣使用與"もやもや"或"ごちゃごちゃ"相當的擬音語・擬態語。我認爲,這種"もやもや"、"ごちゃごちゃ"的擬音・擬態在中國古代哲學家那裏即通過"混沌"的擬音擬態來完成。(在中國的宇宙生成論方面,更進而推溯至"混沌"之前則至於"無"或其他諸階段、狀態,這裏不擬討論。)

　　以下舉二、三個在宇宙生成論意涵上使用"混沌""渾沌"的代表性例子。例如,《淮南子・詮言篇》:

　　　　洞同天地,渾沌爲樸。未造而成物,謂之太一。

王充的《論衡・談天篇》:

　　　　説易者曰:"元氣未分,渾沌爲一"。儒書又言,"溟涬濛
　　　　澒,氣未分之類也。及其分離,清者爲天,濁者爲地。"

曹植《七啟》:

　　　　夫太極之初,混沌未分,萬物紛錯,與道俱隆。

如此等等。

宇宙生成論之"混沌"與哲學之"混沌"

　　不過,我認爲如上的宇宙生成論意義的"混沌""渾沌"之語詞作爲中國思想史或哲學史的概念加以使用時并不是最早最古時期出現的。因此,宇宙生成論上的"混沌""渾沌"并非思想史上最原初最根本的意涵。如果檢討一下中國思想史的真實狀況,則"混沌"之最早最古時期的原初性根本性意涵,是第二節述及的知識——存在論(哲學)上的"混沌"。如上所述的宇宙生成論上的"混沌"或者更進而言之宇宙生成論自身也是這一知識——存在論上的"混沌"術語或者説哲學內容所派生的,簡言之,是哲學上的"混沌"的實體化、客觀化和結果,或者説,是其世俗化的結果。就此可以斷言,哲學上的"混沌"纔是最原初、最根本且又最明確的。

　　我在這裏所揭示的古代中國思想史上由知識──存在論(哲學)向宇宙生成論展開的構想,和一般地按照古希臘哲學發展"從物理學到哲學"的模式而追求圖式化的通論或常識不同。當然,我的構想并不一定是荒唐無稽的,如果理解了知識──存在論上的"混沌"的內容,就自然可以明瞭。因此,有關宇宙生成論上的"混沌"之討論就此而止,下面讓我們轉入知識──存在論上的"混沌"這一本文主題的探討。

三、"混沌"之哲學的邏輯結構

　　不管實際上是否使用"混沌"一詞,在中國思想史上,先秦(戰國)時期道家(老莊學派)的思想家們及其受他們影響的後來的思想家們最重視并喜好"混沌"。

　　對於早期(公元前 300 年左右)的道家(老莊學派)的思想家們來說,他們必須解決的中心問題,從大的角度言之,在春秋、戰國時期這一亂世自身中存在着大變革時期日常生活中不斷產生的人們對於社會各種現實狀況的種種不信任或者絕望,以及有關人的生存問題的無數不安或者苦痛。早期道家的思想家們與其將這些問題在實踐中加以解決,毋寧說他們試圖通過理論上的解決來確立人的生存方式。因此,對於他們來說,必須解決的問題,從更小的角度而言,這種不信任或者絕望以及不安或苦痛的認識把握在於自身的"知"(來自感覺或者認識等的知識)。如此,他們以懷疑的眼光來審度把握上述的不信任或者不安時自身感性認識以及悟性認識的正確性,在以之為批判對象的同時開始其求真實之"知"的哲學思考。(從典型性上來追尋古代中國有關如上主題的代表性哲學論文,大概應首推《莊子》的齊物論篇。而且,根據本人的研究結果,這一論文應為早期──公元前 300 年左右──是比老子更早的思想家們的作品。在這裏,下面將以此為主要資

料展開深入討論。此外，請參照拙著《莊子》上下卷，日本學習研究
社 1983 年、1986 年版。)

（一）否定、排除情感判斷　　對於道家思想家們來說，在把
握世界真實形態時，只有透過與此一真實形態正相反對的
"昧"，即排除"愛"、"喜怒"、"喜歡"等情感判斷纔能得其
所。於此，《莊子・齊物論篇》說：

> 道之所以虧，愛之所以成。

（二）否定、排除價值判斷　　其次，在否定、排除了"愛"等
情感判斷之上，道家思想家們將區分"彼"、"是"和"物"之
間的"是"、"非"差異的價值判斷歸爲陷於無意義爭論的迷誤
之"知"，而加以否定、排除。《莊子・齊物論篇》論之曰：

> 其次以爲有封焉，而未始有是非也。是非之彰也，道之所以
> 虧也。

引文中的"封"意爲"物"之"彼"與"是"的差異。雖然
"物"之"彼"與"是"存在着差異，但認爲兩者間不存在價值
性的"是"與"非"差異的知，纔是作者所提倡的"知"。如此，
則世界的真實形態自身當中并不包含"是・可"與"非・不
可"的價值差異。

（三）—— A　否定、排除事實判斷　　再次，在如上否定排
除了價值判斷之上，道家思想家們將承認"封"即"彼"與
"是"之"物"的區別的事實判斷也同樣視之爲與價值判斷本
質同一的"知"而認爲應該加以否定、排除。引用《莊子・齊物論
篇》之文則爲：

> 其次以爲有物矣，而未始有封也。雖然這裏的"物"存在
> 着，但"物"之間事實上的"彼"與"是"的差異（封）等并不
> 存在。這纔是作者所提倡的知。

如果想描述這一階段的"知"的話，則世界的真實狀態依據
"彼"與"是"之等同原理而構成，世界整體之真相是以"齊

同"、"一"（"齊"、"同"、"一"爲同義詞，都是等同之意。
"物"之中并不存在"彼"與"是"的事實上的差異）的形式存
在着的"萬物"。故《莊子·齊物論篇》又同時加以説明：

　　　　天地一指也，萬物一馬也。

這裏既可以以"指"來稱呼，也可以以"馬"來稱呼，以任何名
稱都不能加以判斷（稱呼）的"もやもや"、"ごちゃごちゃ"狀
態，恰是"（爲）一"的"天地"、"萬物"之"混沌"。

　　（三）——B　古希臘哲學的"一切是一"　　不過，以上所
論述的道家（老莊學派）思想家們的哲學思考實際上并非僅僅是
見於中國思想的特殊的東西，在大約同一時期的古希臘哲學家中
間也能夠見到同樣類型的思考。下面通過亞里士多德的文章來確
認一下這一事實：

　　　　如果相互否定（矛盾）的述語對於同一基質來説都同時是
　　真的話，那麼，顯而易見，它就變成了一切是一。這是因爲，如果
　　對於一切而言肯定什麼否定什麼都是可能的話，那麼，同一之
　　物就會既是船、又是牆壁又是人。……而且，實際上由此出發就
　　導出像阿那克薩哥拉所説的"萬物一體"。這樣，任何東西都
　　并不是真實的存在。(亞里士多德《形而上學》上，第四卷第四章，
　　書隆譯，日本岩波書店 1959 年版)

　　　　然而，如果一切的存在物恰好都可以用像"衣服"和"服
　　裝"那樣用一種説明方式來説的話，那麼，這麼説的人結果大
　　概會説出赫拉克利特所説的同樣的東西。即，如果那樣，就會變
　　成善與惡是一樣的，善與不善是一樣的，——從而，就會得出，
　　同樣的東西既是善的東西也是不善的東西，既是人也是馬（即
　　不是人）。這樣，實際上，他們所説的并非是指"一切是一"，而
　　是在説"一切既不是一，而且什麼也不是"，——甚至於變成
　　説各各的性質與各各的量完全一樣。(亞里士多德《物理學》第一
　　卷第二章，書隆、岩崎允胤譯，日本岩波書店 1968 年版)

　　在以上的文章裏，亞里士多德在阿那克薩哥拉的哲學或赫拉克利特的哲學中所找到的批判對象，也可以說是希臘版“混沌”的哲學。對於這種批判的基礎來說，存在着作爲思考原理的矛盾律。亞里士多德反覆強調指出，如果不遵守矛盾律，一切合理的思考是不可能的。阿那克薩哥拉及赫拉克利特的“混沌”哲學作爲例證在這裏出現。

　　中國古代哲學中，先於《莊子・齊物論》的思想家們例如早期墨家 (公元前 400 年左右) 等也正確地理解作爲思考原理的矛盾律 (參照拙論《矛楯小論》，小野澤精一《韓非子》上月報，日本集英社 1975 年版)。於此，《莊子・齊物論篇》卻提議放棄矛盾律：

　　　　以指喻指之非指，不若以非指喻指之非指也。以馬喻馬之

　　非馬，不若以非馬喻馬之非馬也。

前面 (三)—A 中所看到的認爲“彼”與“此”的差異 (封) 不存在的知雖然通過這裏所引用的“指與非指同，馬與非馬同”的命題，在邏輯上更嚴密地表現了它，但實際上也是提議放棄作爲思考原理的矛盾律。

　　這樣，在大致同樣內容的放棄矛盾律和以之爲基礎的“一切是一”的哲學方面，亞里士多德的歐洲和莊子的亞洲朝着相反的方向發展。

　　(四) 否定、排除存在判斷　　讓我們回到中國古代的探討上來。如上所述，早期道家思想家們通過放棄矛盾律而達到“知”世界的真實狀態是一種 (個)“混沌”。

　　但是，世界之爲“混沌”，則它就不會是“有”，而必須從“無”來加以把握。他們自己的邏輯命題，正如前述 ((三)—A) 所說的：

　　　　其次以爲有物矣，而未始有封也。

　　　　天地一指也，萬物一馬也。

等等連“有”“性”也否定、排除了，而終至於將真實狀態作爲

"混沌之無"來把握。於此,《莊子・齊物論篇》描述道:

> 古之人,其知有所至矣。惡乎至? 有以爲未始有物者。至
> 矣,盡矣,不可以加矣。

通過自己完全的"無知"、"無言";世界的真實狀態之命題確立成爲可能。此時之"我"與世界無間地相融(一體化),由此所確立的"混沌之無"的世界正是道家思想家們所説的"道"。而且,如此作爲世界自身化了的"我"的獲得,既是對於本節開頭所涉及的道家思想家們所必須解決的中心問題的回答,也是思想家們所認爲的從不信任或者絕望以及不安或者苦痛中完全解脫出來的人的最具主體性的生存方式。

如上所述,經過一個個地否定、排除經驗所賦予的東西這一否定——超越的邏輯過程而至於"道",從而獲得作爲人的最具主體性的生這一種思考并不限於《莊子・齊物論篇》,而且也爲以後道家的各種思想所繼承,不久成爲前近代中國傳統思想的一個部分。爲了確認這一事實,兹補充兩個記述同樣類型思考的文獻例子。首先,《莊子・大宗師篇》中寫道:

> 顏回曰:"回益矣。"仲尼曰:"何謂也?"曰:"回忘仁
> 義矣。"曰:"可矣,猶未也。"它日復見,曰:"回益矣。"曰:
> "何謂也?"曰:"回忘禮樂矣!"曰:"可矣,猶未也。"他
> 日復見,曰:"回益矣!"曰:"何謂也?"曰:"回坐忘矣。"
> 仲尼蹵然曰:"何謂坐忘?"顏回曰:"墮枝體,黜聰明,離形
> 去知,同於大通,此謂坐忘。"仲尼曰:"同則無好也,化則無常
> 也。而果其賢乎! 丘也請從而後也。"

此外,《老子》第四十八章中説:

> 爲學者日益,爲道者日云(損)。云之有(又)云,以至於無
> 爲。無爲而無不爲。將欲取天下也,恆無事;及其有事也,又不足
> 以天下矣。(據馬王堆漢墓帛書《老子》甲本、乙本)

如是其論。

　　如果回溯以上思想家們哲學思考旅程的話，那麼可以概要地描述爲，通過在本來的真實狀態作爲自身"混沌之無"的世界中就其內部所産生的"我"發動各種各樣的"知"而"有"化，并且成就在"有"中區分"彼"與"此"之事實，進而在此事實中賦予"是"與"非"的差別性價值。這樣，暴露了在與"混沌之無"相對的秩序世界中存在的各種事物的存在(有)、事實(封)、價值(是非)的那種對於人的自我及其知識的徹頭徹尾的依賴性的這一思考，給予當時那種將自己可見可感的存在、事實、價值作爲原有事實加以信從的素樸實在論以猛烈打擊，經由此一思考帶來了中國思想史上豐碩的果實。不過，此處難以就這一問題加以詳論(請參照拙論《莊子——"道"的哲學及其展開》，日原利國編《中國思想史》上，日本鵜鶘出版社1987年版)。

　　最後，站在與道家思想家一起所到達的地方來回顧一下，大概可以了然，如第二節所述，宇宙生成論之"混沌"或者進而言之宇宙生成論本身是比它更早的古代時期的原初性、根本性的知識——存在論(哲學)中的"混沌"之實體化、客觀化、世俗化的結果，是其後在思想家出現的東西。

四、"混沌"的烏托邦思想

　　不過，一見之下，在非社會性非政治性中可見的哲學的"混沌之無"的命題也從其誕生之日起作爲議論社會、政治的命題而被理解，並受到知識界主流一部分的相當嚴厲的批判。這種批判大概并不是囿於見解不同的成見的過度反應，而是在"混沌之無"的思考中涉及到明確的社會的政治的思想，在這方面，主流派的見解是與此有着一百八十度的大逆轉的。

對於"混沌"哲學的非難
　　在第三節㈢－A中討論過的"混沌"哲學在《莊子·齊物

論》的其他章節中以"和之以天倪"(通過自然的均齊化作用將
對立的"是"與"非"的價值判斷予以磨碎消泯)的方法加以提
倡。在提倡之後,兩個出場人物對答如次:

　　　(瞿鵲子曰)"何謂和之以天倪?"(長梧子)曰:"是不是,
　然不然。是若果是也,則是之異乎不是也,亦無辯。然若果然也,
　則然之異乎不然也,亦無辯。忘年忘義,振於無竟(境)。故寓諸
　無竟。"

引文中的"不是"與第三節(二)中所見之"非"相同,是指
非價值;而"不然"則與第三節(三)-A、B中所見的"非指"、
"非馬"相同,是指非事實。從而,引文之主旨無疑在通過將歷來
"不是"以及"不然"的價值判斷與事實判斷在全部一樣轉換
爲"是"以及"然"的肯定性判斷的方法,試圖構造出在價值與
事實中全然不存在(消除)差異的世界。這樣,在第三節(三)中予
以解明的這一世界,即與那"混沌"的哲學所描繪的世界之眞實
狀態同一的東西就已經是自明的了。

但是,明確地以這一"混沌"哲學爲標的而加以嚴厲抨擊的論
文適時出現了。被目爲始皇帝實際上父親的秦相國呂不韋,在其
編纂的《呂氏春秋‧正名篇》(公元前239年成書)中這樣寫道:

　　　名正則治,名喪則亂。使名喪者,淫說也。說淫,則可不可而
　然不然,是不是而非不非。

由於這裏的"可不可而然不然,是不是而非不非"與上文所
見《莊子‧齊物論篇》的"是不是,然不然"無論在表現上還是思
想上都極爲酷似,因此,它試圖打倒的導致國家、社會政治混亂的
淫說,正是這種"混沌"哲學。因此,可以認爲,《呂氏春秋‧正名
篇》屬於當時知識界的主流派。

與儒家的社會思想相對應的"混沌"的烏托邦思想

所謂知識界的主流派,具體的說是戰國時代後末期的儒家,
特別是荀子學派。這一學派在展望着不斷迫近的戰國時代的終結

和秦漢統一帝國的出現的同時,熱衷於將新的建設中的社會所應
實現的理想的社會秩序理論化。這一理想的社會秩序,其內容的
核心是如下這種"分"的秩序:依據能力的"可"、"不可"來
區分一切人,相應地分任"可"、"不可"等的職業,以及相應於
其勞動的不同或"多"或"少"分別實現其欲望的滿足。《荀
子·榮辱篇》如是説:

> 夫貴爲天子,富有天下,是人情之所同欲也。然則從人之
> 欲,則執(勢)不能容,物不能贍也。故先王案爲之判豊義以分
> 之,使有貴賤之等,長幼之差,知愚能不能之分,皆使人載其事,
> 而各得其宜,然後使愨祿多少厚薄之稱。是夫羣居和一之道也。
> 故仁人在上,則農以力盡田,賈以察盡財,百工以巧盡械器。士
> 大夫以上,至於公侯,莫不以仁厚知能盡官職。夫是之謂至平,
> 故或禄天下,而不自以爲多,或監門禦旅抱關擊柝,而不自以爲
> 寡。故曰:"斬而齊,枉而順,不同而一,夫是之謂人倫。"

約在荀子之後 100 年,經由西漢時代武帝時期儒教的決定性
勝利(所謂儒教的國教化),這裏所描繪的"分"作爲通行於中國
前近代社會整個歷史時期基本的秩序理念鞏固下來,這是非常值
得注意的歷史事實。

相反,包含"混沌"哲學的社會、政治思想卻提倡人類間不
存在"君子"與"小人"差別之"分"的平等主義,并且夢想着
作爲甜蜜美麗理想的人與自然完滿諧和的烏托邦世界。與荀子大
略同時代的作品《莊子·馬蹄篇》熱情洋溢地傾訴着:

> 至德之世,其行填填,其視顛顛。當是時也,山無蹊隧,澤無
> 舟梁,萬物羣生,連屬其鄉,禽獸成羣,草木遂長。是故禽獸可繫
> 羈而游,烏鵲之巢可攀援而闚。夫至德之世,同與禽獸居,族與
> 萬物并。惡乎知君子小人哉。

連我們也不禁側耳傾聽的了。這樣,"混沌"的烏托邦思想也就
必然被知識界主流派視爲妨礙實現"分"的秩序發展目標的

"淫説"而受到嚴厲的抨擊。

關於人與自然的和諧

　　前面我們確認了"混沌"的烏托邦思想中存在着的夢想人與自然完滿和諧的一面,而在這裏,它所提出的與自然的關係問題也成了與思想界的主流派儒家荀子學派嚴重對立的爭論點。荀子學派以確立起人類中"君子"與"小人"之別的"分"爲背景,堅持將"君子"支配"小人"正當化的政治思想,構造出在自然界中也恰好體現這種與之相表裏的一體關係,主張依據"分"的秩序而緊密地組織起來的人類應當支配和征服自然。例如,《荀子·王制篇》道:

　　　　水火有氣而無生,草木有生而無知,禽獸有知而無義。人有
　　　氣有生有知並且有義,故最爲天下貴也。"力不若牛,走不若
　　　馬,而牛馬爲用何也?"曰:"人能羣,彼不能羣也。""人何
　　　以能羣?"曰:"分。""分何以能行?"曰:"義。"故義以
　　　分則和,和則一,一則多力,多力則強,強則勝物。故宮室可得而
　　　居也。故序四時,裁萬物,兼利天下,無它故焉,得之分義也。

這樣,人類支配征服自然的思想不久也經由所謂儒教的國教化而成爲貫穿中國思想前近代整個歷史過程的一個基本特徵。與此相反,"混沌"的烏托邦思想排斥在人類內部設定"君子"與"小人"的"分",故正如上述所見,它秉持着憎惡"君子"支配"小人"的態度。《莊子·山木篇》中也説:

　　　　有人者纍,見有於人者憂。故堯非有人,非見有於人也。

他們在關於自然界的問題上也與荀子學派相反,完全不承認人對於自然的支配或者徵服以及人的優越性。他們對於人類的眼光和對於自然的眼光兩者也是一種表裏一致的關係。

"大同"的烏托邦思想

　　上述所見之平等主義被作爲傳統而爲以後的道教宗教活動所包容并延綿至於近代這一事實,中國的侯外廬,英國的 Jose-

ph・Needham(李約瑟)，法國的 Etienne・Balazs 以及 Jean・
Chesneaux 等人都已指出過了。不過，這裏應當注意的是，西漢時
期的儒教也在道家的衝擊的基礎上吸收了"混沌"的烏托邦思
想，從而增加了自身思想的廣度和深度。

　　西漢時期儒教代表性的文獻之一《禮記・禮運篇》以儒教風
格這樣描述道：

　　　大道之行也，天下爲公，選賢與能，講信修睦。故人不獨親
　　其親，不獨子其子。使老有所終，壯有所用，幼有所長，矜寡孤獨
　　廢疾者皆有所養。男有分，女有歸。貨惡其棄於地也，不必藏於
　　己；力惡其不出於身也，不必爲己。是故謀閉而不興，盜竊亂賊
　　而不作，故外户而不閉。是謂大同。

它并模仿道家的作法而命之爲"大同"(李約瑟英譯爲 Great
Togetherness)，爲以後經學寫出了新的一頁。

參考文獻：

1.中國科學院哲學研究所中國哲學史組編《中國大同思想資料》(北京
　中華書局，1959 年)

2.J.Needham, "The past in China's present,A Cultural, Social
　and philosophical background for modern China"

3.É.Balazs, Chinese Civilisation and Bureaucracy, Variations
　on a Them.Yale Univ.Press, 1964.

4.É.Balazs, Political Theory and Administrative Reality in
　Traditional China, Londres, 1965

5.J.Chesneaux,*Les traditions égalitaires et utopiques en Qrient,
　Diogène*. No.62, 1968

6.N.Sivin, "On the word 'Taoism' as a source of perplexity,

With special reference to relations of science and religion in traditional China," *History of religions,* 1978, 17.

(陳少峰 譯)

作者簡介 池田知久,1942 年生。現爲日本東京大學文學部教授,中國哲學研究室主任。

漫談莊子的"自由"觀

葉秀山

一、"自由"的觀念,在西方哲學中淵遠流長,上溯至古代希臘,經中古人近世,成爲哲學中之核心範疇之一,此間變化發展,亦有一些深刻的道理在。細論起來,在古代希臘,"自由"(ʹΕλΕuθΕρσs)主要用於人的社會身份的標誌,説明他不是奴隸,是"自由人"。查希臘古哲的著作中,并未將這個"自由"當作一個主要的哲學用語來討論,在柏拉圖的對話中也不是一個主要的論題。但"自由人"之所以爲"自由人",已有"(政治權利)不受限制"的意思在內,它和當時的奴隸主民主制聯繫起來看,則"自由人"又是"自主"的人,凡事都是"自己""決定"的。也就是説,即使在古代希臘,雖然尚未成爲一個主要哲學範疇,但"自由"的基本涵義,業已完備,只待理論上的發揮了

希臘人重知識,重真理,自從柏拉圖提出"理念"論後,又逐漸向抽象的概念體系的建築發展,將遠古的"命定"觀念轉化成科學的、知識的"必然性"觀念。此時,"必然"就和"自由"相對應,成爲哲學思想的兩極。

希臘人逐漸發現,我們人類所面對的"對象"——"自然",乃是受因果必然性控制的一個體系,當我們人類以概念、判斷、推理去"把握"它——包括"理解"、"利用"時,我們就得到了"自由",我們成了"自然"和"主人"。希臘人此種"主"、"奴"式"主"、"客"關

係,實際是他們主、奴式社會關係、人際關係的反映。"自由"占據
"主人"的一端。

　　此種"主"、"奴"式"自由"觀,在哲學上經過中古基督教的洗
禮,精神上有所發展變化,即使希臘那種知識性、主人式的"自由"
觀,滲透了"道德性"、奴隸式的"意志自由"。"控制"的"自由",變
成了"服從"的"自由";"知識"的"自由",成爲"職責"的"自由",人
人都是"上帝"的臣民;聽從"上帝"的"命令",等待"上帝"的"終
審"。此種宗教觀念在哲學上的"根據"乃在於"知識"之無限性,
最終"控制""自然"之不可能性。既然不能真正做到"主人"的"自
由",則不妨嘗嘗做奴隸的"自由"的滋味。

　　我們看到,歐洲哲學中關於"自由"的觀念,固然有很多很深
刻的思想,值得我們探究,但也有一些弊病,我們應該清醒地看
到。

　　二、中國傳統思想,雖也未曾將"自由"作爲一個主要範疇提
出來討論,但老、莊的思想中卻很強烈地表現出"自由"的思想,這
一點是和古代希臘不很相同的。

　　西方的"自由",常與"自然"相"對立",因爲"自然"被理解爲
"必然性",人對"必然性"的"自由",怎麼能"服從",此處無"自由"
可言。在這個意義下,西方的"自由",無論希臘文、拉丁文、英文、
德文都有一種"擺脫"、"解脫"的意思在內。"自由"是從什麼東西
的束縛下"擺脫"出來,即從"自然"的"必然性"中"擺脫"出來。

　　中國老、莊的"自由"觀,並不與"自然"對立;其實,在老、莊思
想中,"自然"就是"自由","自由"也就是"自然"。"自然",就是
"自如",即"自己如此"亦即"自由"。"自由"和"自然"本是統一
的,同一的。此種"同一性",西方人費了很多的時間纔明確地開
發出來。"自由"在斯賓諾莎爲"自因",爲必然的因果系列中"以
自身爲原因"者;在康德爲"自由"的"因果性";在黑格爾爲"絕對"
——"自由"與"必然"的統一。

　　老子書中似乎未說"自由",但卻多次提到"自然",都是"自由"的意思。

　　第十七章說,"功成事遂,百姓皆謂'我自然'。"說的是管理者(統治者)作成了"事",功成身退,老百姓都覺得"事"是"自己"做的。

　　第二十五章更說,"人法地,地法天,天法道,道法自然",此處"自然"亦即"自因"。"地"是"人"的"因","天"是地的"因","道"則是"天"的"因",而"道"則以"自己"爲"因",無須假助"外因"。

　　第五十一章說,"道之尊,德之貴,夫莫之命而常自然","道"與"德"不受外來的命令,而以自己決定自己。

　　第六十四章謂,"是以聖人欲不欲,不貴難得之貨;學不學,復衆人之所過,以輔萬物之自然而不敢爲"。以"不欲"爲"欲",以"不學"爲"學",抑制衆人"過份"的地方,以協助萬物自己成長。

　　老子此種"自然"的"自由"觀,既不是"主人"式的,又不是"奴隸"式的,乃是一種"平等"——"人"與"世界"(萬物,包括衆人,萬民)"平等"的"自由"觀。

　　三、老子的"自由"觀——或"自然"觀,有一個學理上的根據,即他的"無爲"思想。

　　"無爲"不是完全消極的,"無爲"是"功成身退"。因爲(根據)"功成身退",所以"萬物"、"萬民"皆"自然"、"自得"、"自由"。"事"是"人""做"(爲)的,但"事"成之後,"人"則"退"(隱)去,好像是"事""自然"而成,是"事""自己"作成的。

　　應該說,老子這個思想非常深刻,也是西方哲人想了很久纔想出來的道理。

　　西方人講"控制"、"改造"自然(世界),態度是很科學的。人要學習自然本身的特性、規則,加以利用,以達到自身的目的,使自然爲人所用,使自然"人化",使"自然"成爲"人的世界"的一部份;然而,"人(化)的世界"仍然是"自然"的,都是按照"自然"本身。

的規則(重新)結構起來,"人"又在哪裏?不錯,我們在高樓大廈、亭台樓閣中看出了"人",在萬里長城,太空衛星中看出了人類(勞動人民)智慧的結晶,但這些結晶本身又都是按照自然本身的規則組合起來的,即使是署上作者的姓名,也不能真的把"作者"這個"人"鑲嵌進去。所以西方一些激進的現代思想纔説,"作品"不能使"作者""不朽"。當"功成"之後,"人"勢必要"退出"。

這就是説,我們老子説的"功成身退"并不僅僅是一種修養上清高的境界,而是勢所必然、理所當然的。"事(功)成遂"之後,"人"不想退出也得退出;自覺退出的,是"無私"、"得道"之人,而那死抱住事功不放的利禄之徒,到頭來仍是一場空。

"人工"的事,本也是"自然"的事,"人"好像從"外面""介入"了"自然"(世界),但實際上仍是"自然"進程自身的一個部份,一個片段。"人""令""自然""改變面貌",是"自由"的,但"自然"接受"人"的"命令",就好像接受"自己"的"命令"一樣,也是"自由"的。反過來説,"人"也只能按照"自然"本身的規則來"命令""自然",不能在一夜之間就喝令三山五嶺開道,"人"祇有在"順應""自然"的規則時,纔真正有"自由"。這就是説,"人"祇有"讓"(令)"世界""自然",纔有自身的"自由";反過來説,"世界"也祇有"讓"(令)"人""自然"——有一個適合人生存的環境,纔能不破壞自己的平衡,不被人無休止的"榨取"而保持自己的"自然"。

四、就"人"這方面來説,所謂"功成身退"就是"讓""世界"(世事)"自由",也就是海德格爾説的 Sein-Lassen。

海德格爾在《論真(理)的本質》一文中説,"Wahrheit"(真之所以爲真)的本質(das Wesen)爲"自由",因爲"自由"即 Sein-Lassen.

Lassen 爲"讓"、"令"。"讓"、"令"爲"Sein",就是"自由",而 Freiheit 就是 Wahrheit。在海德格爾看來,Freiheit,Wahrheit 是"讓"、"令""出"來的,"人""退"、"隱",則"Sein"則"顯"、"出",

Sein-Lassen 就是"讓"（令）你看看什麼是"Sein"。"身退"之後，Sein 纔成爲 Sein，"是什麼"才"真"（wahr）"是什麼"，"是"才"自是"，而不是附加上去的"功能"、"價值"，或賦以某種"稱號"（名）。

這就是説，"讓"、"令"而使 Seiende 成爲 Sein。

天地萬物，無論自然的、人工的，與"人"有一種"實際"的關係。人爲自身的幸福（利益）要對天下萬物加以利用、改造，而一切理論的、知識的、科學的關係，即抽象的概念性關係，也都可爲此種"實際"的關係服務，爲人類生存謀福利。在此種關係網中，大家都沒有"自由"可言；Seiende（"人"作爲一特殊種屬，亦爲一Seiende）之間有一種因果必然的關係，在這個關係網中，一切的"自己"，都爲"它者"所"決定"，滄海桑田，白雲蒼狗，其中"人"更有那移山倒海、翻天覆地的本領。

然而，世上萬物，對"人"來説，又是那樣"堅硬"，它們是一些"原子"，"人"無法"打破"它們，"人"不得不"退出"自以爲能左右、或自以爲能"介入"的萬物，而萬物依舊"自然"，"人""奈何"不得"萬物"之"自然"，只得"由""它""去"，"且自由它"。——Sein-Lassen。當人們意識到此種"無可奈何"時，也就意識到"自由"：不僅"人""自由"，而且萬物也"自由"。"萬物静觀皆自得"，儘管沒有了"人"，即沒有了"有知"之"人"，也就沒有"自由"的問題。

五、科學和技術的進步是無止境的，因此"人"亦可設想自己對萬物有無止境的控制力量，而認爲萬物會失去"自由"，而祇有"人"纔能獲得"自由"。然而，哲學家指出，"世界"作爲一個"整體"，是一個"大全"，是"無限"，這"無限"祇是一個"理念"，而雖不能納入知識、科學範疇概念的體系；哲學家告訴"人"，世上總有一些東西，"人""奈何"不得它，祇能"且自由它"，"由它去"，"讓"其"自由"。説到底，"無限"、"大全"爲"自由"，它"自然"而"然"，"人""奈何"不得它。

　　哲學家把話說得太大，“人”不必想到（推論到）那個“無限”，“大全”，就能在有限的、具體的萬物中“看”到那萬物自身的“自然”，“看”到那“人”“奈何不得”它的“特質”（Wesen），這就是，“請退一步”。當人們“身退”時，世間萬物莫不“自得”、“自然”、“自由”。

　　六、海德格爾的 Sein，不是抽象概念，不是具體的“實物”（西方上意義上的“自然物”），它是“歷史”、“文化”之物，所以 Sein 不僅有“物”性，而且有“人”性；不過“人”祇有在“讓”出之後，此種“歷史”、“文化”的性質，纔凸顯出來。

　　從這個意義來說，“小寫的人”（個人、私人）“退出”之後，“大寫的人”纔顯現出來，而此種“大寫的人”，不是“人”的概念，恰恰是具體的、歷史的、文化的“人”，亦即是實實在在的“真人”。所以嚴格說來，是“功成身退”，而不是“功成‘人’退”，祇是我們古代對“人”的思想，尚未經過西方哲學兩千多年的反覆思索，未曾分辨得像現在這樣清楚，但大體思路是已然有了的。

　　世上一切 Seiende，都是現實性的，而 Sein 則反倒是歷史性的。當“人”作爲 Seiende 之一“退出”“現實”的“實用”關係網後，Seiende 就向“人”顯示出歷史的、時間的、人文的“意義”。所以，“自由”又是歷史的、時間的、人文的，是世上有了“人”這個特殊的Seiende 之後纔有的問題。

　　皇宮因皇帝住在裏面而得名，當皇帝還住在裏面時，它是皇帝的“住所”，“辦公處”，對老百姓來說，是“統治”、“威嚴”、“殘酷”或當時也是“仁慈”的象徵；但當“皇帝”退出去之後，再沒有“人”去住，或不再當自己的（私人的、個人的）“住所”和“辦公處”，它就成了“文物”，成了“故宮博物院”。

　　“故宮博物院”不再是住所，不再按住所的“需求”來“改造”它，既不用像袁世凱那樣在裏面裝暖氣，也不會因戰爭而受兵燹之災，它被“保護”起來，“自由”“自在”，供人瞻仰、參觀。

　　有皇帝住時,皇宮是實用的;皇帝退出之後,皇宮是文化的。作爲"實用""宮室"言,它是"現實"的;作爲"文物"言,它是"歷史"的。作爲"居處"言,人們關心它的"現狀",人們問,它合適不合適,堅固不堅固……;作爲"文物"言,人們更關心它的"歷史";人們問,它是何時建起,有何歷史變遷。甚至,嚴格説來,"皇宮"作爲物質存在而言,是無頭無尾的,它的磚塊、牆柱……,都是物質性的,而物質性的東西你問不到頭;但作爲"文物"言,則它有自己的"産生"和"沿革""變遷",有"頭",也有"尾"。所以我們可以合理地問"故宮"的"起源"。

　　作爲"居室"言,表面上很"有用",而誰也不能以"故宮博物院"爲"家居";但同樣,誰也不會否認,"故宮博物院"的"用處",比一般的"房屋""大"得多。人們之所以精心"保存""沒有用"的"文物",實在是因爲它們有更大的用處。

　　七、從"更大的用處"着眼來看"保持""自然"(自由),乃是莊子"逍遙"(自由)觀的入口處。莊子"逍遙篇"由"小"、"大"之辨入手,最後歸於因"太大"而無可用,乃得以"保存",得以"自然"、"自由",這正是前面説的"奈何不得"它的道理。

　　莊子對惠子説,大概因其大而不中繩墨,"不夭斤斧,物無害者,無所可用,安所困苦哉",而"大若垂天之雲"的"氂牛",不能"執鼠",不"死於罔罟"——我們可以設想高科技作成的大罔罟也捉不到它,而且不必捉它,蓋因其"大"而"無用",則得以"逍遙"。

　　莊子的"逍遙"是一種"自由",而且也有一種"擺脱"、"解脱"的意思,可以"不受加害","避免""限制",可"逍遙""法外","超越"於"實用"、"利害"關係之外。此種"逍遙"思想,亦源於老子的"無爲"、"身退",所以莊子説,"至人無己,神人無功,聖人無名",這當然是得自老子的思想。

　　莊子以"無爲"爲根據,進一步將"無爲"發展爲"無用",他認爲,因"無可用",則可以得以逍遙,逍遙於法度之外,保全"自身",

享受"自然"、"自由"。

八、就一般實際的眼光來看,"有用"的東西,人們纔將它保存下來,西方人發展了此種實際的觀念,以科學來探究一切有用之物,或探究一切物之有用之處,這從柏拉圖的"理念"論可以看出,因爲他的"理念",已蘊含了目的、實際的功用在內,是一種"設計方案","設計模型",不僅是英文的 Form,而且是 Model。

然而,一切"有用"之物都在消耗之中,所以人們雖然愛惜"有用"之物,但卻未能使其"長生久視","有用"與"長存"實際是一個矛盾的概念。莊子看到了這一點,他解決這個問題的方法有兩個方面,一個是實踐性的,一個則是理論上的。

從實踐上說,人當然要"用"一些東西,要使所"用"之物——工具相對地"長存",則要善於運用它,即要順應"自然"之勢去運用它,以此來使工具長存、長新,相對地減少磨損。

莊子的"庖丁解牛"的故事,歸類於"養生"方面,實際還有更深一層的意義,即一切的"技術"——"人爲"、"作功",都應是使"自然"自己"顯示"出來,即海德格爾所說的"讓 Sein 出來",Sein-Lassen,從這個意義,我們纔能體會出"技藝""自由"——那種"游刃有餘"的自由境界。

刀在庖丁手中是要用的,因爲這位庖丁不但重視"技",而且更重視"道",他以"技術"來推行"道",而以"道"來指引"技術",所以他解牛時完全按牛自身的結構關節去下刀、運刀,以最小的損耗將牛解開,作了功,行了事,但他那把用了十九年、解了數千頭牛的刀,就像新磨的一樣。庖丁的刀之所以久用而不損缺,因爲雖以刀解牛,就像是牛自解一樣。以此來"喻人與自然的關係,"人"作用於"自然",作功、作事,就像"自然"自己在變化一樣,這樣"人"可以"不損"而得"長生久視";"不損"而"長生",乃可逍遙、自由。

這是從實踐方面來說。莊子還從理論上進一步發揮"不用"

之"用",是爲"大用"的道理。

今我們替莊子設想,庖丁解牛,因爲牛可食用,亦可被解,故有此一説;如果遇到那其大"不知其幾千里"的"鯤"、"鵬",又其奈它何? 一來"鯤"、"鵬"的肉未必可食,二來它因太大而無從下刀,於是,"人"奈何不得它,只能"由"它去,任其"逍遥"(人的)法度之外。"鯤""鵬""擺脱"、"避免"了"人"的"傷害",與天地共老,與日月長生。

於是,事物因其"無用"而得"保存",得"逍遥"。物因其"有用"而得"保存"者,得其"小年",而物因其"無用"而得"保存"的,則可享"大年"。

莊子看到了"材"與"不材"的矛盾,他在《山木》篇中明確説到大樹因"不材得終其天年"和不鳴之雁"以不材死"兩個相反的例子。在這則寓言中,莊子解決這個矛盾有點詭辯的味道,他只説"周將處乎材與不材之間"。可又説,"材與不材之間,似之(是)而非也,故未免乎累。"後面的意思是説要合乎萬物之本性,就"無譽無訾";其實莊子的意思還是側重在"不材得終其天年",因爲"有用"而得"保存"乃是常理,而"無可用"又得到更爲長久的保存,則是更爲深層的道理,是莊子刻意要強調的,所以他在"人間世"篇中説:"人皆知有用之用,而莫知無用之用也。"

這樣看,莊子"材"與"不材"乃是"小"、"大"之辨,此辯證的思想,當亦來自老子。一切之"材",皆爲相對之"小"材,而"不材"纔是最大的材,"大音稀聲","大材""不材";一切之"材"皆爲"有限",而至大之材,則爲無限,"無限"之"材",實爲"不材",而"無限"爲"自然","自由",故"不材"得"自然"、"自由"、"逍遥"。

小、大之辨在莊子已經有相當深刻的形而上學的意義,大到了"無限",則不生不滅,傳諸久遠,不能再增加什麼,也不會減少什麼,没有外來的因素可以影響它,是爲"自然"、"自由"。莊子在《大宗師》篇説:"夫藏舟於壑,藏山於澤,謂之固失;然而夜半有力者負之而走,昧者不知也。藏小大有宜,猶有所遯。若夫藏天下於天下而不得所遯,是恆物之大情也。""藏天下於天下",物化於"天下",普天之下,無所不在,則"不得所遯",物與"天下""共在",則爲"無限",是爲"永恆",亦爲"自然"、"自由"。

九、世上萬物都是具體的,一個一個的,如何成爲"無限",如何"逍遥"得起來?

按莊子的思想,萬物雖分彼此,但如物能融於"無限"(天地),則逍遥於"無限"之中,無所不在,無所失而得以永存。

莊子《齊物論》篇,首先分析"地籟","人籟"、"天籟","天籟者,吹萬不同,而使其自己也,咸自取,怒者其誰邪!"說的仍是"天籟"之"自然"、"自由",毋需外來之"怒者";至"物無非彼,物無非是;自彼則不見,自是則知之。故曰彼出於是,是亦因彼。……是亦彼也,彼亦是也。彼亦一是非,此亦一是非。果且有彼是乎哉? 果且無彼是乎哉?"這一段常用來説明莊子的相對主義,另還有一層事物之間相互轉化的意思,我們應該特別注意緊接着下面的那一句話:"彼是莫得其偶,謂之道樞。樞始得其環中,以應無窮。是亦一無窮,非亦一無窮也,故曰莫若以明。"

"環中"是"樞紐"("道"的"樞紐"),是"關鍵"("道"的"關鍵"),它非此、非彼,非是、非非,而居"中","居中"而可以"應""無窮"(天地),"居中"則"無限"、"自然"、"自由",因爲"居中"則可以爲"此",亦可以爲"彼",可以爲"是",亦可以爲"非"。"中"即是"道","居中亦"得道"。

我們炎黄子孫在思想方式方面强調一個"中"字,"中國"、"中國",以"中"立國。"中"字涵義很多,但儒家、道家都强調這個"中"字,可見除平常的意思外,尚有一個哲學性的深層意義在。"居中"、"執中",不會陷入"非此即彼",不會僵固"是"、"非",而保持着各種的發展可能性,可能應付"無窮"的挑戰,而立於不敗之地,從容自如,"游刃有餘"。"中國"、"中國",是一個"自然"的國家，"自由"的國家，蘊有"無限"的生機。

十、在古人心目中，天爲蒼穹，地分四方，平均而言，都以"中心"與四周的距離最短。立於周邊，雖近猶遠，立於"環中"，則雖遠猶近。所以取乎"中"，是最佳、最有智慧的地位。

"人"亦分"你"、"我"，乃是簡縮的說法。實際"人"分"我"、"你"、"他"。"我"爲近稱，"他"爲"遠稱"，而"你"則爲"中稱"。爲了表示親密，人們常說"不分'你'、'我'"，實際上此處的意思是指"不分'我'、'他'"。因爲"不分你我"，也就是"不分'彼'、'此'"，而在"'彼'、'此'之間"的，乃是"中"，此"中稱"是爲"你"。以"我"、"你"、"他"之稱之區別來理解世界，得自德人馬丁·布伯，他強調"我"—"他"關係來自"我"—"你"關係，并以宗教的精神來闡述"我"、"你"、"他"之關係，頗有些影響。以此種理論作參考系，來讀莊子，很有啓發。

不過，我們從莊子書中體會出來的，似乎不是"我"—"你"，"我"—"他"關係，而可以開發出很有意思的"你"—"你"關係，這樣才不是"彼"、"此"（"你"、"我"）的關係，而是一個相當純粹的"中"程的關係。

"我"—"你"關係，可能在莊子看來，仍有一偏，而不能牢固地居其"環中"，不妨使各種關係之基礎，立於"你"—"你"之上，則莊子書中有些問題，可能更便於理解。

十一、首先，此種"你"—"你"關係，於老莊思想，可謂言之有據的。因爲無論老、莊，都反對"私"，而"私"即"我"，因而，在世間基礎性（原始性）的關係中，不容有"我"、"私"的地位。

"自我"問題在我國傳統思想中地位不很突出；而在西方，古代希臘蘇格拉底就將德爾斐神廟的警世格言引入哲學思考，提出"認識你自己"的命題。此種思想綿延滋長，縈繞在西方人的思想深處，至近代以降則更是氾濫，於是有各種"自我意識"的學說，有弗洛尹德 id, ego,superego 之說；到如今二十世紀後期，"自我"

又成了問題，"後現代"諸家將這個作爲"個體"的"核心"的"自我"打成粉碎，分成了"粹片"，這個"粹片"分佈在各考古的層面，似乎本沒有什麽"自我"的"核心"。

中國傳統，無論儒、道，對這個"私"、"自我"都是不很重視的，他們都側重於"人"之"中稱"的意義，因而側重在"你"的地位。孔子的"仁"是"你"層面，老、莊的"道"，也在"你"的層面，都是在"關係網"中的一個取向，而不是孤立的、封閉的、內在的，因而也是很神秘的"自我"。

"'我'是'誰'？"這個問題的真正的回答似乎只能是"同語反覆"，即"'我'是'我'"，因爲"'我'是'工人'"，"'我'是'農民'"等等所有這些回答，都將"我"當作了"他"，其回答的問題是："我是'什麽人'？"而不是"'我'是'誰'？"然而，"我"不是"什麽"，"我""什麽也不是"，而"我"又是實實在在存在的，"我""是"（在），而非（不是）"什麽"。

"什麽也不是"、"不是'什麽'"的"我"，就是"你"。"我"如是"什麽"，則"我"是"他"；"我"不是"他"，則"我"是"我"。"'我'是'誰'？"的回答之所以會出現"重言"判斷，原因之一乃在於在現實的生活中，"我"本是由"他"組成的。"我"在"社會"（許許多多的"我"）中的"角色"決定了"我"是"誰"，但這個"誰"卻不是活生生的"人"，而是社會的功能、職能。

"我"在"社會"上要"演"一個"角色"。實際的舞臺與藝術的舞臺之所以不同乃在於：藝術的舞臺有一些並不神秘的"演員"，而在現實的舞臺上，這個"演員"——"我"，卻難以捉摸，"我""演"的這個"角色"好像就是"我"自己。"拿破侖"如不是"皇帝"，沒有"滑鐵盧"之戰，就不再是"拿破侖"；"我"的"同一性"、"身份"（identity）就是我的"歷史"——"我"扮演的一個個的"角色"，"我"做的一件件"事"，那末"我"又在哪裏？"我"在"我"的"內心"？在"我"的"內心深處"，尚有一個不同於"我"的事功、我"的

"角色"的一個"真我"？就像藝術舞臺上的演出那樣，演壞人的
"演員"會是一個大好人？

　　我們可以説，每個人的內心深處的欲望、情感、思想……確可
與他在社會上所起的"作用"、他所扮演的"角色"很不相同，文藝
家常揭示這方面的矛盾來描繪人間世態的悲喜劇。然而，如果這
些隱蔽的思想感情和欲望，乃是"原始"的，則似乎人人皆同，又如
何見出"我"之所以爲"我"？所以，"我"的種種"情結"，和"我"的
"經歷"亦是不可分的，而"經歷"只能問"什麼（經歷）"，從而"我"
之特殊性、個性，仍是"他（什麼經歷）"規定了的。

　　這樣，我們一説到"人"，就已經超出了"自我"，而我們中國人
常説"'我'這個'人'"如何如何；西方人卻很少在日常對話中説"g,
as a human being"如何如何。

　　當我們説，"'我'這個'人'"時，實際上我們是將"我"放在"你"
的位置。一般説，非在特殊的場合，我們不説"'我'這個'部長'"、
"'我'這個'委員'"如何如何，因爲"部長"、"委員"等等已是"他"，
在特殊場合這種説話方式，中外都一樣，西方人也説"g, as a
minister"，如何如何。

　　十二、中國傳統思想的"人"，固然不指"我"自己，而是一個
"他者"，但這個"他者"，嚴格説並不是"我"、"你"、"他"中的"他"，
在"我"、"你"、"他"的關係中，"人"在"你"位，居"環中"而應上下、
左右、前後。

　　馬丁·布伯在"我"、"你"、"他"中，以"我"爲立足點，講
"我"—"他"，"我"—"你"關係，很有啓發。"我"—"我"關係已有
基爾克特的"實存主義"加以闡發"他"—"他"關係自是一切社會
科學（社會學）長期研究的問題，從管理、調節角度，揭示社會各種
職能之間的客觀關係；尚有"你"—"你"關係需要進一步開發，而
此種關係，以"中"道爲核心的中國傳統思想，則貢獻良多。莊子
發揮老子思想的重要方面之一，就在於展開了這種"你"—"你"關

係。

十三、相比之下，老子思想重在進、退，進而能退，則可"守真"、"得道"；莊子思想則更進一步將進退、反正之理發展成一個"化"字。《天下》篇在總結各家學說時，莊子說道："芴漠無形，變化無常，死與生與，天地並與，神明往與。芒乎何之，忽乎何適，萬物畢羅，莫足以歸，古之道術者有在於是此，莊周聞其風而悦之。"

"變化無常"是莊周齊生死、萬物生化的核心思想，因爲有了此種"無常"之"變化"，"人"纔得以"逍遥"、"自在"、"自然"、"自由"；"人"之所以能有此種"逍遥"、"自由"，正在於他的地位不處在僵化了的"兩極"—"我"與"他"，而恰恰是處於"你"的"環中"，才可以保持住上下、左右、前後……的"變化"之可能性。這樣，老子所謂的"退"、"讓"、"守"……，都與這個"你"字有關。"退"不是從一個極端(他)退到另一個極端(我)，而是"退"、"守""環中"，以"應"萬變；"守"亦不是守住"兩極"，而是守住具有無限變化可能性的"環中"之"你"。

就一個"人"言，"你"外接於"他"，內接於"我"。實際上就"你"的位置來說，"他"與"我"都是"超越性"的，無論"外在的超越"或"內在的超越"都是"超越"，就像康德的"物自體"(他)、"我自體"(我)一樣，都是"不可知"的；但如果從"你"—"你"的關係來看，就是很親切，很可理解的。"你"和"你"處在同等的地位，所以也是可以"轉化"的，這似乎就是莊子"物化"(萬物皆可轉化)的思想的一種學理上的"根據"。

十四、莊子"齊物"，但他說蜩鳩不知(理解、懂得)鯤鵬的氣勢，說"朝菌不知晦朔，蟪蛄不知春秋"(《逍遥遊》篇)，強調"知"之隔而不可相通；但《秋水》篇又講莊子非魚而能知魚之樂，此種矛盾，就辯論言，乃是一個漏洞。《秋水》篇中莊子在答辯時，有點強詞奪理；但綜觀莊子思想，他對"人"在萬物中的特殊性，比老子似乎有了更進一步的認識,因爲這個寓言中無論莊子或惠子都沒有提出"魚知道不知道莊子如何感受"的問題。從《逍遥遊》篇的立意來看,"魚"大概不知道"人"的感受。

　　爲什麼會出現這種差距? 我想乃是因爲世上萬物中只有"人"才能分"我"、"你"、"他",而且才能將"自己"和萬物都提到"你"的地位,形成"你"—"你"關係①,所以莊子"自然"地、"自由"地可以"知道"魚的"快樂",如此莊子回答的最後那句話,倒是很實在的,"我知之濠上也",是說,我"看"到了魚在遊,也就"知"道了,魚在樂。

　　本是內在的東西,怎樣能夠被理解,這原是康德思想中的一個問題。他問"花是美的"原本是我"看"花時的一種愉悦,怎樣會又是一個"判斷",要別人也承認? 現在有一些實證性的、分析性的哲學家認爲此種判斷,只是提供一個信息,"花是美的"就等於說讓聽者了解"我認爲花是美的",而聽者并不能感受到那花之美,爲此,則莊子的那句話"是魚之樂也"就只是指示一種知識信息,"我莊周覺得那魚很快樂"。然而,莊子的話并不完全是一種主觀的感受,而且也有客觀的判斷,問題還是回到了康德: 爲什麼私人內心的感受,會有一種普遍性? 反過來,知識信息的傳遞,又如何會有情感性?

　　我想,"你"—"你"關係,對理解這個問題或可有所幫助。"你"—"你"是"擬人化"、"寓言化",以及遠古"物活論"的一個內在的契機,"人"與"萬物"處在一個同等的、可以對話、轉化的地位,就像"人"與"人"處於可以對話、可以轉化的地位一樣。

　　而這種"你"—"你"關係,祇有"人"才能發現(海德格爾的Befindlich keit, befinden)出來,魚和小鳥們就不可能體會出

_____

①曾與我的學生黃彧生談到這個問題,他說那些小鳥沒有把自己提高到 Dasein 的層次,而祇是 Seiende,我受到他的啟發。

"人"的思想、感情，它們之間也沒有這種自覺的分、合關係。萬物之間的關係是"同一"（混同）的，也是"分裂"的，所以是"Chaos"——這個字的希臘文原意，既有"混沌"的意思，又有"大裂口"的意思。

所以，莊子說，"魚相處於陸，相吻以濕，相濡以沫，不如相忘於江湖"（《大宗師》），魚衹有在江湖中才得其所在，才"自然"、"自由"、"逍遙"，而"人"卻在萬事、萬物中都能體會出此種"自然"、"自由"、"逍遙"來。所以莊子又說："魚相造乎水，人相造乎道"，"故曰，魚相忘乎江湖，人相忘乎道術"。"人"因有"道術"而可逍遙於天地萬物之間，就像大庖手中的解剖刀一樣，穿行萬物，以"無厚"而入"有間"，解千牛而如新發硎，經萬世而青春常駐。

"人"生"天地"之"間"，"間"亦爲"中"，是爲"中間"；用馬丁·布伯的話來說，爲 Zwischen，在"他"和"他"之間，也在"我"和"他"之間，是爲"你"。

十五、"人"因有"道"、"術"，故可適應、掌握一切之變化。"人"非"魚"，可"知""魚"之"樂"。"人"非"日"、"月"、"山"、"川"，可"知""日"、"月"、"山"、"川"之變化，與其相適（造），所以"人"不僅以"江湖"爲"家"，而以"四海"爲"家"，以"天地"爲"家"。"人""逍遙"於"四海"、"天地"之間，"相忘"者誰？"相忘"者爲"我"與"他"，"相忘"者爲"此"與"彼"。"不分彼此"之"分"，既非"混同"，亦非"裂口"，不是 Chaos，而是從"彼"與"此""退"出，或謂，從"彼"（他）中"退回"，從"此"（我）中"進取"，"進"、"退"皆歸於"你"。

馬丁·布伯說，"我"—"你"關係必定要發展、轉化爲"我"—"他"關係，"人"到了"他"位，則不能以"四海"爲家。"帝王"必居"宮殿"，"士兵"必居"營房"，"工人"以"廠"爲"家"，"教師"以"學校"爲家，就像"魚"一樣，以一個固定的範圍爲家，魚到了陸地上，就得相濡以沫，情形就不太妙——不太逍遙。"人"在"你"位，則無往而不適，"人"以"道"、"術"使人能適應各種環境，無所不在，到處爲家。動物以自己的種屬特點爲準繩——如魚要以水爲準繩，只有"人"，則可以萬物的特性爲自己的準繩；"人"在水中有船，在天上有飛機，在高山結廬，在平地建高樓。"人"以"道"、"術"不怕水、火之災，而通過"道"、"術"逐步地使萬物越來越親切，"人"與"萬物"的關係越來越"適應"(造)，"人"生活在"萬物"之中，"彼此"相忘，其樂也融融。

十六、"逍遙"、"自然"、"自由"的境界，是莊子對生活的一種體會，也是一個"理想"的境界。也就是說，此種以"你"爲中心地位的"我"、"你"、"他"關係，本是一種最爲現實、最爲本源的關係，但在日益紛繁的社會生活中，卻越來越難以保持，這個"道"、"術"也越來越難以得到，需要很高的修養功夫，而一旦得到，亦有那叔本華所謂的"解脫"的暫時性之感。在這種情形下，"你"—"你"關係，反倒似乎不是"現實"的，而是"理想"的，有時甚至是"夢"一般的"另一個""世界"。

當人們以自覺的修養功夫(道、術)把"我"和"他"都"懸擱"起來，"擠"出去，而"守住"那"你"時，人們有哲學性的思想，藝術性的感受和宗教性的崇拜；當人們不自覺地將"我"、"他""懸擱"起來，"抽象"出去，在不知不覺中在"你"的地位活動時，人們就有"夢"——不論黑夜的，還是白晝的。

在"夢"裏，"我"似乎可以毫無罣礙的"化"爲各種動物，可以做清醒時做不來的事，體驗到清醒時未曾體驗到的感受……"夢"很"自由"，很"逍遙"，似乎一切的"必然律"都變得鬆動起來。當然，我們也做"噩夢"，使"我"固定在"我"的位置上，爲"他"所迫，使"我"的存在受到威脅，衹有在猛醒的刹那，慶幸夢中之"我"原不是"我"，醒來之"我"上升爲"你"；衹覺那夢中受迫害的不是同一個"人"。無論正反的夢，都顯示了"你"的"自然"性、"逍遙"性、"自由"性，顯示了"你"的"安全"、"可靠"性。

莊周釋夢，不計利害，不計正反，都同樣側重"守住""你"的位置而可"變化"萬端。

　　莊子《齊物論》篇以一個美麗的夢喻爲結尾,其意念深遠：所謂"齊物"、"物化",乃"夢"耳。"昔在莊周夢爲蝴蝶,栩栩然蝴蝶也,自喻適志與,不知周也。俄然覺,則蘧蘧然周也。不知周之夢爲蝴蝶與,蝴蝶之夢爲周與?周與蝴蝶,則必有分矣。此謂之'物化'。""物化"者,莊周與蝴蝶可以轉化,而此種轉化又如何可能,則很費一番推敲。

　　莊子有一層意思似乎較容易理解：人生原本如夢,表面上似乎是莊周夢爲蝴蝶,莊周是實的,蝴蝶是虛的,而實際上反過來也同樣説得通：莊周的生活卻是蝴蝶的一個夢,似實而虛,蝴蝶反倒是實的。我們也可以理解爲："人生"是虛的,而自然界萬物比"人生"更實在,即科學上所謂的"自然"是實的,"人生"原是"自然"的一個"夢"。莊子在這裏的問題是：誰在作夢?表面上看,是莊周在作夢,蝴蝶在夢中,而實際上則可能是蝴蝶在作夢,莊周原來是夢中之人。

　　從轉化、物化的角度來看,莊子的寓言是説莊周通過"夢"(或通過"道"、"術")將自己轉化爲蝴蝶,而蝴蝶同樣亦可以通過一種方式或經過一個過程"轉化"爲莊周,這個方式或過程,不可能是"現實"的,同樣祇能通過"夢"。

　　莊周與蝴蝶在"你"—"你"關係中,或通過哲學的思想,藝術的想像或宗教的信仰,相互轉化,而"夢",則是做成此種轉化的最爲方便的途徑和方式。

　　我們似乎可以説,莊子獲得、保持這種"你"—"你"關係的途徑和方式過於直觀,問題出在那個"道"、"術"上。如果此種"道"、"術"過於玄奧、過於空泛,則保持此種"你"—"你"關係較爲持久一點的地方只能在思想(如莊子自己的書)、藝術、宗教中,祇能在"夢"中;而殊不知這種"你"—"你"關係,卻需要在"我"、"他"關係的更充分發展之後,再"進而"或"退而"至守護此種關係,則可在實際的生活中,更豐富、更持久地享受此種"你"—"你"關係的"逍遙"、"自在"、"自然"、"自由"。

　　我們記得，西方的思想，以及他們的實際生活，在相當充分地發展了對"他"的思考之後，纔進入深入地思考"我"的問題，而對"你"的思考，則更是相當晚近、至今還不能說是很豐富、很深刻了的。然而，他們在較充分地思考了"他"、"我"之後，再來思考"你"這一層面，對比我們直接進入"你"的思考，又有一番不同的風貌和境界，更有"工後之拙"的一種體會，亦不容我們忽視。

　　西方有些人亦常覺得"科學"與"人文"很矛盾，很對立，覺得過於讓科學、技術泛濫，就會窒息了"人"，"粉粹"了"人"；不過西方的"道"、"術"—"科學"、"技術"，祇要保持較高的警覺性，傾聽大思想家、大哲學家的呼聲，則不失在高層次上"進入"、"退回""你"—"你"關係的一個途徑和方式。這是我們在理解莊子的"自由"、"逍遥"觀念時，也應該考慮到的。

　　作者簡介　葉秀山，1935 年生，江蘇鎮江人。中國社會科學院哲學研究所研究員。著有《前蘇格拉底哲學研究》、《蘇格拉底及其哲學思想》等。

莊子言與不言

劉　光

内容提要　在《莊子》一書中,言説與沉默即言與不言的問題表現爲一個明顯的自相矛盾:一方面,莊子反覆對語言進行譴責並多次表示了棄絶語言(無言)的願望。而另一方面,這些譴責和願望恰恰藉語言纔得以達出。《莊子》三十三篇的存在本身就成了作者的一次自我否定。

作者認爲,對這個問題的思考能够爲説明《莊子》的美學風格與社會價值提供一個新的視角。本文上篇就莊子的"無言"思想進行梳理,希望整理出莊子否定語言的基本理由和思路,下篇分析莊子的言説活動,説明其何以言説和怎樣言説,以及莊子言説的美學風格和文化意義。

言説與沉默,或者言與不言,一當在某種語境中獲得特殊的哲學意味,就會成爲哲學中引人深思的問題之一。它們之間異乎尋常的關係:依存與對抗,轉化與隔絶,它們與人的存在或與神秘的超驗問題的關聯等,曾經得到深刻的關注。令人困惑的是,在現存的《莊子》三十三篇中,言與不言表現爲一個奇怪的自相矛盾:從《齊物論》到《知北游》,從《秋水》到《天下》,莊子以他那固執的敵意,對語言作了種種責難,並不失一切機會地重複着棄絶語言(無言)的願望。然而,所有這些針對語言的憤怒和指責,恰恰通過語言纔得以發出。同時，只要莊子關于無言或沉默的任何一句贊辭企圖成立，它本身就應當包含着否定自身的力量。換句話說，《莊子》作爲一部語言作品的存在，已經從事實上構成了對包含于書中的某些基本語言思想的否定，而按照這些思想，《莊子》一書根本就不應當存在。

　　儘管表現在莊子身上的這一矛盾如此明顯，卻似乎没有受到恰當的注意，讀者們已經對它感到習以爲常。本文作者認爲，對這個問題的思考，也許能夠爲莊子作品的美學風格和社會價值的説明發現一個新的方面，因而，本文希望爲這一矛盾現象提供一種解釋。具體的任務是：上篇就莊子的"無言"思想作出梳理，整理出莊子否定語言的基本理由和思路。下篇分析莊子的語言活動（言説），闡明其何以言説和怎樣言説。由于莊子與老子的哲學一脈相承的關係，本文在論述中將涉及一些來自老子的材料。

上

　　不言而喻，與《莊子》一書中其他的哲學糾葛一樣，言與不言的問題最終根源于道，並在道的範疇內得以説明。道，這個莊子從他的哲學先師老子那裏直接承繼下來的概念，是道家哲學所設想的宇宙本原，老子在其詩歌體的哲學大綱中，曾對它作過如是描述：

　　　　有物混成，先天地生，寂兮寥兮，獨立而不改，周行而不殆，
　　可以爲天地母，吾不知其名，強字之曰"道"，強爲之名曰"大"，
　　大曰逝，逝曰遠，遠曰反。（老 25）

　　道是宇宙的本原和依據，萬物之母，它渾然統一，廣大無限，圓滿和諧並周流不息地循環運動。儘管這是《道德經》中關于道的最標準的叙述之一，老子仍然爲自己的描述感到內疚和無能爲力，因爲道是一種超驗的存在，不僅超越于人的感覺經驗，而且超

越于理解、思維、邏輯和語言掌握的範圍,它在本質上是不能被語言所稱道、描述和談論的:"道可道,非常道,名可名,非常名。"(老1)"夫大道不稱,大辯不言"(《莊子·齊物論》)。老子曾經嘗試一種特殊的表述方法,按照這種方法,可以對道作出一種迂迴的説明:

> 視之不見,名曰"夷",聽之不聞,名曰"希",搏之不得,名曰
> "微",此三者,不可致詰,故混而爲一。其上不皦,其下不昧,繩
> 繩兮不可名,復歸于無物。是謂無狀之狀,無物之象,是謂惚
> 恍。迎之不見其首,隨之不見其後。(老14)

經驗世界的種種概念被逐條列舉然後一一否定,道的超驗性于是從反面得以顯示。雖然老子的實驗在大約十個世紀後被佛教僧人發展爲遮詮法而廣爲運用,但在老莊作品中,一種更爲常見的方法是求助于古代漢語中某些意義模糊的形容詞。例如:希夷(老14)、惚恍(老14、21)、繩繩(老14)、窈冥(老21)、寂寥(老25)、芒芴(《至樂》)、混沌(《齊物論》),等等。這些缺乏明確詞義規定的詞彙,恰恰成了在老莊迫不得已而描述"道"時彌補其語言貧困的方便法門。

雖然語言和思維都被關閉在道的天門之外,"至人"仍然可以與道得到精神的冥合和溝通,這種精神活動的關鍵,是棄絶一切概念性認識行爲,使意識還原到未受知識巧智,邏輯概念污染的原初渾樸狀態:"專氣致柔,能如嬰兒乎,滌除玄覽,能無疵乎"(老10),"墮肢體,黜聰明,離形去知,同于大通"(《大宗師》)。得到返璞歸真的意識在道的純一空間裏彌散,與宇宙萬象融混爲一,語言當然不能加入這一玄奧的精神過程,它與人類膚淺的感知能力一樣,只能達到物所構成的形而下世界。《秋水》:"可以言論者,物之粗也;可以意致者,物之精也;言之所不能論,意之所不能致者,不期精粗焉。"《則陽》:"言之所盡,意之所至,極物而已。"

　　道的超驗性使語言被阻擋在一個膚淺的層面(物的世界)，但如界僅此而已，老莊也許仍會對語言抱更爲寬厚的態度。然而，對語言活動的基礎——語言命名所進行的解剖表明，語言注定將引起更多的不快，因爲它在一些重要的性質上與老莊如此鍾愛的道幾乎是水火不容。言説的基礎是命名，談論一個對象首先需要給它一個名稱，未經命名之物處在不確定的潛在狀態，仿佛隱匿于黑夜中的風景，其存在的可能性與呈現的可能方式兩者都是無窮多樣的。而一經命名，它就從潛在的陰影中凸現出來，成爲特定的"某物"(《齊物論》："物謂之而然")。顯然，命名意味着限定和定型化，然而道是無限的："譬道之于天下，猶川谷之于江海"(老32)。"在太極之先而不爲高，在六極之下而不爲深，先天地生而不爲久，長于上古而不爲老"(《大宗師》)。道無所不在，也就反對任何方式的定型化，而只能存在于一種混然無形的潛在狀態。因此，道是不能加以命名的。《老子》三十二章："道常無名"。四十一章："道隱無名"。《莊子・知北遊》："道不當名"。語言命名通過給予個別對象以特別的注意，通過稱呼它，將其從廣大朦朧的背景中孤立出來，從而破壞了對象與整個世界的聯繫，人的這種努力造成對道的統一性的分割："道未始有封，言未始有常，爲是而有畛也"(《齊物論》)。這一人爲努力的積弊還表現在，命名是賦予對象以意義的行爲，這種給予意義是以代表特定文化的人爲中心的。命名即是一種強加，它與自然無爲的天道精神相衝突。老子和莊子都曾不無內疚地表示，爲道勉強命名是一樁罪愆而同時也反映了語言的無力："強字之曰道，強爲之名曰大"(老25)。"道之爲名，所假而行"(《則陽》)。于是，老莊試圖通過命名的不確定來部分抵銷其言説(寫作)所構成的悖逆行爲。

　　正如索緒爾所指出的那樣，語言是一個墮性系統，它與凝滯的大衆生活結成一體(《普通語言學教程》第一編第二章1)。詞與它指稱的對象祇有在一個相對静止的系統中纔能彼此協調。語言給流動的感覺印象賦以固定形式,使之成爲理論化的同時也是死板的人類知識的素材。而對于生生不息,變化無窮的道,語言有何作爲?"夫言非吹也,言者有言,其所言者特未定也。果有言邪?其未嘗有言邪?其以爲異于鷇音,亦有辯乎,亦無辯乎?"(《齊物論》)言者所言説的對象瞬息萬變,杳無踪迹,語言這頭行動遲緩的笨熊已無力追尋遠遁而去的所指,話語的意義如鐵銹般紛紛剥落,剩下的只是没有內容的空洞的聲音。與風吹鳥鳴、汽泡的咕嚕或乾魚串的嘩嘩作響比較起來,那些論道的高談闊論,意見紛紜,那些表面上的深奥學識與卓見淵博,二者又相去幾何呢?道,有如赫拉克利特飛逝而去的河流,"吾觀之本,其往無窮,吾求之末,其來無止,無窮無止,言之無也"(《則陽》)。

對語言的指責不僅來自各個方面,而且也在逐步升級,特别是當言與道的衝突已經在這樣一種意義上達到了極端:任何言道的企圖,以語言和思維探求道的任何努力,只會徒勞無益地走向它的反面——恰恰造成道的晦蔽和疏離。《知北遊》:"論道而非道也。""道不可言,言而非也。"《則陽》:"言而愈疏。"莊子的這一思想以隱喻的方式被表現于關于渾沌的著名寓言。渾沌,喻指摒棄知識語言後昏昧空無的意識狀態,以及淵默虛寂中與道的冥合,在這種天人合一的冥悟中,語言的闖入不啻爲一種狂暴行爲,寓言叙述了由語言等參與的一場毁壞:

> 南海之帝爲儵,北海之帝爲忽,中央之帝爲渾沌,儵與忽時
> 相與遇于渾沌之地,渾沌待之甚善,儵與忽謀報渾沌之德,曰:
> "人皆有七竅以視聽食息,此獨無有,嘗試鑿之。"日鑿一竅,七
> 日而渾沌死。(《應帝王》)

事實上,語言時常被判定爲惡性手段,不僅在形而上的意義上,對于玄秘的哲學洞察力,而且在芸芸衆生普通的社會生活中,它也是潘多拉匣子中跑出來的一隻怪物。莊子從社會批判角度對語言的責難似乎更加嚴厲無情。語言:説服、誘使、諂諛、狡

辯、詆毀、煽動、吹噓、誹謗、蠱惑、讒佞、誣枉、誇詡、溢美、訛詐、誆騙、讇言妄語、喋喋不休，等等，道德和人性的諸般敗壞無不與語言有直接的關聯，語言甚至對世界的分裂動亂也承擔責任。"天下脊脊大亂，罪在攖人心"（《在宥》），而語言的煽動性使它成爲擾亂人心的罪魁："言者，風波也。"（《人間世》）"哼哼已亂天下矣。"（《胠篋》）因此，搖脣鼓舌歸屬于最劣鄙的行徑之列：巧言偏辭，溢美讒惡（《人間世》），作言造語，多辭謬説，搖脣鼓舌，擅生是非，罪大極重；矯言偽行，迷惑天下，盜莫大焉。儒者偽辭（《盜跖》）。"知詐漸毒頡滑堅白解垢同異之變多，則俗惑于辯矣。"（《胠篋》）"狗以不善吠爲良，人以不善言爲賢。"（《徐無鬼》）莊子對儒墨之徒急風驟雨般的猛烈抨擊，何嘗又不是一次發洩其針對語言的無邊狂怒的絕好機會呢。

　　既然對語言的非難已經發展爲一種道德譴責，那麼相反，放棄語言的態度則受到相應的道德肯定和尊重。莊子爲此提供的根據是，道、天地，作爲人倫師法的最高典範，其本身就是不事誇詡的："天地有大美而不言，四時有明法而不議。萬物有成理而不説。"（《知北遊》）"海不辭東流，大之至矣。"（《徐無鬼》）得道的人，即至人、神人、聖人、天人、真人，這些想像中的莊子理想人格的體現者，從靜觀天地的潛心默會中陶鑄自己的品質："聖人者，原天地之美而達萬物之理，是故至人無爲，大聖不作，觀于天地之謂也"（《知北游》），無言是其精神涵養高超境界的一部分。《天道》："古之王天下者，……辯雖雕萬物，不自説也。"《大宗師》："古之真人……悗乎其似好閉也，悗乎忘其言也。"在《齊物論》、《知北游》等篇，莊子多次寫到關于道的詢問和要求作答，而真正悟道的人總是抱以沉默，或者簡單地表示無知以中止議論。

　　綜上所述，莊子和老子對語言的發難，由語言不能表達超驗的道開始，經過對語言命名，對萬物齊一的宇宙統一性，對道的變動性等多方面的分析，結果表明，語言與道存在着嚴重的甚至根本的對立和衝突。語言不僅在功能上表現爲無能,而且對真正的哲學静觀和哲學洞察力還起着破壞性作用。在社會生活中,語言也由于其無事生非,挑動混亂而受到強烈的道德譴責。與此相對,放棄語言的態度(無言)被推崇爲哲人風格的典範,儘管老莊自己尚未修行到如此境界。

下

　　老莊何以言説? 這個問題可以從另一個性質相同的追問中得到回答: 老莊爲什麼寫作? 在司馬遷爲老子所作的傳記中,老子的著述活動被戲劇化地記述爲一次偶然機會使然:"老子修道德,其學以自隱無名爲務,居周久之,見周之衰,乃逐去至關。關令尹喜曰: 子將隱矣,強爲我著書,于是老子乃著書上下篇,言道德之意五千餘言而去。莫知其所終。"(《史記·老子韓非列傳》)這段文字明顯的虛構性質,使它歷來只作爲民間故事和小説傳奇的材料,我願意將它作爲一條寓言來加以使用,因爲它所涉及的春秋戰國是一個寓言的時代,寓言對于當時的哲學家不僅是一類文體或説教手段,而且是一種重要的思想方式。

　　來自社會和文化的強迫力量在寓言中化身爲官吏,它使個人對沉默或言説的選擇受到脅迫,寓言的實質,在于表明了個人與世界(社會文化環境)以語言爲中介的關係: 在一個語言的世界裏你必須説話,沉默表示你與世界的疏遠——你的孤僻、古怪、對抗、敵意、桀驁、自閉、變態等等,你將被視爲異類,從而被隔離于社會文化的環境之外(仿佛對麻瘋病人的隔離),放棄言説就放棄了與他人認同的可能機會,而使你變成人群中的一隻怪物,徹底沉默意味着死亡——"死去何所道,托體同山阿"(陶潛)——渾沌罹難的遭遇就暗示了某種意味深長的内容: 渾沌因無言而被特定的文化視爲怪物並橫遭滅頂,儘管它對同類表示了相當的友善。言與不言，與漢姆雷特向自己詰問過的那個著名問題一樣，甚至其本身就是它的另一種形式，歸根結底是一個生存問題。活下去而且是作爲人活下去，你就得開口説話，你只有通過語言向世界證明——我是人。

而從另一個（比較悲觀的方面）看，我被接納入某一社會，在于我已經掌握了它的語言，以及經由語言組織的文化、觀念和行爲方式。實際的情形是，我通過吮吸某一特定文化的語言乳汁而長大成人，我的神經、骨骼和血脈都注滿了這些語言成份，以及隱蔽在幕後發號施令的語法規則，消除語言就等于消除自我。誠然，特定的語言是維護既成文化秩序的保守力量，對一種社會文化秩序的反感可以導致對那一語言的厭惡，然而處身在這一巨大文化——語言網絡中的個人，並沒有選擇的自由可談，天命注定是該語言的承擔者。因此，無言只是老莊所表達的無數哲學幻想中的一個，而且這一幻想本身還得借助語言纔得以表達。于是不難理解，一旦被胯下的青牛帶出幽暗的哲學之谷——那裏鷄犬之聲相聞，而民至老死不相往來——到達進入人間王國的關隘前，老子立即温和而不事聲張地與關吏達成了妥協。

與老師比起來，莊子似乎要繁冗和誇張得多，但表現出的個人風格至少同樣鮮明。莊子爲自己編出了一套別出心裁的辯護詞：既然言説僅祇表示接受強迫，而對語言這樣一件蹩脚的家什你又不能有所指望，滔滔不絶不比一言不發説明更多，不著一字比連篇累牘不會表達更少。那麼言與不言究竟還有何區別？莊子的回答是："言無言。終身言，未嘗言；終身不言，未嘗不言。"（《寓言》）"無謂有謂，有謂無謂"，"今我則已有謂也，而未知吾所謂之其果有謂乎，其果無謂乎？"（《齊物論》）言亦即無言，無言正是一種言，衝突雙方經過點金之指的一觸，忽然跳越矛盾律而達到齊同。對這一玄奧的飛躍，《則陽》篇贊揚一位隱士的話可以看作是它的簡明的注脚："是自埋于民，自藏于畔，其聲銷，其志

無窮。其口雖言，其心未嘗言，方且與世違而心不屑與之俱。"也
許仍然需要從言與道的關係方面獲得"言無言"奧義的最終闡明，
然而在這條意外給予的簡單解釋裏，言無言被歸結爲一種有口無
心的言說態度："其口雖言，其心未嘗言。"我們將發現，這種有
口無心的言說態度，混合着莊子整個哲學及處世之道中玩世不恭
的成份，造成了莊子言說的戲語色彩，理解這一點似乎相當重要，
它是莊子語言思想從沉默到言說的轉變中關鍵性的契機，而且在
很大程度上，它左右了莊子文學風格的形成。

　　我希望前面某些部分的討論可以有助于形成如下印象：語
言是個人通向其社會文化歸宿的一座浮橋，個人藉語言的引導
（就像盲人依賴于手杖的引導）而生活在人群中，生活在這個世界
上并被贈與（更多是精神上的）棲身之所。個人言說在本質上構
成一場對話——通過傾談辯駁與世界求得諒解和認同。一切言
說總是向他人說，向世界而說，傾訴和傾聽幾乎概括了大多數個
人言說的特徵。似乎每一段言說都是對同一個願望的耐心而執
拗的重複，都表示一個妥協的姿態和對答覆的等候，在世界面前，
個人言說有沒有獨立不阿的骨氣，其力量何在？對言與無言奧秘
的參透，使莊子最終找到了釋放語言能量的秘密鑰匙，從而開始
了一次語言的冒險。《齊物論》："和之以天倪，因之以曼衍，所以
窮年也。"《天下》："……以謬悠之説，荒唐之言，無端崖之辭，時
恣縱而不儻，不以觭見之也。以天下爲沉濁，不可與莊語，以卮言
爲曼衍，以重言爲真，以寓言爲廣。"莊子意在使語言從社會責任
的車輗下解脱出來，通過語言的自由放任而恢復個人言說的尊嚴
和原始力量。爲此，他經常隨心所欲地打破語言的對話性，其結
果使言說成爲漫無邊際的個人獨白（《史記》：《莊子》"其言汪洋
自恣以適己"），嚴肅的對談忽然被個人言說的即興遊戲所打斷，
思想表達的邏輯性降格爲語言的雜耍表演。這種戲語性獨白帶
來了莊周文辭汪洋恣肆的表面風格，而其真實目的是破壞語言的

常規——而它一般總是由聽眾所支配的。支離破碎的話語，深遠
難測的言論，不着邊際的措辭，没頭没腦的詰問，不必要的一再重
複，突然的話題轉换，故意的誇大其辭，驚人之語，作故正經地模
仿古人腔調，對語詞日常意義的有意混淆，對是非成見隨心所欲
的消解，以及，變化無常的想像，複雜的諷刺，譬喻的繁複，衆多的
矛盾，文章表述結構的消失，意義的流衍和隱蔽，等等。這一切使
莊子的言説天馬行空地游離于其文化環境的理解能力之外，被看
作譫言妄語、狂言、空話，儘管莊子可能恰恰因此而在今天的教科
書中博得浪漫主義的名聲。

　　爲了抵禦來自實用主義和功利主義的攻擊，莊子一再擎舉
"無用之用"的旗號，《人間世》："人皆知有用之用，而莫知無用之
用也。《外物》："知無用而始可與言用矣。"被多次用來説明
"無用"之義的比喻意象是樹："山木，自寇也；膏火，自煎也。桂
可食，故伐之；漆可用，故割之"(《人間世》)。"有用"意味着淪爲
社會權力役使的工具，在表面的榮華顯貴下以個人獨立性的喪失
爲代價，而且在東周奴隸制社會殘酷險惡的現實中，"有用"則不
可避免將捲入卑鄙齷齪的政治陰謀和人際鬥爭的稀泥爛沼，從而
招致嫉恨、仇視，甚至殺身之禍。因此，神人(至人、聖人等)不僅
小心翼翼地保持着無用的假面，而且把"不材"作爲一種至高的生
活境界："余求無所可用久矣，幾死，乃今得之，爲予大用。""嗟
乎！神人以此不材"(《人間世》)。

　　也許，"有用"所代表的工具論的語言觀帶給語言的玷污和損
害比莊子着意造成的破壞更大，因爲前者往往以語言傳統維護者
的面目出現。這種功利主義的觀點把語言看成一種完全被動的
消極的傳達媒體，意義與語言的關係被認爲是水與容器的關係，
語言的全部價值就在于對意義(實際上是狹隘的理性內容)的傳
達。作爲容納和輸送意義內容的工具，語言所受到的是關于實用
與效率的強調：語言必須嚴格地圍繞意義中心，按照約定俗成的

結構規則加以嚴密精確的組織,以使意義內容得到最有效和經濟的傳達。這種意義對語言的專斷,使言說喪失了它的生氣與靈性,而淪爲板刻的機械操作——發話器與受話器之間的編碼和解碼。也許在莊子的時代,作爲百家爭鳴所帶來的後果之一,是語言已在狹隘的功利意義上,成爲策劃、遊説、宣傳蠱惑的手段,"相拂以辭,相鎮以聲"(《徐無鬼》),"大言炎炎,小言詹詹"(《齊物論》),莊子對此曾有過深刻的感憤。然而有趣的是,莊子對語言的看法恰恰是從通行的工具論開始的。《外物》:"荃者所以在魚,得魚而忘荃;蹄者所以在兔,得兔而忘蹄;言者所以在意,得意而忘言。"語言不過是爲捉住意義鳥兒而設下的竹籠繩網,一旦鳥兒被捕獲,捕鳥的工具自然就棄置不顧。然而對一個變動不居的獵物來説,竹籠繩網之類的家什并非總是能夠得手的,即使在工具論的範圍內也暴露出語言傳達的局限。

是對語言功能的失望還是對語言沉淪的憤怒,或者還兼有對所謂言説常規的反抗,在莊子對工具論一蹴而就的超越中,哪一項起着更大的推動作用呢? 難道語言除了作爲意義大人唯命是從的奴婢就沒有獨立的價值嗎? 意義對語言的家長式統治有天長地久的合理性嗎? 當莊子以言説的有意放縱,使意義流衍在無限的、綿延不絕的、泛濫的獨白中,"芴漠無形,變化無常,……芒乎何之,忽乎何適,……芒乎昧乎,未之盡者"(《天下》),他是不是恢復了言説的飛揚神彩和氣韵生動? 理所當然,對于抱殘守缺的工具論者,莊子言説的搖撼力量是不可理解和令人不安的:"吾驚怖其言猶河漢而無極也。"(《逍遥游》)。"今吾聞莊子之言,汒然異之。"(《秋水》)莊子顯然對一種不再依賴于魚或兔的語言,亦即達到莊子哲學"無待"境界的語言充滿自信,當惠子把他的言説譏諷爲"大而無用"的樗樹時,莊子的回答是對語言本身積極價值的一次深入開掘:

今子有大樹,患其無用,何不樹之于無何有之鄉,廣莫之

野,彷徨乎無爲其側,逍遥乎寢臥其下。不夭斤斧,物無害者,無
所可用,安所困苦哉!

作爲一個海市蜃樓式的美學結構,一個魚躍鳶飛的虛構世界,一
次語辭在無何有之鄉的逍遥遊,莊子的言説以其河漢星雲般無往
無極的風格而確立了其文化的和美學的意義。

莊子在進行他的放肆的個人獨白時並未陷于精神譫妄,實際
上他清醒地知道他正在做什麼。這一點需要加以澄清:莊子言
説與混亂的下意識衝動無關,他也没有發明一種類似于"自動書
寫"那樣的玩藝兒,而是恰恰相反,他組織了一套個人化的語言程
式,並且通過對這些語言程式的任意運用而完成了他的獨白。這
就是莊子著作中的寓言、重言、厄言。莊子曾自述其書"寓言十
九,重言十七,厄言日出,以和天倪"(《寓言》)。《史記》的作者也
評論莊子"著書十餘萬言,大抵率皆寓言"(《韓非老子列傳》)。儘
管對寓言、重言、厄言的技術性分析應該構成一篇專門文章,我仍
然願意就此作一個簡略的提示。

"寓言者,籍外論之"(《寓言》),就載體與意旨的隱含關係而
言,寓言可以説是隱喻的擴展形式。寓言的使用可能對語言傳達
的無能(言不盡意)作出一些補償,而且據説因于表達的聖人總會
求助于隱喻(《易傳·繫辭上》:"聖人立像以盡意")。對莊子來
説,寓言也許不僅是一項表達——無法表達之物——的策略,更
重要的是它帶給思想的那種含混和流動性:在寓言故事所創造
的不可思議的想像空間,乾澀的意義冰塊得到溶解和昇華,變得
縹緲難測和不可窮盡,而這幫助了莊子言説擺脱工具論的箝制,
加入到自然天籟的豐富音響中。

據信重言表達作者本人意圖,莊子似乎也作了這樣的保證:
"重言十七,所以已言也。"(《寓言》)"以重言爲真。"(《天下》)重
言的形式特徵即借重長者之言——在注重人倫關係的古代中國,
長者的權威地位和影響力是始終受到公認的。儘管莊子給這些

"以期年耆"的人贈與了一個輕蔑的稱號——"陳人",他卻利用這些人物莊嚴的喉舌來宣講自己玄誕不經的想法。這種做法的玩世不恭還在于,前人、古人、成名人士和杜撰的人物所組成的木偶班子被隨心所欲地差遣出場,一本正經地背誦着莊子分配給每個角色的臺詞。例如作爲道家哲學主要敵人的孔子出現在《莊子》一書中,卻是以極其內行的口氣談論着虛寂之道(《人間世》等篇),而在另一些篇什,他又成爲老子的虔誠惶恐的學生,或者謙卑地表示出對老莊之學的折服(《天地》、《天運》、《田子方》等篇)。在重言嚴肅的外套裏往往裏藏着豐富的喜劇含意和複雜的反諷。這似乎成了莊子進行語言破壞的一件暗器。

根據注疏家的解釋,巵是一種酒器,"巵滿則傾,巵空則仰,空滿任物,傾仰隨人"(《寓言》成疏),在比喻意義上,它代表一種流溢無心,聽任自然的態度。無論把巵言解釋爲"因物隨變,唯彼之從"(《寓言》郭注)或是"支離其言,言無的當"(《寓言》成疏),歸根結底它是無心戲言。不持成見的發言者在現成語言材料的庫房裏隨意揀取一鱗半爪,借助一種人云亦云的方式不斷轉移議論的角度、位置和手法,仿佛玩弄一套令人眩目的語言魔術,在一陣字與詞的組合拆解之後,語言的日常意義土崩瓦解,大與小,有與無,然與非,壽與夭,這些詞語在其日常詞境中相對穩定的涵義被弄得含混不清,模棱兩可(例如在《齊物論》,《秋水》等篇中)。巵言實際上是指向語言本身的一個諷刺,而就這一點而言可以說整個《莊子》就是一部"巵言集",儘管承認這一事實可能會令它的讀者感到尷尬。

在言與不言這個題目下,我們關注並討論了莊子(在部分地方也兼及老子)關于語言與沉默的價值評判和莊子的言說活動兩個主要問題。也許,等待我們作出反應的下一步是如何對老莊的語言思想和實踐作出"社會學"的評價,換句話說,我們再次被要求就語言與生活的關係發言。對此,一位二十世紀的哲學家(維特根斯坦）曾表示過如是見解：語言是生活的表象，想像一種語言即想像一種生活方式。如果對一種語言不僅可能加以想像，還可以加以接觸和鬥爭，如果生活方式這個概念能夠包含個人生存的社會文化氛圍，那麼我們也可以說，衝擊一種語言亦即衝擊一種生活方式、一種文化秩序、一個社會觀念和價值尺度的系統。在結束全文前，我最後想提的問題是，莊子對語言的破壞性使用，能否構成對它的生活方式的衝擊呢？莊子言說的狂浪和放縱，可不可以看作是針對分崩離析的東周奴隸社會，由知識分子在語言領域發起的一場革命呢？

　　作者簡介　劉光，現爲中國人民大學美學研究所碩士研究生。發表過《希臘美學本體論》、《關于漢姆雷特拖延問題的幾種解釋》等論文。

試論莊子的辯學思想及其影響

張斌峰

內容提要 學術界對莊子的辯學思想的全面整理與研究很少,而且否定性的評價也居多。本文擬結合莊子辯學思想產生的哲學與歷史文化背景,全面分析、探討莊子辯學思想的基本內容,重新評價其積極意義與影響。

一、莊子辯學思想的基本內容
——"無辯"與"辯無勝"説

　　莊子的辯學理論是圍繞着關於道的本體論的論證而展開的。他承繼老子的道的理論而有着不同的發展。莊子的道不像老子的道論那樣重"道"的客觀意義而具有本體論意義,他的道具有整體性、全面性、通一性與齊一性,是由主體昇華出來的一種宇宙精神,這種精神是把形而上學的本體論與宇宙論內化爲人的心靈的一種境界。莊子的道是無形無象的道和已經覺醒了的自我精神,是無對立、無差別、無界限的,而言語、論辯卻要爲了爭一個"是"而劃分出有左、有右、有義、有分、有辯——這些界限。天下事理有分別就有不分別,有辯論就有不辯論……一切都處於相互待關係之中。聖人默默地體認事理,只是常人纔會執着於對立兩方爭辯不休而競相誇示,所以莊子説:"辯也者,有不見也。夫大道不稱，大辯不稱，大辯不言……道昭而不道，言辯而不及。"(《齊物論》)大道既然是不可名稱的，那麼大辯就是不可言說的辯，"道"講出來就不是道了，言若一相爭就有所不及。這是爲什麼呢？ 莊子認爲："夫道有情有信，無爲無形。可傳而不可受，可得而不可見。"(《大宗師》)道是神秘的、不可測的，故言、辯與"道"無關，對"道"毫無用處。道是無，物是道之虛幻的表象，因此言論、辯說都不能及於"道"之本質。莊子説："道惡乎隱而有真僞？ 言惡乎隱而有是非？ 言惡乎存而不可？ 道隱於小成，言隱於榮華。"(《齊物論》)"道"是怎樣被隱蔽而有真僞的分別？ 言論又是怎樣被隱蔽而有是非爭辯呢？ "道"在那裏既不存在，又怎會有言論呢？ 莊子進一步認爲這是因爲道被"小成"(局部的成就)所隱蔽，言論的作用被浮華之辭所隱蔽了。在莊子看來，"道"是全面的、絕對至上的，局部的、片面的小成之見如何能瞭解道的最終而又全面的真相呢？ 再説語言的作用本在指稱對象的實況，既所謂"制名以指實"，然而言語使用者們由於主觀成見的參入，使語言本身成爲是非爭論的緣由，巧言偏辭的結果倒誤用了語言的功用，其結果是把語言文字這種用於指實的中立性的、超出是非的符號當成有心人的巧詐僞辯的工具了。

　　莊子在《齊物論》還指出："夫言，非吹也，言者有言。其所言者，特未定也，果有邪？ 其以爲異於鷇音，亦有辯乎？ 其無辯乎？ "人所有的言是否可以謂實并未確定，人之言如初生的小鳥的叫聲("鷇音")一樣，哪會有什麼辯呢？ 莊子説："今我則已有謂矣，而未知吾所謂之其果有謂乎？ 其果無謂乎？ ……天地與我并生，而萬物與我爲一。既已爲一矣，且得有信乎？ 一與言爲二，二與一爲三。自此以往，巧歷不能得，而況其凡乎？ 故自無適有以至於三，而況自有適有乎？ "(《齊物論》)此意是講，本來是一，以言表之，此言加上言中之一和本來之"一"，便爲三，所以用言來説執着就愈説愈多,"那些辯論的言辭化作聲音而相對立,因爲不能相互糾正,所以就像没有對立一樣。混同於自然之分,順應着無窮的變化,因而享盡天年。"(王世舜《莊子譯注》)本然之道,本有之理自在,無須去辯,愈辯則用言,用言則愈辯愈不清。

簡言之,莊子追求内在的"道"或關於"道"之"至言"、"一",反對用言語表述"道",但論辯不過是運用語言的一種特殊方式而已,它是離不開言語及其運用的,所以否定言就必否定辯了。值得注意的是莊子並不絶對地否定言與辯,"可以言論者,物之粗也;可以意致者,物之精也,言之所不能説,意之所不能察致者,不期精粗焉。"(《莊子・秋水》)莊子認爲可以用語言議論的,乃是粗大的事物;可以用心意傳達的,乃是微細的事物;至於語言所不能議論,心意所不能傳達的,那就不期限於粗細了。所謂"不期精粗也"就是無形的"道","道"是可不言傳的,"道"之"器"(事物)則是可以言傳的。

莊子主張"無辯",是因爲"辯無勝"或辯毫無結果。對此,莊子作了詳細的論證:

假使我和你辯論,你勝了我,我没有勝你,你果然對嗎? 我勝了你,你没有勝我,我果然對嗎? 你果然錯嗎? 是我們兩個有一個人對,有一個人錯呢? 還是我們兩個人都對,或都錯呢? 我和你都不知道,凡人都有偏見,我們誰來評判是非? 假使請意見和我相同的人來評判,他已經和我相同了,怎麼能夠評判呢? 假使請意見和你我都相同的人來評判,他既然與你我都相同了,又怎麼能夠評判呢? 我、你、他均不能評判,還等誰呢? ①"是不是,然不然。是若果是也,則是之異乎不是也,亦無辯。然若果然也,則然之異乎不然也,亦無辯。"辯之勝負無法定是非,勝者未

————————
① 參閱陳鼓應《莊子今注今譯》第 90 頁。

必真是,負者未必真非。辯者兩方,既無從決定是非,第三者也無從定之,真是與真非,實非辯所能決定。而如有真是,則自然不用爭辯了。要之,辯則無真是真非,有真是真非則無辯。總之,辯之無勝是因爲辯無判定勝負的標準。那麼爲什麼如此呢,莊子又進一步作了論證:

首先,莊子認爲萬物的共同標準是無法知道的,他舉例說:

這正像知道我所說的"不知"還是知呢? 我且問你: 人睡在潮濕的地方,就會患腰痛和偏死(半身不遂)之病,但泥鰍也會這樣嗎? 人爬上高樹就會恐慌懼怕,但猿猴也會如此嗎? 誰纔會知道這三種動物的生活習性是符合標準的呢? 人們食肉,麋和鹿食草,蜈蚣食小蛇和烏鴉食鼠,究竟這四種動物中誰的口味纔是合乎標準呢? 猵狙和雌猿結爲配偶,麋和鹿交配,泥鰍和魚相游,王嬙和西施這兩個世人公認的美女,讓魚見了她們卻深入水底,鳥見了卻要高飛,麋鹿見了卻急速逃走;這四種動物究竟哪一種美色纔算是最美的標準呢? "自我觀之,仁義之端,是非之途,樊然殽亂,吾惡能知其辯! "(《莊子‧齊物論》)

其二,莊子從事物的對待與轉換說明了論辯標準是不確定的。他認爲,世界上的萬事萬物莫不因對待而產生,"物無非彼,物無非是","彼出於是,是亦因彼";同時萬事萬物又是不斷流轉變化的,"方生方死,方死方生",這樣關於事物的判斷也就會是"方可方不可,方不可方可",因此"是非"判斷永遠無定準,"是"是無窮無盡的,"非"也是無窮的,所以是非是無法弄清楚的。

其三,莊子從認識主體上說明了辯的標準難易確立的原因是因爲人的主觀"成心"、感情與偏弊的滲入,使得人們作出的任何判斷都帶有主觀成見,主觀成見一旦參入,判斷便會失去客觀的實用性,主體個人立場、角度的不同使得建立一個共同的論辯標準是不可能的。莊子的成心是指成見,他認爲有成見的物論實際上是從自我中引發來的無數是是非非的爭執,爭執雙方各以自我的成見爲判斷的標準,那麼誰都會有一個標準,所以智者可以瞭解自然變化之理,愚人也同樣能。如果説還没有就存在有是非,那就好比今天要到越國去卻昨天就已經到了一樣。若把没有看成有,就是神明的大禹也難理解,更況且我又有什麼辦法呢?

莊子還從辯的功能與作用上論證了"無辯"説。他認爲辯是有害的,"大道不稱","是非之彰也,道之所以虧"(《齊物論》),愈辯則愈不能悟道、得道、明道,而且辯也不會給人帶來智慧,"辯之不必慧"(《莊子·知北遊》);此外,從辯的社會功能上講,社會論辯之風愈盛,則天下愈衰,《天下篇》曰:"百家之學,時或稱之天下大亂";再者,從認識上看,辯也不可獲得真知,"辯也者,有不見",辯之雙方皆所不見,如無所見,自不用辯,辯不僅不會有結果,反而會"勞神明爲一而不知其同"(《齊物論》)。莊子把知分爲關於分辯事理名物的"小知"和主體對道的內在的、超越的"大知"或"真知"。莊子通過揭示認識主體的差異性、矛盾性和以"齊萬物"的相對主義方法來棄絶"小知",而推崇以"以明"、"坐忘"、"心齋"(替代論辯)的神秘主義的體道方法獲得"大知"。

二、莊子辯學思想是其相對主義哲學的産物

莊子所處的時代正是奴隸制社會瓦解,封建社會尚未確立的社會大變動時期,諸子百家無不以名辯作爲論證與宣傳自己的政治與倫理主張的工具,參入百家爭鳴。莊子在從中看到儒墨名各家均蔽於所見,以自身的價值爲核心,形成了封閉的心靈,把精神捆縛於狹窄的圈子裏,使其論辯的標準是自是而非他,不能看到對方的實況,其結果是以此明彼,以彼明此,是非難明。莊子面對當時社會的醜惡現實和諸子百家的關於政治、倫理觀念的是非之爭,以萬物齊一的相對主義爲思想武器與之抗衡,通過否定辯或論辯的客觀基礎與辯的必要性來反對其他各家在百家爭鳴中所運用的思想工具,所以莊子"無辯"、"辯無勝"的辯學思想是其相對主義思想方法的産物。

　　莊子的相對主義思想的基本特徵是萬物齊一，集中體現在《齊物論》中。所謂"齊物"就是齊一萬物、萬物皆一。"物固有所然，物固有所可。無物不然，無物不可。故爲是舉莛與楹，厲與西施，恢詭譎怪，道通爲一。其分也，成也；其成也，毀也。凡物無成與毀，復通爲一"(《齊物論》)。從"道"的理論來看，事物的性質上的有然與不然，可與不可，正像小草棍與大屋柱，生癩病的人和美女西施以及所有荒誕奇異的東西一樣，都通而爲一，絕無異樣。即使是從事物發展變化的"成"與"毀"上看，成必定轉化爲毀，毀將意味着新的成，所以成毀也"復而爲一"。總而言之，萬事萬物沒有自身的質的規定性，也沒有發展變化上的相對確定性，均統一於"萬物齊一"的"道"。莊子的這種"萬物齊一"的相對主義思想及其對辯的否定上具體表現在下列三個方面上：

　　第一，由齊彼此、齊是非而否定辯的實質。《齊物論》指出："物無非彼，物無非是。自彼則不見，自知則知之。故曰彼出於是，是亦因彼。彼是方生方死，方死方生；方可方不可，方不可方可；因是因非，因非因是。是以聖人不由，而照之於天，亦因是。是亦彼也，彼亦是也。彼亦一是非，此亦一是非，果且有彼是乎哉，果且無彼是乎哉？彼是莫得其偶，謂之道樞。樞始其中，以應無窮。是亦一無窮，非亦無窮也。故曰莫若以明。以指喻指之非指，不若以非指指之非指；以馬喻馬之非馬，不若以非馬喻馬之非馬也。天地一指也，萬物一馬也。"在這裏，莊子認爲沒有不是彼的，也沒有不是此的。從他物那方面就看不見此一方面，從此一方面看就知道了，彼此相互對待互爲規定，由於事物的變化無常，隨起即滅，隨滅即起，有因而認爲非的就有因而認爲非的，也有因而認爲非的也就因而認爲非的，聖人是纔不像凡人一樣走認識是非的途徑去觀照事物的本然。顯而，莊子是由否定彼此進而否定是非的，"此"也就是"彼"，"彼"也就"此"，"彼"有它的是非，此也有它的是非，總之，由於彼此不相對立、彼此同一、齊一，所以也就無是無非了——這是道的樞紐或關鍵（即“道樞”），道的樞紐就像超出彼此、是非對立的圓環中的中心點一樣，抓住了這個中心點，不論環是如何流轉的，其中心點是不變的，這樣便可以“以應無窮”。相反，如果陷入於分辯彼此、是非的圈子裏，又占據不了中心點，其結果是是非永遠無窮無盡，也永遠爭辯不清；不如乾脆取消一切彼此、是非，這就是掌握“道”的關鍵。所以，以“道樞”齊彼此、齊是非是莊子的萬物齊一的相對主義方法論的集中表現，它不僅抹去了認識與論辯對象上的質的規定性和彼此與是非之間的界限的區別，而且還否定了反映事物性質的人類思維概念之間的區別，使關於思維對象的是非、真假之爭的論辯變得毫無必要且無可能。

第二，由齊同異、齊物類而否定辯的客觀基礎與依據。《齊物論》說：“今且有言於此，不知其與是類乎？其與是不類乎？類與不類，相與爲類，則與彼無以異。”莊子認爲兩個的爭辯各執己見時，他們卻在這裏說了一些話，不知道這些話是不是同一類？莊子認爲無論是同一類還是不同類，既然發了言，就算一類（“類與不類，相與爲類”），所以，這些言論與別的言論沒有什麼分別。莊子把彼我主觀上是否知類同或類異與物上的類同與類混爲一談，以其個人的主觀之見否定物類的客觀性，是爲了齊萬物、齊物類的相對主義尋求理論依據。衆所周知，辯學以明“類”爲原則，論辯是非之爭，而是非之爭正是以客觀事物的類同與類異爲基礎，否定了類與不類的區別，也就否定了論辯的客觀基礎與依據了。

第三，由齊物我、齊主客而主張取消辯與論辯。莊子通過揭示認識主體——人的局限性以及客體對象的相對性，來取消物我與主客體之間的對立，莊子說：“天地與我爲一，萬物與我爲一。”（《齊物論》）天地萬物與我原本是同體并生、主客一體、通而爲一，萬物與我、主客體的分離與對立只是人類妄自割裂的界限，“夫道未始有封（界限）”（《齊物論》），人類自作羅網，禁錮自

我,把心靈與自由精神沉溺於人我、彼此、是非爭辯的漩渦之中,
這樣的人永遠也獲得不到人所渴望的自由自在的生活。因此,
莊子主張人們絶莫參入社會間的派系爭鬥和爭辯,而努力實現
齊物齊一、物我和主客體融而合一的人生所追求的最高境界。
莊子著名的"蝴蝶夢"講述了他自己夢中變爲了翩翩而飛、悠游
自在的蝴蝶,且此時的他根本不知道自己原本是蝴蝶。忽然一
醒時,纔知自己是莊周。不知道莊周作夢化爲蝴蝶還是蝴蝶夢
化爲莊周? 莊周與蝴蝶、夢與覺,有分別是不一不齊,是現象界
的區分,是相對的;説他們無區別、齊一纔是絶對的,"自其異者
視之,肝膽楚越也;自其同者視之,萬物皆一也。"(《德充符》)萬
物既然均一於道,則莊周與蝴蝶、夢與覺混然齊一,亦無分別
了。我們説論辯是兩個主體或多個主體就客體及其實況的是非
進行爭辯,而莊子的齊物我、齊主客的相對主義從根本上就否定
了辯的主客體的分別,完全使辯成爲空中樓閣了,王先謙注《齊
物論》時説得透徹:"天之物之言,皆可齊一觀之,不必致辯,守
道而已。"

　　莊子的萬物齊一的相對主義的特徵是從一切對象的自身及
其關係中揭露矛盾,指出這些對象是相對的、不穩定的,然後在
思想上否定、瓦解這些對象。他採用這種方法不僅取消客觀世
界的彼此、物我、有無、同異、成毁、大小之別,而且還取消了論辯
過程中的是非、主客、類同與類異的矛盾,這種相對主義方法論
的最終目的也就是否定人的認識能力、否定真知,當然也否定了
談説論辯、爭論是非的客觀基礎,實現以道靜觀萬物,以無爲而
爲無爲的萬物齊一的絶對自由的境界。因而,可以説莊子的相
對主義思想方法論是莊子辯學思想産生的理論依據與原因。

三、莊子的辯學思想打破了名辯思潮中的形而
上學獨斷論,確立了道家逆反思維模式

　　諸子在百家爭鳴中都各自站在自家立場上,只以自己的基本主張與觀念爲思維與論辯的出發點,企圖建立一個永恆不變的絶對參照系,這就是早期百家爭鳴中所形成的形而上學獨斷論。 何謂"獨斷"? "獨斷者,微密之營壘也。"(《管子‧霸言》),"能獨斷者,故可以爲天下之主。"(《韓非子‧外儲説右上》)儒家創始人孔子宣揚"仁"、"義"、"禮"、"樂"觀念,主張"仁"是人的最高理想和思維原則。孔子曰: "克己復禮,天下歸爲仁矣。"(《論語‧顔淵》)"義"、"禮"、"樂"只是"仁"的依存條件。"克己復禮爲仁"就是以仁爲指導原則,去改造舊"禮",創立新"禮",充分發揮"仁"的作用。"人而不仁,如禮何? "(《八佾》),孔子依據仁爲絶對的思維準則去"正名",以別貴賤,維護"君君、臣臣、父父、子子"的封建宗法等級制度。 而墨家創始人墨子創立的墨家學派,其墨學與儒學並稱"顯學",二者有共通之處又互爲對立,在激烈的爭辯中,墨家也揭開了先秦百家爭鳴的新篇章。 針對孔子宣揚的"仁"學,他提出"兼相愛,交相利",以"利"爲出發點對儒學的"仁"、"義"、"忠"、"孝"作了改造,墨子説: "仁人之事,必務求興天下利,除天下之害"(《墨子‧兼愛下》); "義"可以利人也,義是"天下之良寶也"(《墨子‧耕柱》)。墨學與儒學雖有對立,但其思維方式都是相同的,均屬於形而上學的獨斷論的思維方式,莊子對此進行了尖鋭的批判:

　　第一,莊子認爲儒墨的説教是擾亂天下,使天下衰落的邪説謬論。"下有桀跖,上有曾史,而儒墨畢起。 於是乎喜怒相疑,愚知相欺,善否相非,誕信相譏,而天下衰矣。"(《在宥》)在莊子看

來,儒家以政治倫理的禮樂觀念規範人的思維與行爲,墨家強以功利爲是非的標準,是對自然主義的"道"的背離,儒墨相爭擾亂了人類的精神世界和社會世界。莊子認爲廢除儒墨説教,建立超越世俗的道德、功利、是非,追求精神上的"無己"、"無功"、"無名"的絕對自由的精神世界。

第二,莊子主張"無辯"、"辯無勝",來否定儒墨立教論辯的工具。針對儒墨之徒自是而相非,莊子批駁道:"自我觀之,仁義之端,是非之途,樊然殽亂,吾惡能知其辯!"(《齊物論》)社會界的仁、義、禮、賢、善惡榮辱則爲難辯!仁者、賢人也免不了被戮殺(如龍逢、比干、萇弘、子胥),"智者"爲"大盜和","聖者爲"大盜守","屈折禮樂以匡天下之形,縣跂仁義以慰天下,而民乃始踶跂好知,爭歸於利,不可止也。此亦聖人之過也。"莊子以他的相對主義的"無辯"理論,批判儒墨諸家把論辯的是非標準強加於人的形而上學獨斷論,其真正的旨趣在於要否定封建專制的宗法等級制。

正是在批判過程中莊子表現出顯明的叛逆精神,形成了道家的逆反或否定性思維方式。這種思維方式在語言表現形式與手法上,表現爲辭趣華深,汪洋自恣,正言若反,參差淑詭,狂而不信,似謬悠之説、荒唐之言、無端崖之辭;表現在思想內容上主張齊物是、合天人,反言辯,以不辯爲大辯,以不知爲知,以無爲而爲,以無用而爲用。在批判中確定,在肯定中否定。它一反常態,善于運用無名、反言、非辯、謬説的否定性的思維方法與技巧來表達自己的思想。莊子提出的這種具有否定性、求異性和批判性的思維方式是人類早期文明反對常識、反對傳統、反對世俗、批駁謬説的有力思維工具,它對中國傳統思維方式也產生了深廣久長的影響。

四、莊子的辯學思想刺激和促進了
墨學辯學理論的産生與發展

　　《莊子》一書在闡述其辯學理論過程中,儘管是把墨家和儒家放在一起,作了激烈否定性的批判,從《莊子》一書中難易尋覓其辯學思想受到墨家深刻影響的痕迹,但恰恰相反,後期墨家在建立與完善辯學體系中的若干重要而從基本的範疇、理論、命題的提出與確立則正是對莊子辯學中相應的觀點與理論的承接、反應與反動①,《墨辯》對《莊子》辯學觀念作了批判性地吸收與改造(見下表)。

	《莊子》	《墨辯》
辯的界說	"無辯"、"辯無勝"、"辯無當"(《齊物論》)"辯足以飾非"(《盜跖》)	"辯,爭彼也;辯勝當也"。(《經上75》)"謂,'辯無勝',必不當,説在辯。"(《經下135》)"俱無勝,是不辯也,辯也者,或謂之是,或謂之非,當者勝也。"(《經説》下)
辯的基礎與依據	"道昭而不道,言辯而不及"。(《齊物論》)"類與不類,相與爲類,則無彼無以異矣"。(《齊物論》)	"夫辯者……摹略萬物之然"。(《小取》)"有以同,類同也"。(《經説上87》)"異,即不類"。(《經説上88》)"以類取、以類予"。(《小取》)"夫辯,以類行者也"。(《大取》)"異類不比,説在量。"(《經下》)"(異)木與夜孰長? 智與栗孰多?"(《經説下》)
辯的結果與功能	"辯無果"。(《齊物論》)"辯也者,有不見"。(《齊物論》)"知之所能知者,辯不能舉也"。(《徐無鬼》)"是非之彰也,道之所以虧"。(《齊物論》)"辯之不必慧"。(《知北游》)	"執所言而意得見,心之辯也。"(《經上73》)"夫辯者將以明非之分,明同異之處,察名實之理,處利害,決嫌疑"。(《小取》)

　　①參閱崔大華著《莊學研究》,人民出版社1992年版第374頁。

顯然，表中的(一)欄表明着《墨辯》關於"辯"的界説是在直接反駁與批判莊子"辯無勝"的過程中提出的；莊子認爲"無辯"、"辯無勝"，《墨辯》在直接反駁之後給"辯"下了明確的定義："辯，争彼；辯勝當也。"這裏的"彼"是指一對矛盾的判斷或命題，所以"辯"就是圍繞着一對相互矛盾的命題所展開的是非之争，其符合事實者"當"，"當者"爲"勝"，二者俱無勝，則爲"不辯也"。同樣也不難看出，墨辯在辯的客觀基礎、標準、法則、論式、功用等方面的建樹上都曾受到莊子辯學的刺激與影響。

　　所以不能否認莊子辯學思想在中國辯學發展史的歷史作用，更不能簡單化地把莊子的辯學定性爲詭辯論，一概加以否定之。莊子的辯學思想並非是獨立的，它從屬於其本體論與認識論，强調的是滿足體道、悟道的絶對自由精神的需要，非辯的目的與動機是指"道"是不需要言辯的，并不是對日常思維的言語、論辯的徹底否定。莊子雖主張無辯，自己卻辯論不休，是中國古代的"大辯"者。他精於辯，善於辯，他對儒墨的是非之辯的批判和與名家的惠施之辯的言論與素材都保留在《莊子》一書之中，爲中國辯學的理論昇華與完善提供了豐富的背景知識與營養。應該説在促進墨家辯學的産生與發展中，莊子辯學唱了主角。

　　莊子辯學思想與方法的影響絶不能説它衹是限於墨家辯學，它甚至對中國傳統文化都産生了影響，因爲莊子是道家的代表人，以儒、釋、道爲主幹的中國傳統文化就不能不受到莊子辯學思想的直接影響。事實上，老莊辯學提出的逆反思維方式構成了中國人的傳統思維方式的一個重要方面；中國哲學史上持續千年的有無之辯、形名之辯、道器之辯、主客之辯無不是由老莊辯思想中引發出來的；莊子的辯學思想甚至對中國的文學也産生了應有的影響，莊子本人不僅是一個偉大的哲學家，而且是一個偉大的文學家，這使得他在論辯言理時把概念的思維與形象思維結合起來，他"辯多而情激"(王先謙《莊子集解》)，把藝術的構思灌注於抽象枯燥的概念，常常用譬喻與寓言故事來說理論辯，使其論辯充滿了熾熱情感、幻想和哲理而永留青史。他創作出來的"濠水之辯"、"蝴蝶之夢"、"觸蠻之爭"、"轍中有鮒"、"匠石運斤"、"詩禮發冢"等等波詭云譎而又涵義深刻的寓言和故事將概念與形象、理智與感情聯結起來，非但在"論證"，也在顯示着高超的論辯方法、技巧與形象思維的理想境界的珠聯璧合、錯雜綜析，"寓真於誕，寓實於玄"（劉熙載《藝概·文概》）。正言若反、正論奇想，茫無畛際、汪洋恣肆、宏逸玄妙！

　　作者簡介　張斌峰，1962 年生，河南省光山人。現爲南開大學哲學系博士研究生、鄭州大學哲學系講師。著有《論老子的無名論的邏輯思想》等文，正從事近代墨學研究。

論田駢、慎到學術之異同

白 奚

内容提要 本文對目前學術界把田駢、慎到合而論之,對二人學術不加區別的普遍做法提出商榷。通過對《莊子·天下》篇關於田、慎學術要旨的材料的仔細甄別分析,并輔之以其他史料,提出田、慎二人的學術思想有同也有異。二人同宗道家,因任自然和棄私去己是二人共持的觀點。但田駢重在對道家理論的闡發,并提出"齊萬物"的方法發展了道家思想;慎到則援道入法,提出了系統的法治思想,其法治思想同田駢的"齊萬物"在理論上是相異的。田駢的"齊萬物"思想爲慎到所無,慎到的法治思想亦爲田駢所無,這就是二人學術思想的兩個重要區別。

田駢和慎到是先秦稷下道家學派的中堅人物。近年來,隨着齊文化和稷下學研究的深入開展,對田駢和慎到的研究也得到了應有的重視。《莊子·天下》篇中有一段介紹田駢、慎到學說要旨的文字,被認爲是研究二人思想的重要史料。但研究者們由於《天下》篇將二人合論,而把其中所涉及的思想當作二人所共有,不加區分,似乎二人的學說完全相同。筆者認爲,田駢、慎到的學術思想有同也有異。試從對《天下》篇的分析入手,配合其他材料,對田駢、慎到學術思想的異同,特別是異的方面,作一粗淺的分析。細讀《天下》篇作者介紹田駢、慎到學術要旨的文字,全部內容可分爲五段，除了第五段是作者對二人學術的總評價和第一段是將二人合論外，其餘三段的篇幅占了百分之八十以上，明顯地是將二人分別論述的，并無絲毫錯亂。爲論述方便，茲以自然段的形式抄録於下：

> 公而不黨，易而無私，決然無主，趣物而不兩，不顧於慮，不謀於知，於物無擇，與之俱往。古之道術有在於是者，彭蒙、田駢、慎到聞其風而悦之。

> 齊萬物以爲首，曰：“天能覆之而不能載之，地能載之而不能覆之，大道能包之而不能辯之。”知萬物皆有所可，有所不可，故曰：“選則不遍，教則不至，道則無遺者矣。”

> 是故慎到棄知去己，而緣不得已，泠汰於物，以爲道理，曰：“知不知，將薄知而後鄰傷之者也。”謑髁無任，而笑天下之尚賢也；縱脱無行，而非天下之大聖。椎拍輐斷，與物宛轉，舍是與非，苟可以免。不師知慮，不知前後，魏然而已矣。推而後行，曳而後往，若飄風之還，若落羽之旋，若磨石之隧，全而無非，動靜無過，未嘗有罪。是何故？夫無知之物，無建己之患，無用知之累，動靜不離於理，是以終身無譽。故曰：“至於若無知之物而已，無用賢聖，夫塊不失道。”豪傑相與笑之曰：“慎到之道，非生人之行，而至死人之理，適得怪焉。”

> 田駢亦然，學於彭蒙，得不教焉。彭蒙之師曰：“古之道人，至於莫之是、莫之非而已矣。其風窢然，惡可而言？”常反人，不見觀，而不免於魭斷。其所謂道非道，而所言之韙不免於非。

> 彭蒙、田駢、慎到不知道。雖然，概乎皆嘗有聞者也。

下面我們對這幾段的內容逐一進行分析。

第一段是概括田駢、慎到二人學術思想的共同點。其共同點有二：一曰因任自然，二曰棄私去己。因任自然即“趣（趨）物”、“與之俱往”，主張不違背事物的自然本性，順隨事物的自然變化。棄知去己即“不黨”、“無私”、“無主”、“不兩”、“無擇”、“不顧於慮,不謀於知",主張排除任何主觀的好惡傾向和智慮,客觀地對待萬物,將它們一視同仁。這兩點又是相互聯繫、密不可分的,因任自然是棄私去己的目的,棄私去己是因任自然的條件,只有棄私去己,不帶任何主觀的傾向性,不以個人好惡評價和取舍萬物,纔能做到順隨萬物的自然變化,纔能符合因任自然的宗旨。這兩點正是道家學派的基本主張,也是《天下》篇將二人合論的依據。

　　第二段和第四段評述的是田駢的學術思想。田駢從因任自然、棄私去己的道家基本觀點出發,進一步提出了"齊萬物"的思想,并"以此爲第一事"(王先謙《莊子集解》引宣穎)。萬物既云之萬物,就是不齊的,分歧在於如何對待這不齊的萬物。田駢採取的態度是因任自然,不要人爲地干預和破壞事物的自然狀態,即不要斬不齊爲齊,而應該任其自然而然地存在和發展。那麼怎樣纔能因任自然呢?除了棄私去己,田駢又進一步提出一種更爲徹底的方法——"齊萬物",即以不齊爲齊,對千差萬別的萬物一視同仁。

　　"齊萬物"的思想是田駢從其哲學的最高範疇——"道"的特性推導出來的。具體來講,天地萬物都是具體的事物,它們皆有所能,也有所不能,皆有所可,也有所不可,而作爲天地萬物最高抽象的大道,其特性是"能包之而不能辯之",它可以包容萬物,但卻不能辨別萬物,這正是道與萬物的根本區別所在。也就是説,芸芸萬物,皆有所能與不能、可與不可,此乃"不齊",而大道對此採取"不辨"的態度,對萬物一視同仁,因此在大道看來,萬物都是"齊"的,這種"齊"就是以不齊爲齊。準此,既然"知萬物皆有所可,有所不可",具體的事物皆有其局限性,那麼人們對待萬物的態度就應該效法大道的"齊萬物",採取"不辨"、"不選"、"不教"的方法,排除任何主觀傾向性,這樣纔能避免"不遍"、"不至"的片面性而收到最好的效果,這就叫做"道則無遺者矣"。

　　第四段載彭蒙之師曰："古之道人,至於莫之是、莫之非而已矣。"田駢既然"學於彭蒙,得不教焉",他對待是非的態度必與此無異。這種"齊是非"的態度乃是"齊萬物"中應有之義。《天下》篇評論説,這種齊是非的思想"不免於魭斷",郭象注云,"魭斷,無圭角也",正與齊物之義相合。人們之間發生的一切爭論都是爲的"是非"二字,田駢卻要"齊是非",以爲是非無別,正與人們的正常觀念相反,使人難以接受,所以《天下》篇纔説他"常反人,不見觀"。

　　《呂氏春秋》中保存了田駢學術思想的一些材料,這些材料所反映的情況同上述田駢的幾個基本觀點是一致的。如《不二》篇説"陳駢貴齊",高誘注曰:"齊生死,等古今。""貴齊"即"齊萬物以爲首";"齊生死,等古今"亦是"齊萬物"中應有之義。《士容》篇載田駢之言曰,"火燭一隅,則室偏無光。",其義與《天下》所謂"選則不遍"、"道則無遺"相同;又云,"取舍不悦,而心甚素樸",正是任其自然,排除主觀傾向性的態度。《執一》篇載田駢自稱其學説"變化應來而皆有章,因性任物而莫不當","因性任物"即因任自然,正是田駢的基本主張。《用衆》篇載田駢謂齊王曰,"孟賁庶乎患術,而邊境弗患,……得之衆也",意謂只要善於用衆,則不待孟賁之勇而邊防可備,衆庶合力與孟賁之勇效用無二,亦證田駢貴齊之論。

　　田駢的學術思想大抵如此,他注重對道家理論的闡發,卻沒有提出任何治理國家的具體策略措施。所以當他以"道術"説齊王時,齊王就感到他的學説太空泛,説:"寡人所有者,齊國也,願聞齊國之政。"(事見《呂氏春秋·執一》,又《淮南子·道應訓》亦載有此事,且於"齊國也"後更有"道術難以除患"六字)田駢回答説,我講的"道術"雖然沒有直接言政,但都是些普遍適用的原則,只要善於應用,就可以"無政而可以得政",就好比有了林木就不愁無材一樣。他還説,這些還只是"淺言之",如果"博言之",豈止是齊國之政,甚至可以"彭祖以壽,三代以昌,五帝以昭,神農以鴻",仍然没有落到實處。因此,荀子評論田駢"終日言成文典,反紃察之,則倜然無所歸宿,不可以經國定分"(《荀子·非十二子》)。乃是切中了要害。

　　許多學者都認爲,"齊萬物"是田駢、慎到二人共同的觀點,甚至有人認爲是慎到一人的觀點,本文則認爲,"齊萬物"是田駢學術的主要特徵,也是田、慎學術的重要區別之一。《呂氏春秋·不二》説"陳駢貴齊",《尸子·廣澤》也説"田子貴均","均"與"齊"義同,這兩條材料説明"齊萬物"確是田駢的思想。田駢既然以"齊萬物"爲首,可以想見,這一思想在已佚《田子》二十五篇中必有詳盡的闡發。而現存《慎子》七篇中卻未見與此相關的論述。如果説《慎子》原書大半已亡佚,或許有關內容也隨之亡佚了,那麽今本《慎子》後所附數十條"逸文"乃是清代學者從二十餘種古籍中輯得,爲什麽也不見有關材料?《四庫全書總目·子部雜家類》於《慎子》條下云:"今考其書,大旨欲因物理之當然,各定一法而守之。不求於法之外,亦不寬於法之中,則上下相安,可以清静而治。然法所不行,勢必刑以齊之。道德之爲刑名,此其轉關,所以申、韓多稱之也。"這裏的"刑以齊之"不正是田駢所反對的"斬不齊爲齊"嗎? 慎到有濃厚的法治思想,田駢卻没有(本文後面對此還要專門討論),慎到主張的"刑以齊之"的法治思想與田駢主張的以不齊爲齊的"齊萬物"思想恰恰是不能相容的。還有,《呂氏春秋》、《尸子》等子書中爲什麽只提到田駢"貴齊"、"貴均",卻没有提及慎到也有此思想呢? 以上事實足以説明"齊萬物"乃是田駢的主張,而與慎到無涉。田駢這一主張在當時產生了不小的影響,《莊子·齊物論》的觀點與之如出一轍,正如張岱年先生所言:"齊物之説可能是田駢首唱的,莊周受其影響。"(張岱年《中國哲學史史料學》)

　　第三段是專講慎到的學術思想。篇幅雖長,仍不外是因任自

然和棄私去己兩條的展開和具體化。屬於因任自然的有"緣不得
已"、"泠汰於物"、"謑髁無任"、"縱脱無行"、"椎拍輐斷,與物宛
轉"、"推而後行,曳而後往,若飄風之還,若落羽之旋,若磨石之
隧"。屬於"棄知去己"的有"知不知,將薄知而後鄰傷之"、"舍是
與非"、"不師知慮,不知前後,魏然而已"、"無建己之患,無用知之
累"、"至於若無知之物"、"塊不失道"。慎到的這些思想過份地強
調了因任自然,因而存在着兩個缺陷,一是忽視了人的主觀能動
性,二是鄙薄知識思慮,這樣就把人降低到普通的自然物的地
位。《天下》篇作者笑之曰:"慎到之道,非生人之行,而至死人之
理。"《荀子·天論》云:"慎子有見於後,無見於先。"這些批評
都是客觀公正的,切中了要害。慎到哲學的缺陷,可以説是先秦
道家學派的共同缺陷,老、莊、慎、田均莫能外。

　　慎到在先秦學術思想史上有着特殊的地位,前引《四庫全書
總目》云:"黃老之爲刑名,此其轉關矣。"他是援道入法的關鍵
人物。慎到的法家思想保存在《慎子》一書中,據《漢書·藝文
志》,《慎子》原有四十二篇,今僅存輯本七篇。但僅從這殘缺的七
篇看來,慎到的法家思想也是比較全面、成熟的,完全可以自成體
系。他對立法的必要性和可能性、立法的原則和根據、法的職能
和地位、執法的原則、變法的必要性和依據、君與法的關係、強調
君主的勢位、君道無爲臣道有爲等方面都進行了闡述,法家學説
的主要內容這裏差不多都具備了。可以想見,原本《慎子》中的法
家思想必是相當系統和翔實的。

　　今存殘本《慎子》只保留了慎到政治思想的片段,其哲學思想
在原書中必有精到的闡發,可惜已無緣得見,幸賴《天下》篇我們
纔得以略知其梗概。慎到既爲道、法之轉關,其學説必不同於早
期道家,亦不同於後期法家,其中哲學(道家思想)與政治(法家思
想)兩大部分必有密切的邏輯聯繫。儘管由於原書的散佚,慎到
學説是怎樣援道入法的我們已難知其詳,但從現存材料中我們仍

可窺見其端倪，試分析論證如下：

在《天下》篇那段關於慎到的文字中，有兩點值得注意。第一，因任自然、棄私去己之道的客觀效果是“無譽”、“無非”、“無過”、“未嘗有罪”。在慎到看來，毀譽、是非、得失、功罪、禍福等都是相倚相伏的，因此，“棄知去己”，無所追求，使自己的行爲和思想以一個客觀的社會標準爲轉移，乃是全生免禍、“未嘗有罪”的最好方法，這個客觀的社會標準只能是“法”。這就透露出慎到學說中道與法之間的內在聯繫，其道家思想是法家思想的哲學基礎，其法家思想是道家思想的歸宿和目的。第二，慎到自覺地將因任自然、棄私去己的哲學觀點同笑賢非聖的政治主張聯繫起來，“謑髁無任，而笑天下之尚賢也；縱脱無行，而非天下之大聖”，“至於若無知之物而已，無用賢聖”。在他看來，儒、墨兩家推崇備至的賢、聖都是任私智、尚人爲的典範，是“人治”的倡導者和實行者，同因任自然的原則相違背，必須予以拒斥。而能夠取代并優於賢、聖的只能是客觀的“法”，能夠與“人治”相對抗并優於“人治”的必然是“法治”，只有“法治”纔符合因任自然的精神。在慎到那裏，尚法與任自然是一致的，尚法和尚賢則是對立的，所以荀子纔説他“蔽於法而不知賢”（《荀子·解蔽》）。

《慎子》中的法家思想也是以道家思想爲哲學基礎的，符合因任自然、棄私去己的基本精神。書中説：“天道因則大，化則細。因也者，因人之情也，人莫不自爲也。”（《慎子·因循》）“因”即因任自然，運用於社會政治便是“因人之情”。人的自然本性被慎到一語道破，就是“自爲”，即自私自利。關於“自爲”，慎到説：“能辭萬鍾之禄於朝陸，不能不拾一金於無人之地；能謹百節之禮於廟宇，不能不弛一容於獨居之餘。蓋人情每狃於所私故也。”（《慎子·逸文》）他舉例説：“匠人成棺，不憎人死，利之所在，忘其醜也。”（同上）即便是親屬之間也不例外：“家富則疏族聚，家貧則兄弟離，非不相愛，利不足相容也。”（同上）這就是説，人的本性是自私自利的，人皆好利惡害，人與人本質上是一種利害關係。揭示出這一點是十分重要的，它是法家全部理論的立論基礎，也是法家學派和儒、墨對立的理論焦點。儒、墨兩大顯學均諱言人的物質欲望，掩蓋人的自私本性，儒家把人的本性說成是仁、義、善等後天獲得的道德觀念，墨家則極力壓低人的物質欲望，祇有法家勇於肯定物質欲望的合理性。慎到認爲，既然自私自利、好利惡害是人的自然本性，就應該承認它存在的合理性，因勢利導地加以利用，這就是"因人之情"，他說："用人之自爲，不用人之爲我，則莫不可得而用矣，此之謂因。"（《慎子·因循》）他認爲，"因人之情"不但不會危及人類共同的社會生活，而且可以由此建立起良好的統治秩序，基於這種認識，他巧妙地利用了人的自然本性，主張利用人皆好利的一面而用"賞"，利用人皆惡害的一面而用"罰"，於是就以"人情"爲依據而產生了"法"。所以他說："法非從天下，非從地出，發於人間，合乎人心而已。"（《慎子·逸文》）這就是慎到援道入法的關鍵。慎到認爲，自私自利雖然是人的自然本性，但如果任其惡性膨脹，就會危及人類共同的社會生活秩序，因而必須把它限制在一個公衆利益所許可的範圍內，用"公"來抵制"私"，而這正是"法"的基本職能之一，所以他說，"法之功，莫大使私不行"（同上），"法制禮籍，所以立公義也，凡立公，所以棄私也"（同上），這就是他主張"公而不黨，易而無私"的用意所在。"法"的另一個基本職能，就是作爲一個客觀的標準，來規範和統一人們的思想和行動，慎到說，"法雖不善，猶愈於無法，所以一人心也"（《慎子·威德》），"法者，所以齊天下之動"（《慎子·逸文》），"一人心"即統一思想，"齊天下之動"即統一行動，用強制性的力量"法"來統一人們的思想和行動，正是田駢所反對的"斬不齊爲齊"，足證慎到的法治思想與田駢的"齊萬物"思想相悖。爲了保證從思想到行動都統一在"法"這個客觀標準之下，慎到又求助於道家理論，認爲最徹底的辦法就是摒棄智慮，

“不以智累心，不以私累己”（同上），這就是《天下》篇所謂“無用知”、“不師知慮”，甚至認爲耳目感官都是產生私智的根源，故云“不瞽不聾，不能爲公”（同上），不但不用心智，而且不用耳目，使自己成爲《天下》篇所說的“無知之物”，這樣當然就可以“無非”、“無過”、“未嘗有罪”而與“法”自然相合了。

綜上所論，慎到具有相當系統的法家思想，其學術的特點可以用“內道外法，道法結合”來概括。這是田駢、慎到學術思想的又一重大區別。由於這一重大區別，所以《漢書·藝文志》列《慎子》爲法家，《田子》卻列爲道家。班固一定是把當時所存的《慎子》和《田子》二書進行了比較分析，纔做出這一結論的。東漢高誘注《呂氏春秋》，説慎到“作法書四十二篇”（《慎勢》），田駢“作道書二十五篇”（《不二》）。這些情況表明，漢代學者對田、慎學術的這一重大區別是十分清楚的。馬端臨《文獻通考》引《周氏涉筆》曰：“稷下能言者，如慎到最爲屏去繆悠，剪削枝葉，本道而附於情，主法而責於上，非田駢、尹文之徒所能及。”這表明宋元時期的學者對田、慎學術的區別亦不含糊。《田子》二十五篇久佚，其中是否有法家思想無法斷定，我們研究古人的學術思想，應該以確實可靠的材料爲根據，而不能靠種種假設和猜測，在文獻散佚的情況下，我們毋寧相信現存的史料。從現存古籍中保存的有關田駢事迹和言論的材料看，除《荀子·非十二子》中有“尚法而無法……是慎到、田駢也”一條外，並無法家的痕迹。如果說，田駢的法家言已隨《田子》一書而亡佚，那麼爲什麼散見於二十多種古籍中的數十條《慎子》佚文多半都與法家思想有關，而田駢的事迹和佚文中卻沒有法家的內容呢？《天下》篇將田、慎合論，說明二人同屬道家，但由此並不能得出田駢也和慎到一樣具有法家思想的結論。至於《非十二子》中“尚法而無法……是慎到、田駢也”一條，竊以爲是由於作於《天下》篇之後，受其影響，也籠統地將二人合論，從而誤以爲二人的社會政治思想也相同所致。

　　質言之,田駢、慎到的學術思想有同也有異。二人同宗道家,
都持因任自然、棄私去己的道家基本立場,但田駢是一個比較純
粹的道家學者,其學術重在對道家理論的闡發,並提出了"齊萬
物"的方法發展了道家思想,慎到則更熱心於具體的治國之術,從
道家的理論出發,提出了較爲系統的法治思想,成爲援道入法的
關鍵人物。田駢的"齊萬物"思想爲慎到所無,慎到的法治思想亦
爲田駢所無,這就是二人學術的兩個重要區別。準此,將田、慎二
人的學術思想不加區別地一概而論是不合適的,不利於學術研究
的深入開展。先秦時期是中國古代學術思想標新立異的開創階
段,諸子之學都有獨到之處,即便是學有師承也絕少門户壁壘之
見,如韓非的學術同他的老師荀子相比就迥然相異,田駢和慎到
的學術思想又怎會完全相同呢? 故爾與其將二人籠統地合而論
之,不若謹慎地存同尋異更爲符合其本來面貌。

　　作者簡介　白奚,1953 年生,山西太谷人。蘭州大學哲學系
講師,現爲復旦大學哲學系博士研究生。著有《荀子對稷下學術
的吸取和改造》、《論先秦貴齊思潮的始末流變》等論文。

宋鈃思想及其道、墨融合的特色

胡家聰

内容提要　本文考察了宋尹學派的特點、宋尹學派與墨家的聯繫、宋尹學派的師承等問題,認爲宋鈃思想是道、墨融合的産物。宋鈃、尹文儘管受墨家的影響,但棄其有神論糟粕,持守道家的自然主義的哲學世界觀,沿着這條認識路綫發展自己的新説。

郭沫若在本世紀四十年代撰《宋鈃尹文遺著考》(在《青銅時代》書内),把《管子》中的《心術》上下、《白心》、《内業》等篇認作宋、尹遺著,其影響深遠。隨着建國後對先秦諸子思想的加深研究,尤其對《管子》其書新的探討,學術界對《心術》、《白心》、《内業》等篇是否爲宋、尹遺著提出質疑①,甚至如馮友蘭、張岱年等先生根本不認爲是宋、尹遺著②,因此對於宋、尹學派有重新檢討之必要。

一、以宋鈃爲首"上説下教"的流動性學派

宋鈃這位學者在戰國中期"百家爭鳴"中享有盛名。孟子認

---

①祝瑞開在《〈管子〉四篇非宋鈃、尹文遺著辨》文中提出了商榷,見祝作《先秦社會和諸子思想新探》附録三,福建人民出版社 1981 年版。
②馮友蘭在《中國哲學史新編》第 2 册中論述宋鈃、尹文思想,亦摒棄郭沫若舊説。張岱年在《中國哲學史史料學》中不同意郭沫若説,并作了論證,三聯書店 1982 年版。

識他，書中記爲"宋牼"，稱之爲"子宋子"以示尊重(《孟子·告子下》)；莊子熟知他，書中稱之爲"宋榮子"(《莊子·逍遥遊》)；而作爲後學者荀子，一再尊稱爲"子宋子"(據《荀子·正論》)，可能聽過他講學。

考察宋鈃思想學説的實際内涵，以《莊子·天下》的記述較全面、真實："不累於俗，不飾於物，不苛於人，不忮於衆，願天下之安寧以活民命，人我之養畢足而止，以此白心。古之道術有在於是者，宋鈃、尹文聞其風而悦之。作爲華山之冠以自表，接萬物以別宥爲始；語心之容，命之曰'心之行'，以聏合驩(歡)，以調海内，請欲置之以爲主。見侮不辱，救民之鬥；禁攻寢兵，救世之戰。以此周行天下，上説下教，雖天下不取，强聒而不捨者也，故曰上下見厭而强見也。……以禁攻寢兵爲外，以情欲寡淺爲内。其小大精粗，其行適至是而止。"

依《天下篇》上段記述，考察宋鈃思想學説的真實内涵，應注意其學派活動的特點。

(一)以宋鈃爲首帶有强烈的社會實踐性的學派

宋鈃、尹文及其弟子結成一個學派，自當以宋鈃爲首。古人學重師承，宋、尹二人或爲同一師承，或則尹文係宋鈃之得意高足。論年歲，宋鈃自應年長，甚至大於尹文十多歲。宋鈃是一位具有獻身精神的社會活動家，其學派活動的突出特點是救世、救民，即"救民之鬥"、"救世之戰"。爲了追求"願天下之安寧以活民命"的總目標，師弟們不顧自己的飢寒勞碌，"周行天下，上説下教"，是個帶有很强的社會活動性的學派。

(二)宋尹學派與墨家的聯繫

宋鈃係宋國人，尹文乃齊國人，宋尹學派的始源或在宋地。而宋、魯之地乃墨家興起并昌盛的地帶。墨翟魯國人，一説宋國人；他在宋國作過大夫(據《史記·孟荀列傳》)。墨家有嚴密的組織、系統的學説，諸如兼愛、非攻、非命、節用、節葬、尚同、天志、明鬼等，墨翟在世時曾有徒衆三百人。宋鈃生活於墨學興盛的宋國，怎能不受墨家的深刻影響呢？

請看《孟子》中的記載：“宋牼”（宋鈃）將之楚，孟子遇於石丘（宋國地名），曰：‘先生將何之？’曰：‘吾聞秦、楚構兵，我將見楚王説而罷之。楚王不悦，我將見秦王説而罷之。二王，我將有所遇焉（指有所遇合）。’曰：‘軻也請無問其詳，願聞其指，説之將何如？’曰：‘我將言其不利也。’”（《告子下》）這不正像墨翟倡導“兼相愛、交相利”反對兼並戰爭的“非攻”嗎？據此察知，以宋鈃爲首周行各國而“上説下教”的學派，堅持“禁攻寢兵，救世之戰”，《莊子·天下》的記述真實可信。

（三）宋、尹到過田齊稷下學宫

宋鈃、尹文千真萬確到過田氏齊國官辦大學堂——稷下學宫。《漢書·藝文志》將尹文遺著《尹文子》列在名家，唐人顔師古注：“劉向云，與宋鈃俱游稷下。”宋鈃、尹文游學於稷下學宫，不僅有此外證，而在《尹文子》書中還有內證，即：“田子（著名稷下先生田駢）讀書，曰：‘堯時太平。’宋子（宋鈃）曰：‘聖人之治以致此乎？’彭蒙在側，越次答曰：‘聖法之治以至此，非聖人之治也。’……”這段記述説明，宋鈃、尹文確實來到了稷下學宫，并與稷下先生田駢、彭蒙共同討論“聖人之治”、“聖法之治”的人治與法治問題。內證與外證結合，證明宋鈃、尹文同遊稷下。

若問：宋鈃、尹文是不是稷下先生呢？司馬遷在《史記》中兩處記述稷下之學，一處在《田敬仲完世家》：“宣王喜文學遊説之士，自如騶衍、淳于髡、田駢、接予、慎到、環淵之徒七十六人，皆賜列第，爲上大夫，不治而議論。”這裏没有提到宋鈃、尹文。另一處在《孟子荀卿列傳》：“自騶衍與齊之稷下先生，如淳于髡、慎到、環淵、接子、田駢、騶奭之徒，各著書言治亂之事，以干世主，豈可勝道哉！”這裏也没有提到宋鈃、尹文。《説苑·君道》記載了尹文答齊宣王問的事，尹文見過齊宣王。而宋鈃見過齊宣王嗎？

似亦見過，但文獻失載了。從興辦稷下之學的齊國統治者方面
説，宋鈃、尹文等在各國遊説，是聲望很高的學者，齊宣王歡迎他
們，親自會見，給以優厚待遇，是理所當然的。但從宋、尹等人"上
説下教"有流動性的特點而言，他們習慣於過艱苦生活，可能不願
接受"賜列第，爲上大夫"的特殊優厚待遇，而心甘情願地堅持利
人主義和獻身精神，過着與老百姓同甘共苦的簡樸生活。這樣的
設想，是合情合理的。

(四)宋鈃及其遺著《宋子》

宋鈃比尹文年紀大，當先逝世。宋鈃逝世後，尹文繼續從事
學術活動，其學説有新的發展，見於《尹文子》①。宋鈃的遺著《宋
子》，《漢書·藝文志》列在小説家：《宋子》十八篇，注："孫卿道
宋子，其言黄老意。"但《宋子》其書早就散佚，或在東漢末董卓之
亂，或在西晉末懷、愍之世，《隋書·經籍志》已不著録，後之類書
不見引用。

引人注意的是，《宋子》其書爲何列入小説家呢？蔣伯潛《諸
子通考·諸子著述考》説："其書入小説家者，殆如《天下篇》所云
'上説下教，強聒不捨'，故爲淺近寓譬之言，使聽者易曉歟？"顧頡
剛在《宋鈃書入小説家》文中亦申述此意，謂《宋子》十八篇中通俗
故事"必不在少"，"宋鈃之所以如是，……乃含有通俗文學之意，
取其爲羣衆生活常情，適其聽聞，便於借以宣傳己所見到之真
理。"顧先生還指出："宋鈃氏宋，孟子遇之於石丘爲宋地，自是
宋人，就近取材，其所舉故事遂以宋爲獨多……"②由此可見，《宋
子》書列小説家不是没有理由的。

宋鈃遺著《宋子》早已亡佚，給探討宋鈃思想學説帶來困難。
《莊子·天下》對宋鈃學派的記述可信，但應持實事求是的

---

①《尹文子》過去曾被看作僞書，筆者撰有《〈尹文子〉并非僞書》一文，對該書作了考
辨，見《道家文化研究》第二輯。

②顧頡剛：《宋鈃書入小説家》在《史林雜識》初編，中華書局 1963 年版第 292 頁。

態度深入探研，由此可以發現宋鈃思想之"道、墨"融合的特色。

二、宋鈃思想是"道、墨"融合的産物

說宋鈃思想的"道、墨"融合，確有其複雜性，值得深入探討。

(一)荀子把"墨翟、宋鈃"歸爲一類

荀況富有批判精神，他在《非十二子》中説："不知壹天下，建國家之權稱(指禮、法)，上功用，大儉約，而僈(慢，輕視)差等(等級制)，曾不足以容辨異，縣(懸)君臣；然而其持之有故，其言之成理，足以欺惑愚衆，是墨翟、宋鈃也。"荀子的批判着眼於學派，墨翟指墨家有組織紀律性的學派，宋鈃指宋鈃、尹文有流動性的學派，從思想學說而言，荀況認爲這兩個學派有共性，即不懂得"隆禮、重法"(《荀子·強國》)以此統一天下，卻倡導"上功用，大儉約"，而輕慢君臣、貴賤等級制的差別，因此把"墨翟、宋鈃"歸爲同類而并提。它說明：不僅如前面《孟子》所述，因"秦、楚構兵"而宋鈃將去楚、秦，以作戰帶來"不利"而進説兩國之王"寢兵"，這顯然是墨家"非攻"的行徑；而且荀子在《非十二子》中還從思想觀點上描述墨翟、宋鈃學說，把兩派歸作同類。

正因如此，馮友蘭先生把宋鈃看作墨家的支流[1]，不是沒有道理的。

(二)宋鈃、尹文的學派師承

認爲宋、尹學派屬墨家，古已有之。《陶潛集》集中《聖賢羣輔録》末，附載"三墨"云："不累於俗，不飾於物，不尊於名，不忮於衆，此宋鉶(鈃)尹文之墨。裘褐爲衣，跂蹻爲服，日夜不休，以自

---

[1]馮友蘭：《中國哲學史新編》第2册中《墨家的支與流裔宋鈃、尹文》，人民出版社1984年第2版第95頁。

苦爲極者，相里勤、五侯子之墨。俱誦墨經，而背誦不同，相爲別墨以堅白，此苦獲、己齒、鄧陵子之墨。”

　　但清人孫詒讓對宋、尹屬墨家另有見解，他説：“考《莊子》本以宋鈃、尹文別爲一家，不云亦爲墨氏之學，以所舉二人學術，大略考之，其崇儉、非鬥雖與墨氏相近，而師承實迥異。……宋鈃書，《漢書·藝文志》在小説家，云‘黄老意’；尹文書，在名家，今具存，其《大道上篇》云：‘大道治者，則名、法、儒、墨自廢。’又云：‘是道治者，謂之善人；借名、法、儒、墨治者，謂之不善人。’則二人皆不治墨氏之術，有明證矣。”（《墨子閒詁》末《墨子後語上·墨學傳授考》）孫詒讓所提：宋、尹之“崇儉、非鬥雖與墨氏相近，而師承迥異”，很值得注意；孫氏引《尹文子》所云“大道治者，則名、法、儒、墨自廢”，更表明宋、尹之師承爲道家，并非墨家，其學説僅與墨家近似而已。

　　宋鈃、尹文真的師承道家嗎？《説苑·君道》記尹文答齊宣王問：

　　　　齊宣王謂尹文曰：“人君之事何如？”尹文對曰：“人君之事，無爲而能容下。夫事寡易從，法省易因，故民不以政獲罪也。大道容衆，大德容下，聖人寡爲而天下理矣。……”

尹文答宣王這段話極重要，它説明：（1）宋、尹承襲老子道家學説，強調君主“無爲”而治，“聖人寡爲而天下理”，這正是道家黄老之學的“君人南面之術”。尹文這樣答對齊宣王，那麼宋鈃該是怎樣呢？宋鈃爲首，尹文爲次，尹文的答話必與宋鈃思想的“口徑”一致。（2）尹文答宣王問中的“大道容衆，大德容下”，這恰恰就是《天下篇》記述的“語心之容，命之曰‘心之行’（持以公心）”，兩處的“容”字涵義相同，隨後再論。而“大道”、“大德”，乃道家專用語，亦無疑義。（3）答話中的“事寡易從，法省易因”，與《尹文子》中的“以名稽虚實，以法定治亂；以簡〔制〕煩惑，以易禦險難。萬事皆歸於一，百度皆準於法”文義吻合，進一步證明《尹文子》絶非僞書。

　　認爲宋鈃屬道家黃老之學，有錢穆先生的《宋鈃考》①。他說：“班氏稱其書近黃老意者何？荀子曰：‘子宋子曰：人之情欲寡，而皆以己之情爲欲多，是過也。’（《正論》）又曰：‘宋子蔽於欲而不知得。’（《解蔽》）此《老子》謂‘少私寡欲，絕學無憂’而稱‘禍莫大於不知足，咎莫大於欲得’者也。又曰：‘宋子有見於少，無見於多’（《天論》），此《老子》所謂‘少則得，多則惑’、‘爲道日損’、‘儉故能廣’、‘余食贅行，有道不處’者也。”如此等等，說明宋鈃師承在道家。

　　馮友蘭先生認爲宋鈃思想屬墨家支流，而錢穆先生說宋鈃乃師承道家，就此進一步索隱發微，可以這樣說：宋鈃思想實爲“道、墨”的融合。

　　（三）《天下篇》記述的“道、墨”不分

　　認真研讀《莊子・天下》對宋、尹學派的描述，千真萬確是道論、墨學合而不分，融爲一體。不僅通段的學派記述是道論與墨學揉合着，而且個別文句也是道論、墨學揉合在一起。

　　例如：“見侮不辱，救民之鬥”之文，前句“見侮不辱”乃道家的榮辱觀，承繼老子學說的“寵辱若驚。……寵爲下，得之若驚，失之若驚。”（《老子》十三章）及“知其榮，守其辱，爲天下谷。”（第二十八章）但後句“救民之鬥”係墨說，《墨子・耕柱》：“子夏之徒問於子墨子曰：‘君子有鬥乎？子墨子曰：‘君子無鬥。’子夏之徒曰：‘狗狶猶有鬥，惡有士而無鬥矣。’子墨子曰：‘傷矣哉！言則稱於湯、文，行則譬於狗狶，傷矣哉！’”這說明，“救民之鬥”是宋、尹對於墨學的繼承。

　　又如：“……曰：‘君子不爲苛察，不以身假物’，以爲無益於

---

①錢穆：《宋鈃考》，《先秦諸子繫年》上冊，中華書局1985年版第375頁。

天下者，明之不如己也。”這裏，前句“君子不爲苟察”，當承襲墨
家，《墨子魯問》：“公輸子削竹木以爲䧿（鵲），成而飛之，三日不
下，公輸子自以爲至巧。子墨子謂公輸子曰：‘子之爲䧿（鵲）也’
不如翟之爲車轄，須臾劉（斫之意）三寸之木，而任五十石之重，故
所爲功利於人，謂之巧；不利於人，謂之拙。’”墨子“尚功利”，如公
輸般做出來的木鵲，儘管能飛，但無益於人，那就屬於“苟察”、“苟
難”之類，算不上什麼“巧”；而祇有“所爲功利於人”的事，如墨子
所造的車轄，纔稱得上“巧”。墨子的“尚功利”，被宋、尹所繼承，
表述爲“君子不爲苟察”①。後一句“不以身假物”，這是道家觀點，
老莊道論都主張內心持守虛静，即“致虛極，守静篤”（《老子》十六
章），排除功名利禄等等物欲的干擾，即“滌除玄鑒，能無疵乎？”
（第十章），使自我心態如明鏡那樣清亮；所謂“不以身假物”，指身
心不爲功名利禄等身外之物欲所役使，莊學、黄老之學多此類道
論，而這是宋、尹“以情欲寡淺爲內”的內涵。

　　《天下篇》作者祇同宋尹學派的思想資料打交道，并不問哪些
觀點屬道論、哪些觀點屬墨説，因此對於這個學派的記述，卻真實
反映了“道、墨”的融合。我們以實事求是的態度研究宋鈃學説，
理應超越《天下篇》的作者，探尋哪些觀點屬道論，哪些觀點屬墨
説，盡可能地追本溯源。

三、以“别宥”爲創新的道家思想

　　精讀《莊子·天下》對宋尹學派的記述，其中有些體現道家思
想的文字并不難懂。如“不累於俗，不飾於物，不苟於人，不忮

①“君子不爲苟察”之“苟”字，有的《莊子》版本或作“苛”，不確。《荀子·不苟》云：
“君子行不貴苟難，説不貴苟察，名不貴苟傳……”這是對於宋鈃思想的發揮。

（柔順不逆）於衆，願天下之安寧以活民命"，前面四個"不"，不爲世俗牽累，不用外物矯飾，不苛求於人，不違逆衆情，這是把老子學說"弱者'道'之用"（《老子》第四十章）當作方法，從而"上說下教"，以期"天下之安寧以活民命"。又如"見侮不辱，救民之鬥"，前面已說過"見侮不辱"乃道家的榮辱觀，正如《莊子》所記，宋榮子……"舉世而譽之而不加勸，舉世而非之而不加沮"（《逍遙遊》）。再如"以情欲寡淺爲內"、"不以身假身"，指內心持守"虛靜"，排除功名利禄等身外物欲的干擾，義同於莊學"聖人之心静乎！天地之鑒，萬物之鏡也。夫虛静恬淡、寂寞無爲者，天地之本而道德之至"（《莊子·天道》），亦同於管學"執一不失（"執一"猶"執道"），能君萬物。君子使物，不爲物使。"（《管子·內業》）這屬於以"君人南面術"爲特徵的道家黃老之學。

　　而最難懂莫過於這段文字："接萬物以別宥爲始；語心之容，命之曰'心之行'，以聅合驩（歡），以調海內，請欲置之以爲主。"此中的核心是"別宥"，而"別宥"被看作是宋鈃的獨創。如《尸子》所記："墨子貴兼，孔子貴公，皇子貴衷，田子貴均，列子貴清虛，料子貴別囿。"（《廣澤》）這裏的"別囿"即"別宥"，"料子"有字誤，當指宋鈃。

　　我們對宋鈃的"別宥"、"心之容"及"以調海內"等思想內涵試作解析。

（一）"別宥"的哲學認識論

　　宋鈃主張"別宥"。承襲宋鈃思想，荀況寫成了《解蔽》；《呂氏春秋》內又有《去宥》、《去尤》兩篇，或係發揮宋鈃學說[1]。可見"別宥"、"解蔽"、"去宥"詞意大致相同；但"別宥"之"別"，指辨別，"別宥"即"辨宥"。當然，明辨思想上所受"蔽、囿"的局限，跟着就要

---

　　[1]《史記·呂不韋列傳》：呂不韋門下有食客三千人，"乃使其客人人著所聞，集論以爲八覽、六論、十二紀……號曰《呂氏春秋》"。據此，《去宥》、《去尤》係呂氏門客所作，發揮宋鈃學說，并非宋鈃遺著。

"解蔽"、"去宥(囿)"了。

　　"別宥"在哲學認識論上有重要意義。人們生活在不同的社
會條件、環境中，往往以自我爲中心而形成這樣那樣的蔽囿，即思
想上的主觀成見、偏見等片面性、局限性，受到此類的封閉、禁錮，
因而不能從片面看到全面，從局部看到總體。所謂"別宥"，就是
打開封閉着的心靈，解放禁閉着的思想，從片面看見了全面，從局
部提升到總體。這樣就把辯證法引入認識論，使之具有思想解放
的重大意義。

　　宋鈃年齡長，聲望高，其"別宥"之論受到莊周及其後學的推
崇和引述。莊周所寫的《逍遙遊》，以背負青雲而高飛遠舉的大鵬
與騰躍而上不過數仞的"斥鷃"(小雀)作對比，來説明"小大之辯
(辨，別也)"的哲理，意即小雀囿於所處的微觀局部，因此達不到
大鵬高飛遠舉的宏觀高度，這就是"小知不及大知"。就此又申
論：

　　　　故夫知效一官，行比一鄉，德合一君而征一國者，其自視也
　　亦若此矣。而宋榮子猶然(舒遲貌)笑之……

宋榮子即宋鈃，他笑的是"知效一官，行比一鄉，德合一君而征一
國"那類人，他們"自視"也像小雀看大鵬那樣，囿於一曲還沾沾自
喜。而闡發老子學説"江海之能爲百谷王"的《秋水篇》，假托河伯
與北海若對話的寓言，進一步論説"小知不及大知"，北海若説
道：

　　　　井鼃(蛙)不可以語於海者，拘於虛(墟)也；夏蟲不可以語於
　　冰者，篤於時也；曲士不可以語於道者，束於教也。今爾(指河
　　伯)出於崖涘，觀於大海，乃知爾醜，爾將可以語大理(指大道)
　　也。

這裏的"井蛙"、"夏蟲"、"曲士"都囿於不同的局部，即"拘於墟"、
"篤於時"、"束於教"，北海若以此啓發河伯：如今你看見了汪洋
大海，知道自己受河流局限的醜陋，有了自知之明，這樣纔可以論

說大道、大理了。這裏的寓意也是"別宥"、"去宥",打開狹隘的眼界和封閉的心靈,從微觀的"小知"通向宏觀的"大知"、即大道大理。

令人驚異的是,莊子所說"宋榮子猶然笑之"的"知效一官,行比一鄉,德合一君而征一國者",在《管子》道家之作《宙合》也有類似的表述,稱之爲"辯於一言,察於一治,攻於一事者",兩處都有三個"一",這亦是"別宥"之論。原文說:

　　"道"也者,通乎無上,詳乎無窮,運乎諸生。是故辯於一言,

察於一治,攻於一事者,可以曲說而不可以廣舉。

析其意蘊,重點在"曲說"、"廣舉"之對言,猶莊學的"小知不及大知",就是說,那些僅僅"辯於一言,察於一治,攻於一事"的人們,受到"蔽於一曲"的局限,因此祇能"曲說"而不能"廣舉",即通向"大道"。這種涵義正是荀子承襲宋鈃"別宥"的"解蔽",《解蔽》開頭說:"凡人之患,蔽於一曲而闇於大理。"後面又說:"夫道者,體常而盡變,一隅不足以舉之。曲知之人,觀於道之一隅,而未之能識也。"這也是"小知"不及"大知"或"曲說"不能"廣舉",思想受微觀局限性、片面性的蒙蔽,有主觀偏見,無自知之明,因而不能提升到宏觀的"大道"、"大理"。

據以上論證,"別宥"是宋鈃開創的道家觀點,具有哲學認識論的普遍意義,而爲《莊子》、《管子》道論所推崇和引述,進而又被儒家荀子《解蔽》所闡發。

至於"接萬物以別宥爲始",應怎樣理解呢? 注意兩點:一、"接萬物"的"接"字,《莊子·庚桑楚》:"知者,接也。""接"指應接,接物、應物均有認知之意。二、"萬物"與""大道"的關係,老子學說"道生一,一生二,二生三,三生萬物"(《老子》四十二章),"道"其大無外,其小無內,"通乎無上,詳乎無窮,運乎諸生",看不見、聽不到、摸不着,但"萬物莫不尊道而貴德"(五十一章),成爲萬物的生命力源泉和運作的規律。基於此,認知寓於"萬物"中

"道"的規律性,就得從"別宥"、即解除思想上所受的種種"蔽囿"為開端。說到底,"接萬物以別宥為始"的命題,是道論而非墨學。

(二)"別宥"哲理應用於"百家争鳴"

"別宥"論點倍受重視和推崇,在《莊子》、《管子》、《荀子》、《尸子》及《呂氏春秋》中均有體現,這並非偶然,而是既有其傳播的氣候、條件,又有其鮮明的針對性——"諸侯異政,百家異説"(《荀子·解蔽》)。自春秋到戰國的社會大動盪、大變革,實質上是由西周以來舊貴族領主制到新貴族封建地主制的過渡。與經濟、政治制度的變革相應合,在學術文化上也由"學在官府"到"學術下移"、進而展開了"百家爭鳴"。"諸侯異政,百家異説"是戰國時期的實情,老子道家、孔子儒家、李悝及商鞅法家、墨翟及其傳人墨家均師弟相傳、展開活動,因而直接影響着分裂割據、戰争頻仍形勢下各諸侯國的政治,如魏國先有李悝變法,秦國商鞅變法後又有墨家參政等等。百家的"異説"又推動了諸侯的"異政",加劇了各國間此伏彼起的兼併戰争。宋鈃"別宥"思想的傳播,與"百家爭鳴"的形勢分不開,集中體現在《莊子·天下》、《荀子·解蔽》對當時學術文化的評述。

先看《莊子·天下》的評述,字裏行間貫穿着"別宥"思想:

> 天下大亂,賢聖不明,道德不一,天下多得一察焉以自好。譬如耳目鼻口,皆有所明,不能相通。猶百家眾技也,皆有所長,時有所用。雖然,不該(該備)不徧(同'遍'),一曲之士也。判天地之美,析萬物之理,察古人之全,寡能備於天地之美,稱神明之容。

> 是故內聖外王之道,闇而不明,鬱而不發,天下之人各為其所欲焉以自為方。悲夫,百家往而不反,必不合矣!……道術將為天下裂!

這裏所謂"天下大亂"指社會大動盪、大變亂帶來的"諸侯異政,百家異説",這是一。其二,百家説各自"多得一察以自好",而彼此間猶耳目鼻口"不能相通";百家衆技儘管各有所長,但不該備、不全面,乃蔽於一個局部的"一曲之士",因而不能"備於"學術文化的總體性、全面性。其三,哀嘆"內聖外王之道"(指內以修養、外以爲政之道)的暗而不彰,"百家往而不反",各自爭鳴而"不合","道術將爲天下裂"!

　　反覆玩味通段的文意,其中反映了"別宥"思想的針對性,尤其"天下之人各爲其所欲焉以自爲方",不正指"諸侯異政,百家異説"之"異"嗎? 怎樣去救治? 就要靠"別宥",即辨明并解開百家之學各自所受"得於一察"、"蔽於一曲"的主觀偏見,弘揚"內聖外王之道",從而把握學術文化的總體性、全面性,使"百家往而不反,必不合矣",轉向殊途而同歸。

　　再看《荀子·解蔽》的論述,承繼宋銒"別宥"而又有發揮:

　　　　凡人之患,蔽於一曲而闇於大理。……今諸侯異政,百家異説,則必或是或非、或治或亂。……德(通"得")道之人,亂國之君非之上,亂家(指百家學中之亂家)之人非之下,豈不哀哉!

　　　　昔賓孟("孟"通"萌","賓萌"指往來各國間的游士)之蔽者,亂家是也。墨子蔽於用而不知文;宋子蔽於欲而不知得;慎子蔽於法而不知賢;申子蔽於勢而不知知;惠子蔽於辭而不知實;莊子蔽於天而不知人。……此數具者,皆道之一隅也。夫道者,體常而盡變,一隅不足以舉之。曲知之人,觀於道之一隅而未之能識也。

　　　　聖人知心術之患,見蔽塞之禍,故無欲、無惡、無始、無終、無近、無遠、無博、無淺、無古無今,兼陳萬物而中縣(懸)衡焉。是故衆異不得相蔽以亂其倫也。何謂衡? 曰:道。故心不可以不知道,心不知道,則不可道(可,肯定)而可非道。

上引《解蔽》三段,第一段是針對"諸侯異政,百家異説"而立"解蔽"之論的;第二段指出墨子、宋子、慎子、申子、惠子、莊子等六家學説之"蔽";第三段申論解決"衆異不得相蔽"的關鍵在於以"道"
爲衡,內心知"道",指"體常而盡變"的"大道"。這個"大道"也就
是"蔽於一曲而闇於大理"的"大理",均係道家哲學概念。

　　以前者《莊子·天下》和後者《荀子·解蔽》兩段文意作比較,
其所針對都是"諸侯異政,百家異説"的異政、異説而展開"別宥"
或"解蔽"的議論,精神實質是相通的。這是一方面。而另一方
面,《天下篇》没有提出解救種種蔽囿的藥方,祇是哀嘆"百家往而
不反,必不合矣!";《解蔽》卻提出解除蔽塞之禍,要靠"心知
'道'",這個"道"是"體常而盡變"的自然主義的"道",而非儒家德
治主義的"道"。換言之,是儒家荀況從道家思想資料襲取來的①,
《解蔽》後面所論"虛一而静"等亦如此,可以説是"儒、道"互補。

　　然而更爲重要的是,所謂"心知'道'",涵義同於宋鈃的"接萬
物以別宥爲始",均指由"小知"達到"大知","曲説"提升爲"廣
舉",從而把握"大道"、"大理"的總體性、全面性的哲理。宋鈃、尹
文上説各國君主,正是宣揚"以大道治"(《尹文子》)。

　　(三)"以大道治"及"心之容"、"以調海內"

　　宋鈃的"接萬物以別宥爲始",可以理解爲以"別宥"爲核心的
"道治"之論,其思想內涵貫通於"語心之容"、"以調海內"、"置之
以爲主"等文句中,有調和百家説之意。

　　(1)"以大道治",兼容百家。《尹文子》強調説:"〔以〕大道治
者,則名、法、儒、墨自廢;以名、法、儒、墨治者,則不得離道。"兩
句話有兩層涵義,第一句突出了"以大道治"。"名、法、儒、墨"各
執"大道"之一偏,以"別宥"認識論看待,"大道"爲治便包容廣闊,
"名、法、儒、墨"等百家學兼容在內,取其長,棄其短,起着互補作
用,發生了質的變化,所以説"名、法、儒、墨自廢"。

────────────

　　①荀子年輩晚於宋鈃、莊子,他熟知莊子學説,故批評爲"蔽於天而不知人";或讀過
《天下》、《秋水》等篇(古時多單篇流傳),襲用其中"一曲"、"大理"等概念。

　　第二句,在各諸侯國"以名、法、儒、墨治者"怎麼辦? 那也得把"道治"的成分滲透進去,"道治"哲理是一種融合劑,添加進去,便促使各國的"異政"、"異説"發生變化,逐漸打開"蔽於一曲"的狹隘眼界,由相異轉爲趨同。

　　(2)心容廣闊,持之以公。這就是"語心之容,命之曰'心之行'"的本義。以"大道"治,兼容百家,使之融會貫通,是指上説各國君主的"心之容"。何謂"心之行"? 意即內心體道而持之以公,正如《管子・形勢》所云:"四方所歸,心行者也。"這種道論承襲老子學説"知常(認知規律)容,容乃公,公乃全,全乃天,天乃道,道乃久,没身不殆。"(《老子》十六章)

　　宋尹學派所論"心之容",亦見尹文答齊宣王問,即"人君之事,'無爲'而能容下。……大道容衆,大德容下,聖人寡爲而天下理也。"(《説苑・君道》)這表明,宋鈃、尹文確以"大道容衆"的兼容百家上説君主。齊宣王接受了没有? 請看《史記》對稷下百家爭鳴的記述:"宣王喜文學遊説之士,自如騶衍、淳于髡、田駢、接予、慎到、環淵之徒七十六人……是以齊稷下學士復盛,且數百千人。"(《田敬仲完世家》)齊國稷下之學正是在宣王時"復盛"起來。

　　(3)"以聏合驩,以調海內。"前句"以聏合歡"的"聏"字,義即柔和、親暱。後句"以調海內"的"海內",意指"天下"的各國政治、學術相異,故應加以調和。"大道容衆",兼容百家之學,那麼就得以柔和、親切的態度進行調和;怎樣調和呢? 如前面所説,即注入"道治"哲理的融合劑,辨明各家爲"大道"之一偏,去其蔽囿而提升到"道"的總體性、全面性的宏觀高度。換言之,即以"別宥"的哲學認識論作爲方法去調和,使之如百川之歸大海,百家殊途而同歸。這具有鮮明的時代特徵和時代精神。

　　(4)"請欲置之以爲主。"指宋鈃等人周游各國、上説君主,請求採納以"大道"爲治、調和百家的建議,以此作爲政治行爲之主。

　　當然,以上解説衹是一種試探。由於宋鈃遺著《宋子》早已散佚,又由於宋鈃等人周行各國的事迹文獻失載,這種解説是否合於客觀實際,留待今後證明。但"別宥"哲學認識論係由道家的傳承而生發出來,則并無疑義。

三、"道、墨"融合的奥秘

　　"大道容衆"、調和百家的宋鈃、尹文學説,在"百家爭鳴"的思想解放運動中傳承和發展着。論其師承,如以上論證自屬老子道家;論其發展,無疑深受墨家影響。而"道、墨"的融合,其奥秘何在呢? 讓我們具體分析這種融合的外在條件和內在原因。

(一)融合的外在條件

　　説起宋鈃學説"道、墨"融合的外在條件,既要看到戰國中期百家爭鳴進入高潮的大氣候,更要看到宋尹學派興起於宋國一帶的小氣候。宋國處於周邊各地區文化的包圍圈,如魯地儒家、楚地道家、三晉法家、齊地稷下之學等等,小氣候就是處於各地區學術文化的包圍圈內。研究宋尹學派的興起,應注意其地區性和流動性。

　　(1)地區性。在宋尹學派興起以前,宋、魯一帶便有墨家的興盛。《史記》記載:"墨翟,宋之大夫,善守禦,爲節用。"(《孟子荀卿列傳》)而莊周道家,亦在宋地展開活動,係私家之學。宋鈃與莊周乃同時人,莊周在自著《逍遥遊》中稱之爲"宋榮子",彼此會有交往。這表明,宋尹學派不能不受墨家利人主義、獻身精神的深刻影響,而又與莊周學派進行學術交流;與此同時,宋國一帶的小氣候也不能不是百家爭鳴,受周邊各地區學術文化的衝擊和影響是很自然的。宋鈃所倡導的"別宥",可以促進百家之説由相異轉爲趨同,這有它誕生的特定的地區性。

　　(2)流動性。墨家"多以裘褐爲衣,以跂蹻爲服,日夜不休,以
自苦爲極",遊説於各國;宋、尹"周行天下,上説下教","曰:'請欲
固(姑)置五升之飯足矣。'先生恐不得飽,弟子雖飢,不忘天下,
日夜不休。"(《莊子‧天下》)前有墨家、後有宋、尹,都是帶有流
動性的學派;爲了救世濟民,都是躬行履踐,傳播其學説。從宋尹
學派説來,接觸社會活動的多方面,並不囿於師承,絶非"一曲之
士",而是在學術實踐中開闊了視野,熟知百家爭鳴等實況,從而
豐富、發展了自己的學説。

　　宋尹學派的興起,有其地區性、流動性的外在條件。但外因
通過內因而起作用,讓我們再來探討"道、墨"融合的內因。

　　(二)"道、墨"融合的内在原因

　　在"百家爭鳴"中,有比較纔有鑒別,有鑒別、有鬥爭纔有發
展,宋尹學派也不例外。其"道、墨"思想融合的內因何在呢? 這
裏據文獻記述作些比較研究。

　　首先,就墨、道相近、相通或相合的方面而言,其主要觀點
是:

　　(1)崇儉約,反奢侈。墨子對貴族王公大人的奢侈浪費作了
猛烈抨擊,積極倡導"節用",實行儉政,見《墨子》書中《節用》等
篇。墨子針對貴族歌舞享樂與厚葬風尚,提出"非樂"、"節葬",墨
書中有《非樂》和《節葬》等篇闡述其義。宋、尹承襲的老子學説亦
嚴厲斥責貴族統治者的窮奢極侈,如"五色令人目盲,五音令人耳
聾,五味令人口爽,馳騁畋獵令人心發狂,難得之貨令人行妨。"
(《老子》十二章)又如"服文綵,帶利劍,厭飲食,財貨有餘,是謂盗
竽(強盗頭子)! "(第五十三章)可見墨説與道論是相通的。

　　(2)重實用,去無益。墨子總是強調民生實用,辦事情要先問
是否利人,"利人乎即爲,不利人乎即止。"(《墨子‧非樂上》)宋
鈃亦受其影響,主張"君子不爲苟察……以爲無益於天下者,明之
不如己也。"(《莊子‧天下》)這種思想與老子學説相近,如所謂

"不貴難得之貨,使民不爲盜"(《老子》第三章),"難得之貨令人行妨。"(第十二章)難得的變巧珍物,只爲貴族的奢華作裝飾品,無益於民生實用,墨家、道家都反對。

(3)反對兼併戰爭。戰國時期的兼併戰爭愈演愈烈,給人民帶來深重災難。墨家堅決反戰,《墨子》中的《非攻》上中下篇闡述其義。宋鈃以"寢兵"得名,《孟子》中所記孟子在宋地石丘遇到宋鈃,因"秦、楚構兵",宋鈃將去楚、秦上說其國君寢兵息戰(《告子下》),這與墨翟去楚國勸說楚攻宋的罷兵休戰(據《墨子·公輸》)如出一轍。這種主張反映了廣大人民的意願。其實,宋鈃承繼的老子學說也是反戰的,如"以道佐人者,不以兵強天下。其事好還(指還報):師之所處,荊棘生焉;大軍之後,必有兇手。"(《老子》三十章)"夫兵者,不祥之器,物(指人)或惡之,故有道者不處。"(三十一章)可見在反戰問題上,墨說與道論也相近或相通。

(4)重視人民疾苦。在戰亂頻仍、賦稅加重的情況下,墨子尖銳指出:"民有三患",即"飢者不得食,寒者不得衣,勞者不得息。"(《墨子·非樂上》)原因在於統治者"其使民勞,其籍斂厚",以致"民財不足,凍餓死者不可勝數也。"(《節用上》)因此主張濟世救民,興利除害,以實現"飢者得食,寒者得衣,勞者得息。"宋尹學派也同樣主張:"願天下之安寧以活民命,人我之養畢足而止。"(《莊子·天下》)而宋鈃所傳承的老子學說何嘗不如是呢!如"民之飢,以其上食稅之多,是以飢。民之難治,以其上之有爲,是以難治。民之輕死,以其上求生之厚,是以輕死。"(《老子》七十五章)墨學、道論不正是相合嗎?

諸如以上的主要觀點,宋鈃、尹文既傳承於老子道家,而道家思想又與墨學多相近、相通處,因此"道、墨"融合是自然而然的。

那麼進一步問:宋尹學派主張"別宥"的"大道容衆,大德容下",與墨家主張的"兼相愛,交相利"是否矛盾呢?認真研究,兩者在精神實質上相通,主要體現在荀況批評的"僈差等"(《非十二子》)。墨翟的"兼相愛,交相利",是在根本不觸動貴族等級制的前提下主張君臣、上下、貴賤人人平等、兼愛互利,并以此勸説君主實行"平等"政治。這是一種"優差等"。宋、尹的"大道容衆,大德容下"、"法省易因,事寡易從",也是在根本不觸動貴族等級制的前提下主張調和百家以及君臣、貴賤種種矛盾,以此勸説君主實行"無爲"的寬容政治。這又是一種"優差等"。儒家荀況主張"隆禮、重法"以維護并加強封建等級制,在他看來,墨翟也好,宋鈃也好,都是"優差等"。這種共性意即均平。宋、尹等"作爲華山之冠以自表",象徵着均平①,體現出"道、墨"相通。

其次,就宋尹學派與墨翟學説相異的方面考察,根本不同在於哲學世界觀,應當充分認識這種差别性。

墨翟出於儒家而又廣收博采,思想駁雜,其哲學世界觀并没有完全擺脱禮治主義的天命論。儘管他也强調過"非命"的自强奮力,但又宣揚有神論的"天志"和"明鬼"(《墨子》書中,有《天志》上中下篇及《明鬼》下篇)。

宋鈃、尹文傳承並發展老子道家學説,其哲學世界觀屬於"道法自然"的自然主義的無神論。儘管深受墨家影響,取其合於道家的學説,但棄其有神論的糟粕。宋、尹仍然持守道家自然主義的哲學世界,沿着這條認識路綫發展自己的新説,其中最明顯的是提出了"接萬物以别宥爲始"的重要命題,這是道家的命題。尹文所謂"〔以〕大道治者,則名、法、儒、墨自廢;以名、法、儒、墨治者,則不得離道"(《尹文子》),這明明是道論而非墨説。而宋、尹正是以"道治"哲理作爲融合劑,而在百家爭鳴中去融合"名、法、儒、墨",形成了"其言有黄老意"的道家黄老學説。

①唐人陸德明説:"華山上下均平,作冠象之,表己心均平也。"轉引自陳鼓應先生《莊子今注今譯》,中華書局1983年版第872頁。

作者簡介　　胡家聰,1921 年生,北京人。中國社會科學院政治學所研究員。著有有關《管子》研究的論文三十餘篇。

鄒衍與道家的關係

孫開泰

內容提要　本文簡要介紹了鄒衍的生平與所處的時代,從宇宙觀、樸素辯證法思想、天地人三才思想、與稷下黃老之學的關係、"名實"問題、陰陽家的起源、後人的評價、對後世的影響等八個方面來論述鄒衍與道家的關係,說明鄒衍與道家關係十分密切,但他曾師儒者,與儒家也有一定的關係。

鄒衍爲戰國時期陰陽家的代表人物,我曾撰文指出他大約生於公元前 324 年,就學於稷下學宮,先學儒術,以後爲陰陽之學。在齊宣王晚年和齊湣王時爲稷下先生,約在公元前 288 年(燕昭王二十四年)爲燕昭王師,到燕惠王時回齊,復爲稷下先生。公元前 257 年(齊王建 8 年)爲使者過趙,公元前 251 年仕燕王喜,此後不見再有活動的記載①。

鄒衍所處的時代已是先秦百家争鳴處於高潮的階段,他的學術貢獻,主要是總結流行於齊國的陰陽説與五行説,爲陰陽學派的創始人。他的思想受儒家影響是相當多的,與道家的關係也十分密切。本文着重考察鄒衍以及陰陽家與道家的關係。

---

① 見拙文《鄒衍事蹟考辨》,載《管子學刊》1989 年第 3 期;參見《鄒衍年譜》,載《管子學刊》1990 年第 2 期。

一、從宇宙觀上看

謝扶雅《鄒衍是道家而非儒家辨》①認爲："我們若假定先秦主要學派只有三大型：儒、墨、道，則鄒衍應並入於道家，因爲陰陽原是道底動相。鄒衍以陰陽解釋'道'，可説是新道家，以別於原始的道家。"若把先秦主要學派假定爲只有儒、墨、道的説法，這是把先秦"百家爭鳴"簡單化了，並不符合戰國學派林立的實際情況的。而陰陽與道家雖有聯繫，但並不能將鄒衍歸爲新道家，雖然道家對鄒衍不無影響。道家的本質特徵是在自然哲學的研究，並着重於形而上的探索，鄒衍與陰陽家學説，也着重自然哲學的研究。鄒衍關於天、地、人三方面的學説，可謂十分龐雜，而自然哲學則是其整個學説體系的基礎。《史記·孟子荀卿列傳》説，齊人稱鄒衍爲"談天衍"。《史記集解》引劉向《別録》説："鄒衍之言五德終始，天地廣大，盡言天事，故曰'談天'。"可見鄒衍對"天"，即宇宙，有所探究，在自然哲學方面有一套自成體系的論述，與老子、莊子可以説是有共同點的。也可以説，鄒衍與陰陽家是受了道家思想的影響。

請看古書關於鄒衍論"道"的記載：

鄒衍過趙，言至道，乃絀公孫龍。(《史記·平原君列傳》)

"大夫曰：'鄒子疾晚世之儒墨不知天地之弘，昭曠之道，將一曲而欲道九折，守一隅而欲知萬方，……'"(《鹽鐵論·論儒》)

"齊使鄒衍過趙。平原君見公孫龍及其徒綦母子之屬，論'白馬非馬'之辯，以問鄒子。鄒子曰：'不可。……如此，害大道……'"(《史記·平原君列傳》《集解》引劉向《別録》)

"或曰，伊尹負鼎而勉湯以王，百里奚飯牛車下而繆公用

---

① 載《古史辨》五册第 745—747 頁。

霸,作先合,然後引之大道。鄒衍其言雖不軌,儻亦有牛鼎之意乎?"(《史記‧孟荀列傳》)

上述之"道"、"至道"、"大道"、"昭曠之道",其涵義固然與道家之"道"不盡相同,而與之有聯繫則是可以肯定的。"至道"、"大道",在文中當是指辯論的最高原則,是令人信服的道理,以此駁斥公孫龍的詭辯,纔獲得在座者的稱許,從而使得平原君罷黜公孫龍。"大道"是指治理國家的規律。"昭曠之道"也是指"大道"。

鄒衍是不是講"天道"呢?講的。他的方法是從時間上和空間上來推衍。從空間上來推衍①,以小推大:"先驗小物,推而大之。"(《史記‧孟荀列傳》)由近及遠:"先列中國名山,大川,通谷,禽獸,水土所殖,物類所珍,因而推之,及海外人之所不能睹。"(同上)大約鄒衍的"大九洲"說即是如此推論出來的。還有《水經注》卷八《濟水二》記載:"鄒衍曰:'余登緡城以望宋都。'"緡城當離宋都不遠。從時間上看,鄒衍登緡城而望宋都,該在齊緡王滅宋之前。鄒衍既是稷下先生,外出考察當是沒有問題的。由登緡城而望宋都,由此,我們按鄒衍的推理辦法還可以望得更遠。以小推大的認識方法,實際上是以有限而推論出無限。鄒衍的"大九洲"說可以說是對宇宙的無限性的相對理解。而以小推大的思想方法,我們在《管子》一書中也常有發現。其《形勢篇》說:"疑今察之古,不知來者視之往。"可見鄒衍的思想深受《管子》的影響。而"大九洲"之說,和莊子《秋水》所描繪的宇宙空間之無限大,就有着更爲相近的關係。

從時間上來推衍:包括一,由今推古:"先序今,以上至黃帝。"(同上)這是用逆推法。王夢鷗說:"所謂'今',當然是指周之火德,以上至黃帝,當然要像應同篇所記黃帝的土德爲止。"②

①②王夢鷗:《鄒衍遺說考》第 120 頁,臺灣商務印書館 1966 年 3 月初版。

即以五行相勝説來推衍，因周爲火德，火克金，則商爲金德；金克木，則夏爲木德；木克土，則虞爲土德。虞爲黄帝一系君主，從而推到黄帝，得出鄒衍所説的"虞土、夏木、殷金、周火"（《淮南子·齊俗訓》高誘注引《鄒子》）。與上面類似的還有由近及遠的推衍："因載其禨祥制度，推而遠之，至天地未生，窈冥不可考而原也。"（《史記·孟荀列傳》）其方法也是逆推法，當用五行相勝説。但具體推論過程還不清楚。二，由古推今："稱引天地剖判以來"（同上），王夢鷗説："我們懷疑這一部分或是據'相生'的原則來演講天地萬物（五行）的生成以及五行四時的移轉。我認爲實際上即是如此。就是用順推法，以五行相生説來推衍。以一年四季爲例：春爲木，木生火，則夏爲火；火生土，則季夏爲土；土生金，則秋爲金；金生水，則冬爲水。這套學説即是鄒衍爲明堂制度設計的方案。即"五行相次轉用事，隨方面而服"（裴駰《史記集解》引如淳引《鄒子》）的具體内容。也就是爲齊宣王、齊湣王將爲天子制訂的四時教令[1]。

　　這種推衍的方法，使我們看到了鄒衍的宇宙觀，這裏面就包含了"道"的内容。鄒衍認爲，由近處"推而遠之，至天地未生，窈冥不可考而原也"。在天地未生之前，宇宙是混沌一團，是説不清其原狀的。這裏包含了宇宙是無所謂開始的思想。鄒衍的這種思想影響了《淮南子》。該書的《天文訓》記載："天地未形，馮馮翼翼，洞洞灟灟，故曰太始。太始生虚霩，虚霩生宇宙，宇宙生元氣，元氣有涯垠，清輕者薄靡而爲天，重濁者凝滯而爲地。"由這段宇宙生成論的論述，使我們可以看到鄒衍宇宙生成的内容。鄒衍所謂的"天地未生，窈冥不可考而原也"，即是上述的"太始"。也就是《老子》二十五章所説："有物混成，先天地生"的"道"，這裏的"道"是物質的原始狀態。由此我們可以看出，鄒

---

[1]參見拙文《鄒衍的思想與齊文化的特點》，載《管子與齊文化》，北京經濟學院出版社 1990 年 11 月。

衍的宇宙論，是受《老子》影響的。當然，《老子》的思想是複雜的，鄒衍祇是發揮了《老子》思想中的唯物論的方面。

在鄒衍的"陰陽"說與《老子》的"道"之間，有着內在的聯繫。老子說："道生一，一生二，二生三，三生萬物。"(《老子》42章)其中"一生二"的"二"即是陰陽，"負陰而抱陽"，即是陰陽結合，"衝氣以爲和"，即生萬物。從這裏我們可以看到《老子》的"道"包含了"陰陽"，也可以說"陰陽"是由"道"產生的。鄒衍的宇宙生成論的具體內容，我們難於了解，但是，它與《老子》的宇宙生成論有密切的關係是完全可以肯定的。關於"二生三，三生萬物"，陰陽即爲二，這種思想，在《莊子》中也十分明顯：《田子方》說："至陰肅肅，至陽赫赫。肅肅出乎天，赫赫發乎地，兩者交通成和，而物生焉。"這與《老子》是完全一致的，因此僅就這一點來說，鄒衍的陰陽說與《莊子》也是相同的。

二、從樸素辯證法思想上看

鄒衍的思想受《老子》的影響還表現在他的樸素辯證法思想上。《老子》四十章說："反者'道'之動。"這是說"道"是循環地運動着的。鄒衍也認爲宇宙是運動的，他形象地說："四隁不靜。"(《文選·左思〈魏都賦〉李善注》引《鄒子》)"隁"即隅，意爲角落。鄒衍認爲四個角落都不是安靜的。即是說，宇宙的每一個地方都是不斷運動的。在這裏，鄒衍沒有說明運動的形式和方向。而從他的五行相生與相勝說來看，他認爲運動也是循環往復的。這種思想，當然是受《老子》的影響。

鄒衍的"陰陽消長"的思想，反映了對立面的對峙與轉化的法則。這種思想雖不是受《老子》的影響纔有的。但其思想方法與《老子》是相同的。鄒衍在政治思想上也有與《老子》相同的地方，那就是他"非聖人"的思想。《鹽鐵論·論鄒》說："鄒衍非聖人，作怪談，惑六國之君以納其說。"而《老子》主張"絕聖棄智"(19

章）。鄒衍的"陰陽消長"説，很有可能受春秋後期范蠡的影響。范蠡説："天道皇皇，明以爲常，明者以爲法，微者則是行。陽至而陰，陰至而陽；日困而還，月盈而匡。"（《國語・越語下》）這已是陰陽轉化論。而且還有"贏縮轉化"（同上）的明確記載。鄒衍的陰陽消長説，顯然是吸收了范蠡上述思想而形成的。而范蠡的思想與戰國中期的黃老之學頗有淵源①。

關於陰陽變化的規律，《莊子・則陽》説得很清楚："陰陽相照相蓋相治，四時相代相生相殺。……窮則反，終則始，此物之所有。"這種陰陽"相生相殺"之説，與鄒衍思想是一致的。

三、從天地人三才思想上看

關於"天"、"地"、"人"三才，是春秋後期到戰國時期思想家經常論及的內容。老子説："故道大、天大、地大、人亦大。域中有四大，而人具有一焉。"老子又説，"人法地，地法天，天法道，道法自然。"其實，明確將天、地、人並舉的是范蠡。他説："持盈者與天，定傾者與人，節事者與地。"（《國語・越語》）又説："聖人上知天，下知地，中知人；此之謂天平地平，以此爲天圖。"（《越絕書・外傳・枕中》）在老子之後，《黃老帛書・經法・六分》説："王天下者之道，有天焉，有人焉，又（有）地焉。參（三）者參同之，而有天下。"《鶡冠子・度萬》説："知無道，上亂天文，下滅地理，中絶人和，治漸終始。"將天、地、人三者作整體性的思考，是道家獨特的思維方式。在這方面，鄒衍明顯地受到道家的影響。不過，其天、地、人的學説，已經具體化爲五行相生説、五行相勝的五德終始説，和大九州的地理説。這是鄒衍對天、地、人三才思想的發展。

---

①參見李學勤《范蠡思想與帛書〈黃帝書〉》，載《浙江學刊》1990 年第 1 期。

四、從與稷下黃老之學的關係上看

鄒衍的學說與黃老之學，都是爲當時田齊政權統一六國而大造輿論。《史記·孟荀列傳》說鄒衍等稷下先生，"著書言治亂之事。"這是說他們著書立說的用意。這一特點與莊子迴避現實政治的思想大不相同，而與黃老之學的關係十分密切。

首先是關於崇尚黃帝。田齊政權因取代姜氏的統治，害怕落得篡弒的惡名，總不忘爲"田氏代齊"的合理性尋求歷史的依據。因此在齊威王製的《陳侯因資敦》中有"其唯因資，揚皇考昭統，高祖黃帝，邇嗣桓文……"的銘文。這裏明確把黃帝作爲田氏（即陳氏）的祖宗，而且宣稱要繼承齊桓、晉文的霸業。而田氏原爲陳國逃到齊國來的貴族，因此又選中了來自陳國的老子學說，並將黃帝與老子結合起來，對道家思想進行改造，形成了黃老之學。在稷下學宮中，黃老之學佔有相當的優勢，《史記·孟荀列傳》說："慎到，趙人。田駢、接子，齊人。環淵，楚人。皆學黃老道德之術。"鄒衍關於黃帝的論述當是很多的，《史記·孟荀列傳》記載，鄒衍推理的方法中有"先序今，以上至黃帝"，他一定注意到黃帝是田齊的始祖，故上推至黃帝而止。他關於五行相勝說爲"虞土、夏木、殷金、周火"，而虞是黃帝一系的君主。實際上是說黃帝爲土德。《呂氏春秋·應同》說："黃帝之時，天先見大螾、大螻，黃帝曰：'土氣勝'！土氣勝，故其色尚黃，其事則土。"這正是反映鄒衍認爲黃帝爲土德的思想。

鄒衍的五行相勝說是繼承《管子》的《四時》、《五行》、《幼官》等篇關於五行相生說並加以發展而成的。《管子》中以陰陽五行來確定四時教令，是用的五行相生說，重點是論證五行中土居中央的重要性，認爲春爲木、夏爲火、秋爲金、冬爲水，在夏秋之間加上季夏爲土，指出："中央曰土，土德實輔四時入出。"又說："其德和平用均，中正無私。"（《四時》）這種編造表面看來是爲了湊數,實則體現了陰陽家爲齊國當政者是黃帝的後裔並應當位居中央成爲天子而製造輿論的用心。在《管子‧五行》中四次提到黃帝,特別突出黃帝的作用,也是爲上述目的服務的。從《管子》的《五行》、《四時》、《幼官》等篇內容來看,應屬於陰陽家的著作。鄒衍的五行相生說正與這幾篇一樣,是爲齊國田氏政權以黃帝的後裔自居而要統一天下製造輿論的。請看,鄒衍說:"五行相次轉用事,隨方面而服。"(見《史記集解》引如淳語)"五行相次轉用事",即按五行的相生順序(木火土金水)而配春、夏、季夏、秋、冬四時,"隨方面而服",即是天子在明堂的東、南、中、西、北的方位上,穿着相應的青、赤、黃、白、黑顏色的衣服,發布教令於國中,正是明堂制度的四時教令。鄒衍還有與之相應的"鑽燧改火"說:"春取榆柳之火,夏取棗杏之火,季夏取桑柘之火,秋取柞楢之火,冬取槐檀之火。"(見《周禮‧夏官‧司爟》鄭玄注)這是說,天子居於明堂之中,由司爟來執掌四時行火的政令。按不同的季節,用來取火之木有所不同。其取火之木的順序是按五行相生即木、火、土、金、水,來排列的(參見賈公彥《周禮疏》)。

鄒衍此說與稷下黃老之學是一致的。黃老帛書《十六經‧五正》說:"黃帝問閹冉曰:吾欲布施五正(政),……""五政"就是最原始的明堂制度。《史記‧封禪書》講到黃帝之時的明堂圖,可能與此有關。鄒衍的明堂制度當是從黃帝的明堂制度而來的,論述當更爲完整。而"五正"之說,確爲黃老之學的重要內容。《管子‧禁藏》也說,春季"發五正"。《管子‧四時》則說,春夏秋冬四時都要"發五正"。《鶡冠子‧度萬》:"鶡冠子曰:'天地陰陽,取稽於身,故布五正,以施五明……'"這些"五正",都是指的明堂制度,其內容與《呂氏春秋‧十二紀》或《月令》內容基本相同,只是後者更爲完整而已。因史料有限,鄒衍關於明堂制度有何議論雖不得其詳,但與黃老帛書、《管子》與《鶡冠子》的"五正"應當一致,並與《呂氏春秋‧十二紀》或《月令》的基本內容相合。

五、從"名實"問題上看

在"名實"問題上，鄒衍與黃老學派的宋鈃、尹文的觀點相同。

宋鈃、尹文認爲："物固有形，形固有名，此言名不得過實，實不得延名。"(《管子‧心術上》)意思是說，每種物體都有一定的形狀，一定形狀的物體就有一定的名稱。名稱不能超過實際的物體，實際的物體也不能給予伸展之後物體之名稱。即事物的"名"要與"實"相符。又說："名實不傷，不亂於天而天下治。"(《管子‧心術下》)又說："正名自治，奇名自廢。名正法備，則聖人無事。"(《管子‧白心》)這種"名實"論與《墨經‧小取》的"名實"論相同，都屬於唯物主義的"名實"論。《史記‧平原君列傳》說："平原君厚待公孫龍。公孫龍善爲堅白之辯，鄒衍過趙，言至道，乃絀公孫龍。"《史記集解》注釋此段，引了劉向《別錄》的一段話，其中有鄒衍如何駁斥公孫龍的原始記載。此記載十分精彩，但文辭古奧難懂，這裏參考金德建《鄒衍所說'五勝三至'釋義》(載《新中華》復刊第五卷第三期)，將此段錄出並意譯如下：

> 劉向《別錄》曰：齊使鄒衍過趙，平原君見公孫龍及其徒綦母子之屬，論"白馬非馬"之辯，以問鄒子。鄒子曰："不可。彼天下之辯，有五勝三至，而辭正爲下。(據《韓詩外傳》卷六第六章校正，"而辭正爲下"當作"而辭置下"。)辯者，別殊類使不相害，序異端使不相亂；抒意通指，明其所謂，使人與知焉，不務相迷也。故勝者不失其所守，不勝者得其所求。若是，故辯可爲也。及至煩文以相假，飾辭以相惇，(據《韓詩外傳》第六卷第六章，"惇"當爲"悖"。)巧譬以相移，引人聲使不得及其意。如此，害大道。夫繳紛爭，言而競後息，不能無害君。"坐皆稱善。

> 譯文：

> 劉向《別錄》說：齊國派鄒衍出使趙國，趙國的平原君正與

　　名家公孫龍，還有公孫龍的門徒綦母子等人，在進行"白馬非馬"
的辯論。平原君問鄒衍"白馬非馬"之論怎樣？鄒衍説："("白
馬非馬"的説法)不能成立。那天下的名辯有'五勝三至'原則，
而强詞奪理，只想以言辭勝人者，是辯論中的下乘。名辯者的
("五勝"原則，當是分析"辯"之功效的五條原則，現已很難知其
具體內容。)"三至"原則是：一，"別殊類"。這相當於《墨經‧
小取》："以名舉實"。即按照具體事物給予恰當的名稱，也即
"名"副其"實"。這就相當於邏輯學的概念。如此便可以區別各
種事物，使互相之間不會混淆。二，"序異端"。相當於《小取》：
"以辭抒意"。即兩個概念之間形成確定的關係，而產生判斷，以
便與其他的判斷相區別而不至於混淆。三，"抒意通指，明其所
謂"。相當於《小取》："以説出故"。即以已知的判斷爲據，而推
導出一種新的判斷。也即是推理作用。這樣就使人知道其中的
道理而不至於迷惑。因此，辯論中的勝利者沒有失去他所堅持
的原則，而失敗者也從中得到他所追求的真理——認識到自己
之所以失敗的道理。如果這樣，則辯論就確實值得進行了。要
是到了以煩瑣的文飾來相憑藉，修飾言辭以相逆亂，用花言巧語
的譬喻以相轉移，引導人們追求語言華麗而又叫人難以懂得真
正的涵義，如果像這樣，則是有害於大道的。纏繞不清的爭執，
曠日持久纔能平息，這對於君子是不能没有害處的。"在座的人
都説鄒衍講得好。

　　我們弄懂了鄒衍駁斥公孫龍這段精彩的話，對他的名實思想
也就明白了。他的"名實"論，具體地説即是"別殊類使不相害"。
這相當於《墨經‧小取》："以名舉實。"即按照具體事物給予恰
當的名稱。也即"名"副其"實"。如此便可以區別各種事物，使互
相之間不會混淆。這種思想與稷下黄老之學的學者宋鈃、尹文的
"名實"論，我們不必多作解釋就知道是相同的了。

六、從陰陽家的起源上看

就陰陽家的起源而論，鄒衍的學說也與黃帝有關。《管子·五行》説："昔黃帝以其緩急作五聲，以政五鐘……五聲既調，然後作立五行，以正天時。"《史記·曆書》説："蓋黃帝考星曆，建立五行，起消息，正閏餘，於是有天地神祇物類之官，是謂五官。"這裏把五行的産生歸功於黃帝，等於説黃帝是陰陽家的創始人。而黃帝與陰陽家確實關係密切。《漢書·藝文志》列舉六國之陰陽家著作，有《黃帝泰素》二十篇，六國時韓諸公子所作。顔師古説："劉向《別録》云：或言韓諸公孫之所作也。言陰陽五行，以爲黃帝之道也。故曰《泰素》。"《藝文志》五行類著作中有《黃帝陰陽》二十五卷、《黃帝諸子論陰陽》二十五卷，對這些著作評論説："其法亦起五德終始，推其極則無不至，而小數家因此以爲吉凶而行於世，寖以相亂。"這些著作直接托名黃帝或黃帝之諸子，與黃帝多少有些關係。這説明陰陽家與稷下黃老之學都是爲着同一個目的。

陰陽家確與曆法有密切的關係。《漢書·藝文志》説，"陰陽家者流，蓋出於羲和之官，敬順昊天，曆象日月星辰，敬受民時，此其所長也。"此記載顯然是據《尚書·堯典》："乃命羲和，欽若昊天，曆象日月星辰，敬受天時。"《傳》曰："羲氏和氏，世掌天地四時之官。"《傳》所言"世掌天地四時之官"，是因羲和二氏之祖先重黎就是管理天地四時的官。《尚書·呂刑》："乃命重黎，絕地天通。"《疏》："羲是重之子孫，和是黎之子孫，能不忘祖之舊業，故以重黎言之。"《國語·楚語下》："顓頊受之，乃命南正重司天以屬神，命火正黎司地以屬民。……堯復育重、黎之後，不忘舊者，使復典之，以至於夏商。"《呂刑》所謂"絕地通天"，實是指巫的職能，即溝通人與天神的關係。而巫即是史。由此看來，陰陽家之學確是淵源於史。既然陰陽家之學淵源於史，而老子是"周守藏室之史",那麼陰陽家與老子思想有相同之處,就不奇怪了。

七、從後人的評價上看

　　從後人對鄒衍的評價,也可看出他與道家的關係。楊雄《法言·問道》說:"或曰:'莊周有取乎?'曰:'少欲。''鄒衍有取乎?'曰:'自持。至周罔君臣之義,衍無知於天地之間,雖鄰不覬也。'"這話把莊子與鄒衍進行比較,認爲莊子可取之處在"少欲"即"寡欲",而鄒衍可取之處在"自持"。"自持"與"少欲",涵義接近。

　　楊雄批評鄒衍"迂而不信"(《法言·五百》),王充也說:"案禹之《山經》,《淮南》之《地形》,以察鄒子之書,虛妄之言也。"(《論衡·談天》)與楊雄的批評一致。這種批評同樣適合於莊子。

八、從對後世的影響上看

　　最後,我們從鄒衍的思想對後世的影響來看,與方士和道教很有關係,同時,與儒家也頗有關係。廣而言之,對傳統文化都有相當大的影響,他的陰陽五行學說,廣泛地滲透到傳統文化的許多方面。這裏我們僅簡述他與方士、道教和儒家的影響。

　　《漢書·藝文志》評論陰陽家時說:"亟拘者爲之,則牽於禁忌,泥於小數,舍人事而任鬼神。"即是說陰陽家的學說要是被拘泥教條者所運用,就囿於禁忌,拘泥於小的術數,拋棄人間之事而相信鬼神。其實鄒衍的思想並無相信鬼神之說,但從鄒衍思想往前發展,則可以導致相信鬼神,甚至迷信。燕齊方士正是如此。《史記·封禪書》記載:"宋毋忌、正伯僑、充尚、羨門高最後,皆燕人,爲方仙道,形解銷化,依於鬼神之事。鄒衍以陰陽主運,顯於諸侯,而燕齊海上之方士傳其術,不能通,然則怪迂阿諛苟合之徒

自此興,不可勝數也。"由此可見,方仙道與鄒衍關係密切。方仙
道介於道家與方士之間,亦可說是道家的一個支派。方士把鄒衍
的學說引向相信鬼神,迷信,雖不該由鄒衍來承擔責任,但"鄒衍
從此也就蒙上了污垢了"(郭沫若語)。《漢書・楚元王傳》記載:
"上復興神仙方術之事,而淮南有枕中《鴻寶》《苑祕書》。書中言
神仙使鬼物爲金之術,及鄒衍重道延命方,世人莫見。"在漢武帝
時秘密藏在枕中的方士書籍《鴻寶》、《苑祕書》中載有鄒衍的重道
延命方,當然不是出自鄒衍的發明,而是托名鄒衍。而《抱朴子・
內篇十九》諸"道經"中又有"鄒生延命經"。這裏的"鄒生",顯然
即是鄒衍,這很可能是道士據"鄒衍重道延命方"而編造的。由此
可見,鄒衍與道教也有關係。《後漢書・襄楷傳》還記載:"初,順
帝時,琅玡宮崇詣闕,上其師干吉於曲陽泉水上,所得神書百七十
卷,……號《太平清領書》,其言以陰陽五行爲家……後張角頗有
其書焉。"這裏所說的《太平清領書》,"以陰陽五行爲家",是道教
受陰陽家影響的證據。

　　當然,我們也不能否認,鄒衍的陰陽五行學說對漢儒的影響
是巨大的,對董仲舒思想的影響尤爲明顯。正如侯外廬先生所
說,鄒衍的陰陽五行思想是儒家"思孟學派到董仲舒之流的陰陽
儒家"的"中間環節"①。

　　綜上所述,我們可以得出結論,陰陽家鄒衍無論從宇宙觀、樸
素辯證法思想、天地人三才思想、與稷下黃老之學的關係、"名實"
問題,還是從陰陽家的起源、後人對陰陽家與鄒衍的評價,以及鄒
衍與陰陽家對後世的影響等方面來看,都與道家有十分密切的關
係。

---

①見《《中國思想通史》第 1 卷第 646 頁。

作者簡介　　孫開泰　1940 年生，四川納溪人。1963 年畢業於雲南大學歷史系，現爲中國社科院歷史所副研究員。主要著作有《中國春秋戰國思想史》、《吳起傳》等。

《易》《老》相通論

周立升

内容提要 本文從《易傳》的最高範疇"易"與《老子》的最高範疇"道"在本體論與宇宙生成論上所具有的共同涵義,從《易》《老》同是主張直覺思維的認知方式及其在思辯方法上都强調"天人合一"的整體觀等方面,具體論述了《易傳》與《老子》思想之相通。

《易》《老》相通①,古人即有此論,到了近世則漸爲學界所認同。所謂相通,並非概念的簡單比附,亦非學派的接續傳承,而是就人類思維的邏輯進程及其思想意蘊的展現説的。從這一角度,我們將《易傳》和《老子》作一比較,不難發現二者是有着内在的契合點的。當然,《易傳》也吸納了儒家、陰陽家、黃老家的思想,但是從《易傳》的思維架構及其展現來看,《易》《老》相通顯然更爲突出和顯著。

一、宇宙圖式: 道生與易化

一般認爲《周易》的最高概念是"太極",其實這是不確切的,

---

①傳統觀點,上下經及十翼統稱爲經,因此古人引用《周易》時,無論引經文抑或傳文均稱"易曰"。但此處所謂《易》單指《易傳》而不含經。

或者説是有些誤會。《周易》的最高概念不是"太極"而是"易"。這正如《老子》的最高概念不是"一"而是"道"一樣。"易"作爲《周易》的最高概念,似乎脱胎於《老子》的"道"。因此,它和道一樣,既是一個本體論範疇,又是一個宇宙生成論範疇。

(一)作爲哲學本體論範疇的"道"與"易"

何謂"易"?《繫辭》説:"易無思也,無爲也,寂然不動,感而遂通天下之故。"無思則無意識,無爲則任自然,寂然謂静,感通謂動。又説:"易與天地准,故能彌綸天下之道。""准",虞翻注云,同也。帛書《繫辭》作"順",優於通行本。所謂"易與天地准",即易與天地順同,故能囊括天下之道,包絡宇宙萬有。可見,"易"與《老子》的"道"影似。《老子》把天、地、人道納入"道"這一總體性範疇之中,從而對道的性能從不同的角度、不同的層面作了全新的解釋,首次出現了由理論思維所建構的哲學本體論。"易"肖似"道"。它廣大悉備,"冒天下之道",理當覆蓋"三極之道"。所以《繫辭》説它"有天道焉,有人道焉,有地道焉"。那末,天地與易是何關係呢?《繫辭》説:"乾坤,其易之蕴邪?乾坤成列而易立乎其中矣,乾坤毁則無以見易,易不可見則乾坤或幾乎息矣。是故形而上者謂之道,形而下者謂之器。"乾坤即天地。易在天地之中,與天地共久長。值得注意的是它所作出的結論。這個結論清楚地告訴我們,天地是具體的物,是形而下者,是器;"易"是抽象的,是形而上者,是道。這正如《老子》所説的,"有物混成,先天地生。寂兮寥兮,獨立而不改,周行而不殆,可以爲天地母。吾不知其名,字之曰道"(二十五章)。

需要強調的是,《老子》在它的哲學本體論中,提出了"朴"和"器"的範疇。《老子》説:"道常無名,朴。"(三十二章)又説:"朴散則爲器。"(二十八章)"朴"作爲一種原始的無固定形質的内在的終極根源是宇宙萬有的素材,而不是本身。但是,任何具體的形下之器都是由這種素材演化而成的,没有朴也就没有器。同時,各種具體的器在運動變化中還要"復歸於朴"。可見,《老子》的朴器論實質上乃是闡明道與器的關係問題,衹是論述尚欠完備而已。《繫辭》的作者明顯地繼承和發揮了《老子》的思想,將之概括爲"形而上者謂之道,形而下者謂之器",并使之範式化。從此,道與器便成爲中國哲學中極爲重要且富有生命力的一對範疇。

道與易作爲本體論範疇,具有許多質的規定性的特徵,舉其要者爲:

一,有與無的統一

有和無作爲哲學範疇,是由《老子》首先提出的。爲了探尋作爲"萬物之奧"的道的本質,揭示它同世界萬有的差異和聯繫,於是《老子》運用了這對範疇。道相對於具體的有而言,是"無";而相對於虛無來說,又是"有",是有與無的統一。道的有和無,是不同於具體事物的有和無的。前者是無形("無狀之狀")、無體("無物之象")的,後者是有形、有體的。對無形、無體的東西,人們是無法用感官直接感知的,衹有通過直覺思維和理性思辯去把握它。所以道作爲有與無的統一,乃是直覺思維的辯證統一,而非感性的具體的統一。這是《老子》對道所作的哲學證明。我們再來看"易"。《繫辭》說:"易者,象也。象也者,像也。"這是說,易乃由觀物取象而來,因此它是象。既然"像其物宜",當然是"有",從宏觀到微觀無無象之物,亦無無物之象,所以萬有皆可取象。然而,象者衹是像似而已,它並非即是該物,故朱熹釋"理之似也"。將"易"釋作"理",亦可見朱熹之匠心獨具。《繫辭》又說:"神無方而易無體。"神謂玄妙、微妙。"神也者,妙萬物而爲言者也。"(《說卦》)陰陽不測的神妙變化是無固定方所的,而"易"則是無固定形體的。無固定形體即是"無",然而無固定形體也是一種形體,因此又是"有"。可見,"易"也是"有"與"無"的統一。

二,永恆性與無限性

道作爲最高範疇是永恆的。《老子》說:"道可道,非恆道。"(一章)恆道是不可道的,然而它卻是存在的,是恆亙古今的。"自

今及古,其名不去"(二十一章)。道的永恆性表現爲無始無終、無
滅無生。正如《莊子》說的,它"自古以固存","先天地生而不爲
久,長於上古而不爲老"(《大宗師》)。它的永恆存在,表明了它的
絕對性。"易"也是永恆的,它與乾坤共始終。"乾坤毀,則無以見
易。"(《繫辭》)易類萬物之情,"觀其所恆而天地萬物之情可見
矣。""天地之道恆久而不已也……日月得天而能久照,四時變化
而能久成,聖人久於其道而天下化成。"(《彖·恆》)

永恆的東西,不僅是絕對的,而且是無限的。就道來說,"迎
之不見其首,隨之不見其後"(十四章)。無首則無始,無後則無
終,此即表明了道的無限性。就大而言,"萬物歸焉而不爲主,可
名爲大"(三十四章)。亦即"其大無外",故"強爲之名曰大"(二十
五章)。就小而言,"衣養萬物而不爲主,可名於小"(三十四章)。
亦即"其小無內",故"雖小,天下莫能臣。"(三十二章)無論大也
罷,小也罷,總之是無限的。那末易呢? 它廣大悉備,無所不包。
"夫易廣矣大矣! 以言乎遠則不禦,以言乎邇則靜而正,以言乎天
地之間則備矣"。(《繫辭》)但是,它又是小的,"其稱名也小"。而
且它能"顯微闡幽",微、幽都是形容小的,對於微、幽之物它都可
進行顯闡,表明它自身是無限小的。

道的無邊無際,表明了它的空間性;道的無始無終,表明了它
的時間性。道與時空偕極,並非超時空的。易也如此,"乾坤成
列,而易位乎其中矣"(《繫辭》)。所謂成列,即指空間,亦稱
"位"。《周易》對"位"概念特別重視,它認爲空間("位")條件對事
物的發展變化及其吉凶休咎,有時能起決定的作用。關於時間講
的尤多。如:"四時"、"趨時"、"與時偕行"、"與時偕極"、"與時消
息"、"原始反終"、往來先後等等。"時"所以被《易傳》作者特別推
重,一方面作者希冀從理論上論證易必得時、適時、應時、趨時,即
易不超時間而是與時偕行的;另一方面則是從行爲上強調審時度
勢的重要,以便適應歷史的發展和社會的變化。

總之,《老子》的"道"和《易傳》的"易"都是在時空中永恆運動

着的絶對,是宇宙本體。但是,二者同"物質"範疇尚不可同日而語。原因在於,道與易特別是易作爲宇宙的本體,完全是主觀設定的,猶如將"理"、"心"或"絶對觀念"設定爲宇宙本體一樣。

(二)作爲宇宙衍生論範疇的"道"與"易"

道是萬物之宗主,是宇宙萬有的總根源。《老子》説:"道者,萬物之奥。"(六十二章)"淵兮,似萬物之宗。"(四章)它是"天地之母",萬物的始基。道的最大功能是造化,道的最高德性是創生。"道生之,德畜之,物形之,器成之。是以萬物莫不尊道而貴德。"(五十一章)"易"亦如此。生生不息,大化流行,既是易之功能,又體現了它的德性。《繋辭》云:"生生之謂易。"又云:"天地之大德曰生。"天地之所以能生,在於易化。故太史公云:"易以道化。"(《史記·太史公自序》)

在論證宇宙生成和萬物衍化時,《易傳》和《老子》有着異曲同工之妙。《老子》説:

> 道生一,一生二,二生三,三生萬物。萬物負陰而抱陽,衝氣
> 以爲和。(四十二章)

《繋辭》説:

> 易有太極,是生兩儀,兩儀生四象,四象生八卦,八卦定吉
> 凶,吉凶生大業。

就《老子》説,道又稱無極,如云"復歸於無極"(二十八章)。復歸於無極即復歸於道,可見無極即道。"一"指什麽呢? 一乃指渾然一體之氣,即未判爲陰陽的混沌之氣。氣分陰陽,陽氣清輕颺爲天,陰氣濁重凝爲地,這即是"一生二"。陰陽衝湧,交合化生,從而出現第三者,即陽中陰和陰中陽。無論陽中陰抑或陰中陽,既非純陽亦非純陰,而是陰陽合和所出現的第三者,這就是"二生三"。世界萬物都是"負陰而抱陽"的,即陰陽的有機統一,故云"三生萬物"。從宇宙生成和衍化的過程看,萬物是從陰陽合和來的,陰陽是從氣來的,氣是由道派生的,所以道是萬物之主,萬物之母,是宇宙萬物的始基。道或無極是無,一是有,"道生一"就是

無生有。故爾《老子》説：

天下萬物生於有，有生於無。（四十章）

這個“有生於無”的過程，也就是宇宙生成和衍化的過程。可將之表列如下：

無	→	有			→	萬物
道	→	一	二	三	→	萬物
道（無極）	→	混然之氣	陰氣、陽氣	陰陽合（陽中陰、陰中陽）	→	萬物

　　《老子》的宇宙衍生論，對後世的思想家和科學家影響很大。《繫辭》的作者就是其中之一。《繫辭》云：“天地絪蘊，萬物化醇。男女構精，萬物化生。”《序卦》云：“有天地然後萬物生焉。盈天地之間者唯萬物。”天地、男女，均喻陰陽。在這兒，《易傳》的作者并非探究宇宙的衍化，而是強調陰陽的作用與功能。孔穎達釋“天地絪蘊，萬物化醇”曰：“絪蘊，相附著之義。言天地無心，自然得一。唯二氣絪蘊，共相和會，萬物感之，變化而精醇也。天地若有心爲二，則不能使萬物化醇也。”（《周易正義》）這位儒者的疏解可謂深得老學旨意。天地既非最高本體，太極亦非天地，那末《易傳》的宇宙衍化論，就是前引“易有太極”那段話了。關於“太極”，歷代學者多有論列，有以太一、太乙釋者，有以元氣釋者，有以陰陽釋者，有以總理釋者，亦有以道釋者。如從與《老子》比較的視角觀察，它類似於“無極”。以圖示之，則爲：

易	→	太極	→	兩儀	→	四象	→	八卦
無極（道）	→	太一	→	陰陽	→	太陽 太陰 少陽（陽中陰） 少陰（陰中陽）	→	天、地、雷、風、 水、火、山、澤

這裏不難發現,《老子》的"道生"和《繫辭》"易化",思維進路是一致的。其不同在於,《繫辭》的作者在摹擬《老子》的"道生"思想時,將《老子》的道的客觀面抽掉了,突出了"易"的主觀設定即聖人制作的一面,從而使"易"概念難以超出易學領域,更不可能取代"道"而占居顯赫位置。儘管後人竭力抬高"易"概念的地位,如稱"太易",或説"視之不見,聽之不聞,循之不得,故曰易也"(《易緯乾鑿度》)等等,但仍無濟於事。原因在於《易傳》的作者在對《易經》進行哲學闡釋時,將概念的靈活性加以主觀的應用,砍掉了"易"的客觀基礎。這是他們的一大失誤,也可説是他們哲學概括的敗筆。但是,這也難以責怪。因爲《易傳》的作者仍然十分重視《周易》的筮占功能,并煞費心機地論證占筮的意義,叙述占筮的原則,總結占筮的經驗,概括占筮的公例等,表現出既要把《易經》哲學化,又要保持《易經》本性的二重心態,從而成爲既重義理解悟又重象數占驗的最早代表。這種雙向兼重的思維路向,同道家的輕卜筮思想有別,也同孔子、荀子特重義理的思想迥異。

從《易傳》作者推重象數的角度,如果説"易有太極"章是講筮法問題,并非講宇宙衍生論,我亦同意。因爲其持之有故,言之成理。但這已超出《易》《老》相通的論題了,故本文對此不作深論。

二、思維方式: 直覺與思辯

(一)《老》《易》直覺思維之樣態與可能

直覺主義作爲《老子》的認知方式是學界公認的,它深刻影響甚至左右着我國古代的傳統思維方式,《易傳》也不例外。

《老子》説:"道可道,非恆道;名可名,非恆名。"(一章)這是説,能夠用言語稱謂的就不是恆道,可以用名言表述的就不是恆名。對恆道的把握既非邏輯推理所能奏效,亦非常規思維所能企及，而是採思維中的直接領悟即直覺思維。《老子》的直覺主義，突出地表現爲"静觀"和"玄覽"。所謂"静觀"即以静觀静的直觀。道是寂静無形的（"寂兮寥兮"），祇有守静，纔能直取道之本性。因此，《老子》説："致虚極，守静篤。萬物并作，吾以觀復。"（十六章）所謂致虚，也就是消解一切主觀成見，徹除心靈的種種蔽障。守静則是安定躁動的心緒，堵塞情欲的門徑，排除外物對感官的干擾。"玄覽"，帛書《老子》作"玄鑒"。鑒即鏡子。《莊子》説："聖人之心，静乎天地之鑒，萬物之鏡也。"（《天道》）《淮南子》説："清明之士，執玄鑒於心，見物明白。"（《修務訓》）可見，玄鑒即指心靈、心官。"滌除玄鑒"就是洗滌其心，使心清如鏡，一塵不染，像白版一般，無任何意念存留。《老子》是通過"静觀"和"玄鑒"，從而進入直覺領域並達到與道豁然貫通之狀態的。這種直覺思維的特點是，直觀性、自發性和非邏輯性。具體表現則爲少名言而求直觀，靠靈性而非邏輯，重覺解而輕論證。《莊子》曰："道不可聞，聞而非也；道不可見，見而非也；道不可言，言而非也。"（《知北游》）這種不用耳聞、不以目見、不用言表而得道的情形，畫出了在非邏輯思維的狀態下進行直覺悟解的神彩。

直覺悟解的思維方式在《周易》中表現得尤爲突出。《易傳》作者所提出和運用的"觀物──取象──比類──體道"的方法，其實就是直覺思維的範式化。所謂"觀物取象"，即通過仰觀俯察、近取遠取等方式，對天地萬物的物象進行多角度多層面的反復觀察和直覺感受，然後"擬諸其形容"，將之概括、提煉爲易象。《繫辭》説，"聖人有以見天下之賾"，"仰則觀象於天，俯則觀法於地，觀鳥獸之文與地之宜，近取諸身，遠取諸物，於是始作八卦，以通神明之德，以類萬物之情"。可見，取象就是對事物的紋、理、節等特徵加以概括，對蘊含於其中的性、情、理予以象徵和表述。這種取象方法是不能用邏輯進行推導的，也不是靠理性思維所能解決的。相反，它倒有濃厚的違反邏輯和違背理性的意味。如説：

"探賾索引，鉤深致遠，以定天下之吉凶，成天下之亹亹者，莫大乎蓍龜。"他們將象數和蓍龜的神妙功能，說得無以復加。和《老子》一樣，《易傳》在推重直覺解悟時，也是強調"虛其心"和"靜其神"的。如說："蓍之德圓而神，卦之德方以知，六爻之義易以貢，聖人以此洗心，退藏於密，吉凶與民同患。"（《繫辭》）朱熹注云："圓神謂變化無方，方知謂事有定理，易以貢謂變易以告人。聖人體具三者之德而無一塵之累，無事則其心寂然人莫能窺，有事則神知之用隨感而應。"（《周易本義》）朱熹以"無一塵之累"釋洗心，可謂深得其旨。這也就是《老子》所說的"滌除玄鑒"。所謂"其心寂然"，即是靜心壹意。所謂"神知之用隨感而應"，即是直覺悟解。《繫辭》中，凡以"子曰"解易者，均屬此類。譬如，《繫辭》引"鳴鶴在陰，其子和之。我有好爵，吾與爾靡之"（《中孚·九二》）。作者即以"子曰"（經師曰）的形式，發表了一通善有善應，惡有惡報，言行爲榮辱之主，君子必當慎之又慎的道德説教。然而，這通議論與"鳴鶴在陰"毫無關係，真乃風馬牛不相及。正是這種不相及的覺解（一種下意識或潛意識的偶然頓悟）被《易傳》作者推尊到極高的地位，予以無限誇大。由《老子》開端被《周易》發揮并廣泛運用的直覺思維，突出的是所謂"靈性"。這種"靈性"帶有極大的模糊性和神秘性。

(二)《老》《易》辯證思維之勾通與轉型

　　《老子》的辯證法思想和辯證邏輯是舉世公認的。《易傳》在老學的基礎上進一步開顯，從而形成了自己的系統並具有鮮明的特色。

　　毋庸諱言，《易》與《老》的辯證法是同中有異和異而趨同的。既然如此，那末二者的主要思想之聯結及其核心觀念之勾通，就是不言而喻的了。

　　一、崇順"天道""自然"，由天道推衍人事的系統觀

　　崇尚"道"和"天道"、順任"自然"是老學的基調。《易傳》在把

"易"抬至與"道"齊等地位之後,也是步趨老學。《老子》以道爲軸心,建立了道的完備系統,"人法地,地法天,天法道,道法自然"(二十五章)。宇宙萬有皆取法於道,道滿天下,無處不在。萬物由道開始,又復歸於道。《易傳》則以"易"爲框架,建立了易的系統,"立天之道曰陰與陽,立地之道曰柔與剛,立人之道曰仁與義"(《説卦》)。易布乾坤,周流六虛,萬物以天資始,以地資生,易則"範圍天地之化而不過,曲成萬物而不遺"(《繫辭》)。"道"與"易"作爲系統,是開放的動態系統。一切都在變動之中,變動的規律是朝向對立方面往復地進行。《老子》説:"反者,道之動。"(四十章)"周行而不殆。"(二十五章)"萬物并作,吾以觀復。"(十六章)《繫辭》説:易之"爲道也屢遷,變動不居,周流六虛,上下無常,剛柔相易。""日往則月來,月往則日來,日月相推而明生焉;寒往則暑來,暑往則寒來,寒暑相推而歲成焉。"《老》《易》之所以強調運動的循環性,是由於其對天道直觀的結果。天道可觀可象,可感可通,人應效天道,法自然。故爾《老子》説:"天地不仁,以萬物爲芻狗。聖人不仁,以百姓爲芻狗。"(五章)"天之道,利而不害。人之道,爲而不爭。"(八十一章)《繫辭》則説:"天地變化,聖人效之。""明於天之道而察於民之故。"可見,二者均由天道以推衍人事是至爲明顯的。但是必須看到,無論在《老子》抑或《易傳》那裏,天道不是實體,也不是共相,而是作爲宇宙整體性的代表。它能統攝萬物,主宰化生,同時它又是萬物自身之性,存在於萬物之中。因此宇宙萬物之間,不存在絕對界限,而是相互映現、相互貫通、相互聯結、相互感應的,所以纔能形成"道"或"易"的動態系統。這就是《老子》和《易傳》由天道推衍人事的根據。

二,強調萬物相通"天人合一"的整體觀

　　《老子》將宇宙萬物視爲一個生生不息的無限過程,強調萬物存在的連續性和不可分割的整體性。而對於具體對象,則着重進行辯證否定的分析和把握。道是大,是一,是全,是超越有限存在的。道的大、一、全，並非指作爲具體對象的完整性或其存在形式的單一性，而是指作爲造化萬物、統攝萬有的道的連續整體性。具體事物可以生生滅滅，但大道不廢而恆自然。因此，把握社會、人生及萬物的着眼點，不是定位於個體對象上，而是由道或天道入手，來體察事物的內在本性及其變化。具體説，就是探究天人整體之學。《老子》如此，《易傳》亦復如是。所謂天人整體之學，亦即"天人合一"之整體觀。從"天人合一"作爲根據看，《易》《老》是一致的，即二者都援引天道以論證人道，竭力使人道的原則符合天道的規律。儘管這個天道不過是人自身本質的投影，但他們卻虔誠地把它視爲客觀的、外在於人的必然之律。從"天人合一"的效應看，《易》《老》則分途了。《老子》主張因任自然，認爲人道應當取法天道的自然無爲原則。假如"爲"，必須以"無爲"爲之，從而達到"以至於無爲"的目的。《易傳》則不然，它也因循自然、效法天道。但是并不以天屈人，而是以人伸天。強調人應取法天道的剛健有爲和地道的渾厚德性。"天行健，君子以自強不息。"（《乾·象》）"地勢坤，君子以厚德載物。"（《坤·象》）從而矯正了《老子》"自然無爲"論中壓抑主體能動性的一面。

三，着眼於整體的穩定與完善的和諧觀

作爲天人整體之學的天（客體）和人（主體），本來是對立的兩極。但對事物的矛盾關係，《老》和《易》所強調的不是對立兩極之間的排斥、爭鬥和分裂，也不是均衡、聯合與同一，而是突出雙方的相比相得、相承相應、相和相通的互補和諧關係。《老子》説："萬物負陰而抱陽，衝氣以爲和。"（四十二章）"天地相合，以降甘露。"（三十二章）《繫辭》説："與天地合其德，與日月合其明，與四時合其序，與鬼神合其吉凶。"可見，正負兩極，相反相成，互濟爲用，一方必以他方作爲自身存在的根據，同時每一方又都包含着對立一方的種子。因此，事物在發展變化中不是一方吃掉或消滅另一方，而是促進對方的發展和生長。《老子》説："有無相生，

難易相成,長短相形,高下相盈。"(二章)《繫辭》説:"易窮則變,
變則通,通則久。""陰陽合德,剛柔有體,以體天地之化,以通神
明之德。"足證,一方的消長變化必定以另一方相應的消長變化
爲補償,以便始終保持整體的和諧與穩定。作爲天道、地道的自
然界是如此,作爲人道的人類社會亦如此。雖然對立諸因素在相
生相勝中有所損益,但不會導致總體的破壞與失衡。相反,祇有
在變化屈伸中纔能保持事物的生存和延續,即"歸根復命"(《老
子》),"保合泰和"(《彖傳》)。不難發現,由"道"或"易"所主宰的
變化的總過程是近似圓圈的循環,正是這種周行循環,纔體現了
天道變化的圓滿性,纔實現了整體存在的穩定性。

然而,在如何保持事物的穩定和完善方面,《老子》同《易傳》
則又分道揚鑣了。《老子》從自然、社會和人生現象中,觀察到剛
強的東西多喪失生機並逐步走向死亡,柔弱的東西反而充滿了生
機和活力。因此,它的結論是"柔弱勝剛強。"(三十六章)從這一
原則出發,它主張"貴柔"、"守雌"。認爲祇有將對立面預先容納
於自身之中,使之不失去原有的性質,纔能保持自身的穩定,進而
避免走向死亡。這就使其辯證法明顯地帶有"貴柔"、"守雌"的特
色。由於《老子》過分強調柔弱的作用並竭力保持柔弱的主導地
位,所以《老子》的辯證法內涵着退守、曲全的收斂本性。這也是
其蔽於一曲的表現吧。《易傳》在繼承《老子》辯證法的過程中,對
那"有見於屈無見於伸"的弊端有所徹察,故爾予以匡正:突出
"陽剛"和"正勝"的主導地位;強調轉化的條件。將《老子》"靜而
柔"的辯證法轉換爲"動而剛"的樣態。所謂"轉換"即是揚棄,亦
即是辯證的否定。《易傳》的作者力圖無偏無黨地全面解決對立
面之間的關係問題,提出"一陰一陽之謂道"的命題,希冀使矛盾
雙方可偏勝而不可偏廢。然而卻有意或無意地突出了陽剛的主
導地位,并深刻影響着中國文化的發展。這種影響既有積極的一
面,也有消極的一面。荀子説:"萬物爲道一偏,一物爲萬物一

偏。"(《正論》)真正做到"無有作好"、"無有作惡",確實是難乎其
難的。

作者簡介　周立升,1937 年 2 月生,山東慶雲人。山東大學
哲學系教授。著有《淮南子的易道觀》、《虞翻的象數易論綱》、《契
數與周易》等論文,主編《春秋哲學》等書。

《象傳》道論三題

魏啟鵬

內容提要 本文討論《象傳》道論的核心內容"天行"說的幾個問題。認爲"天行"說肇源於史官演《易》,其思維模式則主要得益於黃老道家。《象傳》應天而重時變,斷卦決疑,深合道家要指。"神道設教"不是利用鬼神行教化,而是測二至,定四時,以行政教,乃道家易學題中應有之義。本文徵引帛書《黄帝四經》之佚文,以參照并支持上述各論點。

在"《十翼》非孔子所作"成爲現代學者共識的過程中,對《易傳》各篇分別進行辨析研究,就列入易學領域不可缺少的重要課題之一。學者們注意力首先集中到成書較早的《象傳》。李鏡池先生六十四年前即發現《象傳》的作者多多少少受過道家思想影響,以後又指出《象傳》乾、坤二卦的說解來自老子。1984 年,朱伯崑先生《易學哲學史》認爲"《象傳》的思想內容,除受道家影響外,同孟子學說有密切關係"。1990 年,陳鼓應先生發表《〈象傳〉與老、莊》,"論證它是以道家學說爲主體而融合陰陽、儒、墨諸家思想的產物",1994 年又作《〈象傳〉的道家思維方式》,論證《象傳》同時也深受稷下道家或黄老道家的思想影響,兩文言之鑿鑿,持之有故,爲《易傳》研究一開生面。受上述論著啟發,不揣譾陋,試就《象傳》道論略陳管見,敬希批評指教。

"天行" 説源於史

　　道家易學肇源於史官治《易》，《彖》作爲成書年代早的《易傳》，還保留着這一傳承軌迹。説解《蠱》、《剝》、《復》卦時，《彖傳》三次論及"天行"："終則有始，天行也"，"消息盈虚，天行也"，"'反復其道，七日來復'，天行也。……復，乃見天地之心乎"。王引之《經義述聞》卷二指出，《爾雅》："行，道也"，古人謂天道爲天行也。"天行"一語在傳世古籍中，最早見於《國語·晉語四》，公元前636年(乙酉)，重耳流亡十九年後歸晉，晉史董因迎公於黄河，爲之占卜曰：

　　　　歲在大梁，將集天行。元年始受，實沈之星也。(韋註："謂魯僖二十三年，歲星在大梁之次也。集，成也。行，道也。言公將成天道也。公以辰出，晉祖唐叔所以封也；而以參入，晉星也。元年，謂文公即位之年。魯僖二十四年，歲星去大梁，在實沈之次。受，受於大梁也。"案：大梁、實沈皆爲星次之名，十二次即行星經過星空時暫居的十二個處所。大梁與黄道十二宫之金牛宫相當，在二十八宿爲胃、昂、畢三宿。實沈與雙子宫相當，在二十八宿爲畢、觜、參、井四宿，爲晉之分野。) 實沈之墟，晉人是居，所以興也。今君當之，無不濟矣。……臣筮之，得《泰》之八，曰：是謂天地配亨，小往大來。今及之矣，何不濟之有？

　　關於文中"將集天行"的涵義，錢大昕之説可資參考："古法歲星與太歲常相應，歲星自丑右行，太歲自子左行，歲移一次，周則復始。歲在大梁，太歲必在辰，辰與酉合，言星可以見歲也。"《周禮·馮相氏》鄭玄註："歲星爲陽，右行於天；太歲爲陰，左行於地。"星之見歲，當指歲陽與歲陰的運行正交集在上下對應的位置，殆即所謂"集天行"。董因卜筮稱"天地配亨"，無疑也包含有對此天行狀態的解釋和判斷。

　　這表明,史官演《易》,緊密結合着天文曆法的洞悉推算,以事占卜。"天行"的本義是日月星辰諸天體分布、交錯的運行規律,以後又逐步成爲先秦自然哲學的一個重要概念。史官易學已初具"仰觀天文,俯察地理,《易》與天地準"的運作模式。《彖傳》"天行終則有始"的觀念,在董因的易占中已見端倪。董因所云"天地配亨,小往大來",與《彖·泰》"天地交而萬物通"、"君子道長小人道消"之辭的義近合拍,亦不難推見。董因乃周太史辛有之後,其言自有周代史官易學的學術傳承和體系。

　　史官"天行"説的理論及實踐經過繼承消化,形成了道家天道觀。老子本爲周史,其書暢論"地法天,天法道",道先天地生,"獨立而不改,周行而不殆","反者道之動","萬物並作,吾以觀復",老子天道觀對"天行"説而言,已是形而上的高度昇華和抽象。而稷下黄老學派的天道觀,在師法老子形上之道的同時,出於政治、軍事、經濟的現實需要,仍傳承着史官"天行"説的內容和方法,仰視自然之天,《管子·四時》論述"務時而寄政,以合於天地之行","聖王治天下,窮則反,終則始",帛書《黄帝四經》的"天道環周論",謂"天行正行,日月不處,啟然不怠,以臨天下"(《正亂》),主張"與天同道"(《觀》),"數日、曆月、計歲,以當日月之行"(《立命》),皆是其證。《彖傳》"終則有始,反復其道"的天行觀,直接得益於黄老道家學派更多。我們幾乎可以借用《經法·四度》論述的"周遷動作,天爲之稽,天道不遠,人與處,出與反。……日月星辰之期,四時之度,【動靜】之位,外內之處,天之稽也",來概括《彖傳》的天行觀。

《彖》言變化

　　司馬遷説:"《易》著天地陰陽四時五行,故長於變。""《易》以道化。"(《太史公自序》)宋均《春秋説題辭》也指出,"《彖》言變化,

《繫》設類迹"。(轉引自《太平御覽》卷六百九)

《彖傳》用黃老道家"法天地之位,象四時之行"的思維方式去說明爻象在全卦象中的位、時變化,以辨吉兇。如《彖·乾》云:

> 大明終始,六位時成,時乘六龍以御天。(侯果註:大明,日也。六位,天地四時也。六爻效彼而作也。大明以晝夜爲終始,六位以相揭爲時成。言乾乘六氣而陶冶變化,運四時而統御天地,故曰"時乘六龍以御天"也。)

《彖·大有》云:

> 柔得尊位,大中而上下應之,曰大有。其德剛健而文明,應乎天而時行,是以元亨。(虞翻注:謂五,以日應乾而行於天也。時,謂四時也。比初動成震,爲春;至二成兌,爲秋;至三離,爲夏;坎爲冬。故曰時行。)

稷下道家貴"中"。《白心》深知"日極則仄,月滿則虧"的盛衰之理,強調"有中有中,孰能得夫中之衷乎?"以天行而論,"天曰信明,地曰信聖,四時曰正","中正無私(尹注:位居中正無偏私。),實輔四時"。(《管子·四時》)《彖傳》故有"中正以觀天下"的認識方法,如《彖·豫》云:

> 天地以順動,故日月不過,而四時不忒。聖人以順動,則刑罰清而民服。豫之時義大矣哉!(虞翻注:順動天地,使日月四時,皆不過差。刑罰清而民服,故"義大"也。)

這種認識方法,完全吻合於帛書《經法·四度》所論述的"順者,動也。正者,事之根也。執道循理,必從本始,順爲經紀,禁伐當罪,必中天理",表現了黃老道家以"明以正"爲天道,以"適"爲天度,以"信"爲天期的理性精神(參看《經法·論》)。

天行之理是《彖傳》言位、時之變的依據。《彖》重天行終而復始的規律性變化,故尤重四時之變。《彖·恆》云:

> 天地之道,恆久而不已也。利有攸往,終則有時也。日月得天而能久照,四時變化而能久成。聖人久於其道,而天下化成。

"四時變化"一方面體現了"天行有常"的恆道,另一方面又標
誌着天地間運動和變革的偉大。如《彖·革》云:

> 文明以説,大亨以正,革而當,其悔乃亡。天地革而四時成。

湯武革命,順乎天而應乎人。革之時大矣哉!

《彖傳》重時變,有十二卦均以"大矣哉"讚嘆"時"、"時用"、
"時義"所包含的閎深哲理,此即孔穎達《周易正義》所稱《彖傳》
"嘆卦三體"。項安世《周易玩辭》發現,此三體中"《頤》、《大過》、
《解》、《革》皆大事大變也,故曰'時大矣哉',欲人謹之也"。

要"與時偕行",《彖傳》説解《損》、《益》諸卦義,關於損益、盈
虛、剛柔的平衡和調,再三強調了這一點。"時止則止,時行則行,
動靜不失時。"(《彖·艮》)因此,抓住時機作出決斷是至關重要
的,《彖·隨》嘆曰:"隨,大亨,貞無咎,而天下隨時。隨時之義大
矣哉!"

由此有必要討論《彖傳》篇名涵義。晉唐以來易學家多認爲:
"彖,斷也。斷定一卦之義,所以名爲《彖》也。"然而就《彖傳》內在
義理而言,"《彖》言變化",尤重時變,以斷卦決疑,故《彖》之爲言
斷也,合於道家之旨。帛書《黃帝四經》之《十六經·觀》云:"聖人
不巧,時變是守。……聖人正以待天,靜以須人。……當天時,與之
皆斷。當斷不斷,反受其亂。"司馬談《論六家要指》謂道家"因時爲
業",語作"時變是守"。無論"時反"或"時變",《彖傳》皆再三發明
斯旨,至於"當天時,與之皆斷",在《彖傳》則爲強調應天時行之,
偕時而斷。看來,"《彖》者斷也"在較深層面所蘊含的道家精義,古
人不無忽略,我們今天已有條件結合出土古佚書的新資料,在更
廣的視野加以揭示,這對於《彖傳》的深入研究是有益的。

辨"神道設教"

《彖·觀》云:"觀天之神道,而四時不忒。聖人以神道設教,

而天下服矣。"孔穎達疏:"神道者,微妙無方,理不可知,目不可見,不知所以然而然,謂之神道,而四時之節氣見矣。……聖人用此天之神道,以觀設教而天下服矣。"現代研究者或認爲"反映了《易傳》對鬼神的游移態度","歷代統治者常引此説散播鬼神迷信",或斥之爲是"利用神鬼之道進行教化"。

明清之際王夫之治《易》,早對"鬼神爲教"説持異議:"'神道設教'非假鬼神而誣民,不言而誠盡於己,與天之行四時者而自然感動,天下服矣。"《象·豐》有言曰:"日中則昃,月盈則食,天地盈虚,與時消息,而況於人乎? 況於鬼神乎? "認爲鬼神亦有盛衰生滅,是時變之運所決定了的。因此,信奉鬼神以施教化的主張,顯然與《象傳》本身思想體系是互相矛盾的。

如果我們着眼於《象傳》"應乎天而時行",重視"四時變化"的宗旨,則"神道"不難理解。

前一句"天之神道,四時不忒","神"爲陳示、展現之義。(《廣雅·釋詁二》:"神,陳也。")意爲天行運轉,向天下世人陳示其規律,所以四季更代循其曆數,而無差錯。帛書《十六經·三禁》:"天道壽壽(悠悠),番(播)於下土,施於九州。……民自則之,爽則損命。"與此文意近。

第二句"聖人神道設教",講的是君王爲政,必須設引立表觀測天期四時,無失天位,以授民時,以行政教。證之《周禮》:"馮相氏掌十有二歲、十有二月、十有二辰、十日、二十有八星之位,辨其叙事,以會天位。冬夏致日,春秋致月,以辨四時之叙。"鄭玄註:"冬至,日在牽牛,景丈三尺;夏至,日在東井,景尺五寸: 此長短之極。……春秋冬夏氣皆至,則是四時之叙正矣。"賈公彥疏引《易緯·通卦驗》云:"冬至日,置八神,樹八尺之表,日中視其影,如度者歲美人和,晷不如度者歲惡人僞,言政令爲之不平。"註:"神讀如引。言八引者,樹杙於地,四維四中,引繩以正之,故因名之曰引。立表者,先正方面,於視日審矣。"以上材料所反映的"神(引)

道"運作,是比較可信的。"神道設教",就是用八引測天道運行,明四時之度,(帛書《經法·論》説"天定二以建八正,則四時有度",使用八引在冬至測日影,很可能就是用以預測"八正",即夏至冬至,春分秋分,立春、立夏、立秋、立冬所謂"分至啟閉"。) 以便運籌政令教化。

上述《象·觀》"神道設教"本義,而且切合《觀》卦卦象。"神"即"引",八引與八尺之表的主體部份皆爲木椿,樹立在地。《漢書·五行志上》:"於《易》,地上之木爲《觀》。"顏師古註:"《坤》下《巽》上爲《觀》。《巽》爲木,故云地上之木。""神道"之"神 (引)"在觀測使用時,不就是地上之木嗎? 正與《觀》卦之象相合。

天道作爲古代學術的核心部份,不是從書本到書本,不衹是坐而玄想,《堯典》以來的記載都表明,須運用儀器實測天行狀況。如《周禮·大史》鄭司農註云:"大出師,大史主抱式,以知天時,處吉兇。史官主知天道。"《管子·版法》云:"凡將立事 (尹註: 立經國之事),正彼天植。"據楊雄《太玄瑩》,"植表施景",亦爲立八尺之表測影以定分至,與《象傳》"神道設教"同義。漢人作《版法解》,謂"天植者,心也",其論與漢易家解《復》卦,以二至爲"天地之心"同。黃老道家治《易》,亦離不開儀器運用以辨天道陰陽之運,有名的司馬季主先生,自云"今夫卜者,必法天地,象四時,順於仁義,分策定卦,旋式正棊,然後言天地之利害,事之成敗。"《索隱》:"式即栻也。栻之形上圓象天,下方法地,用之則轉天綱加地之辰。"(《史記·日者列傳》) 上述儀器,在近年考古發掘中已多有發現。所以,《象·觀》所述"神道設教",事關測二至,定四時,乃道家易學題中應有之義,絕非故弄玄虛。

餘 論

帛書《黃帝四經》的《經法·道法》看到,"輕重不稱","變恆過度"，都會造成"失道"的危險，於是分別論述了"天地有恆常，萬民有恆事，貴賤有恆位，畜臣有恆道，使民有恆度。"概括了"天地之恆常：四時，晦明，生殺，柔剛"。而《彖傳》道論正具備了"天地之恆常"的基本框架，只有"生殺"這個範疇，《彖傳》使用了"消息"、"盈虛"等相近似的詞語替代，但論及盈虛消息和刑罰，亦以四時更代之序而行，與黃老道家"刑德合於時"的模式不悖。《彖傳》僅在《泰》、《否》以"內陽而外陰"、"內陰而外陽"對舉，凡兩見，他處論陰爻、陽爻及爻位，皆用"剛柔"而論説。《説卦》"立天之道曰陰與陽，立地之道曰柔與剛"，《彖傳》論天行時變亦以"柔剛"析論之。由此可見《彖傳》思維方式與黃老道家的相近相通。

　　《彖傳》形成在戰國中後期，是稷下黃老之學頗有影響的時期，也是道家充分汲取儒家思想的時期。過去認爲，《彖傳》中儒家思想最明顯者在説《家人》一卦："女正位乎內，男正位乎外。男女正，天地之大義也。家人有嚴君焉，父母之謂也。父父、子子、兄兄、弟弟、夫夫、婦婦而家道正；正家而天下定矣。"但戰國後期成書的《文子》、《商君書》都已把"別男女，明上下"、"父子兄弟之禮，夫婦妃匹之合"列爲"黃帝治天下"的一項重要內容。《文子·上禮》主張以禮"別尊卑貴賤"，以義"和君臣父子兄弟夫婦人道之際"，誰又能説《文子》非道家？道儒的交融，正是戰國後期的學術趨勢之一，何況如蒙文通先生指出，北方道家多言仁義。所以，本文傾向於認爲，《彖傳》是以稷下黃老之學爲主體思想的解《易》著作。

作者簡介　魏啟鵬，1944年生，四川巴縣人。現爲四川大學歷史系教授。

漢代的氣化宇宙論及其影響

陳麗桂

内容提要　漢代道家吸收陰陽家的精氣論，以詮釋、推衍道家的本體論，完成了氣化的宇宙論，他們可以《淮南子》、《論衡》中的理論爲代表，而遍及於《春秋繁露》、《易》緯《乾鑿度》、《太平經》、《白虎通德論》，乃至張衡的《靈憲》。他們一方面以"氣"來詮釋"道"，作爲生化宇宙萬物的基元；同時圍繞著《老子》"道生一，一生二，二生三，三生萬物"的命題，推衍出一系列以"太極"、"太始"、"太易"、"太素"爲名的宇宙創生系列。向下影響了晉楊泉物理性宇宙論，乃至宋張載、明黄宗羲、王船山等人重實踐與客觀的唯"氣"，甚至是"唯器"的宇宙觀。調整了宋明以來程朱，尤其陸王末流唯心太甚，墜入玄虚之病。在某種程度上開啟了清初講求下學工夫，重視實事求是的樸實學風。

　　兩漢思想從表面上看，是以獨尊後的儒學爲主體；事實上，獨尊以前是道、法揉和，以後是儒、法揉和，而這兩者都和陰陽家有重大關係。撇開其中作爲統禦依據的法家成分不談，漢代儒家吸收了大量陰陽家思想，演變成充滿讖緯、陰陽五行、天人感應等詭異色彩的神學。漢代道家則充分利用陰陽家"氣"與"精氣"一類概念，去詮釋或推衍先秦道家的養生說與本體論，終於完成了唯物的養生論與氣化的宇宙論，前者可以董仲舒《春秋繁露》與《白虎通》爲代表，後者則可以從《淮南子》乃至王充《論衡》中得到印證。
而比較起來，漢代儒家讖緯、符命、五行、感應的神學多徵驗機祥，
怪誕不經，神奇譎異的方術色彩濃厚，漢代道家帶着唯物色彩的
養生論與宇宙論是要清純許多。而這，正是漢代道家吸收陰陽家
"氣"論的成果。以下我們便由《淮南子》、王充《論衡》乃至漢代其
他家的著作理論中，去觀測兩漢的氣化宇宙論，及其在後代的影
響。

一、道與術、氣

漢代道家承繼先秦道家的傳統，也崇道、論道，卻有了相當的
轉化。在應用論上，他們極力推闡"道"的功能與效用，循着《老子》
柔弱、無爲一義，把先秦道家的"道"，轉化爲一種深具彈性、高效
不敗的治事之"術"，用"術"去詮釋老莊的"道"，普遍地運用於修
身、治事，乃至政治、軍事之上。《淮南子・原道》說："柔弱者，道
之要"、"得道者志弱而事強"，"得一之道"可以"以少正多"。《兵
略》說："所謂道者，體圓而法方，背陰而抱陽，左柔而右剛，履幽
而戴明，變化無常，得一之原，以應無方。"陸賈說："近道者不必
出於久遠，取其至要而有成。"(《新語・術事》) 都把"道"解釋爲一
種靈活有效的治事要領，這在《淮南子・原道》裏有很詳盡的發
揮。司馬談因此說："道家"學說是一種"術"，一種"指約而易操，
事少而功多"的精簡高效率之"術"(詳《論六家要旨》)。賈子《新書》
有一篇叫《道術》，《道術》開宗明義便談"道"之"實"說：

> 道者所從接物也，其本者謂之虛，其末者謂之術。虛者言其
> 精微也，平素而無誤儲也；術也者所從制物也，動靜之術也，凡此
> 皆道也……其爲原無屈，其應變無極，……道之詳不可勝述也。

明白地把"道"解釋爲一種無我、無執，虛以應物的治事之"術"。這
種"術"具體操作起來，賈誼說要"周聽"、"稽驗"，要"密事端"、"清

虛而靜"、"令命自宣,令物自定",纔會"神",有時還要配合仁、義、禮、法諸德,這正是先秦《管子‧心術》乃至韓非子一系的靜因君術。

在本體論方面,他們固然也沿承老子,強調道的虛靜性徵。《淮南子》說"道""以無有爲體"(《説山》),"若無而有,若亡而存"、"忽兮恍兮不可爲象兮;恍兮忽兮,用不屈兮"、"視之不見其形,無形而有形生焉"(《原道》)。然而,他們更大的興趣卻是在用"氣"去試著詮釋"道",鄭玄說:"極中之道,淳和未分之氣也。"就是把"道"詮釋爲一種渾沌真樸的"氣"。同時,他們圍繞著《老子》"道生一,一生二,二生三,三生萬物"的命題,推衍出一系列氣化的宇宙論。這樣的理論可以《淮南子》爲總代表,卻遍及於《春秋繁露》、《易》緯《乾鑿度》、《白虎通德論》、王充《論衡》、張衡《靈憲》等,下開楊泉《物理論》、乃至宋張載等人唯氣論哲學的先河。

二、兩漢的氣化宇宙論

一、《淮南子》的氣化宇宙論

在《淮南子》的《俶真》、《天文》、《精神》等篇裏,對於道體的創生、宇宙的起源,都有很詳細的描繪,推究其創生基元,卻都是"氣"。《俶真》首先藉《莊子‧齊物論》"有始也者……有未始有始也者"的擬設,把宇宙的創生大致分爲"始也者"、"未始有有始者"、"未始有夫未始有始者"等三大階段,與"有者"、"無者"、"未始有有無者"、"未始有夫未始有有無者"四大階段,這三大階段與四大階段彼此之間似乎是並列,卻不全然對等,它說:

> 所謂有始也者:繁憤未發,萌兆牙蘗,未有形埒垠堮,無無
> 蠕蠕,將欲生興,而未成物類。有未始有有始者:天氣始下,地氣
> 始上,陰陽錯合,相與優游競暢于宇宙之間,被德含和,繽紛籠
> 蓯,欲與物接,而未成兆朕。有未始有夫未始有有始者:天含和

而未降,地懷氣而未揚,虛無寂寞,蕭條霄霓,無有仿佛,氣遂而
大通冥冥者也。有有者,言萬物摻落,根莖枝葉青蔥苓蘢,萑蔰炫
煌,蠉飛蝡動,蚑行噲息,可切尋把握而有數量。有無者:視之不
見其形,聽之不聞其聲,捫之不可得也,望之不可極也,儲與扈
冶,浩浩瀚瀚,不可隱儀揆度而通光耀者。有未始有有無者:包
裹天地,陶冶萬物,大通混冥,深閎廣大,不可爲外,析豪剖芒,不
可爲內,無環堵之宇,而生有無之根。有未始有夫未始有有無者
天地未剖,陰陽未判,四時未分,萬物未生,汪然平靜,寂然清澄,
莫見其形,若光耀之問於無有,退而自失也。

　　這樣的描述,表面上看起來,似乎很細膩,其實相當模糊而模
稜,其功能只在凸顯作者執意地要把“恍忽不可爲象”的道體創生
過程顯像的努力。抽離了《淮南子》一貫的楚人騷賦式的繁複鋪
叙,與那些廣大、虛無的時空語詞,所剩下的,主要就是一個“氣”
的概念。《俶真》儘管窮盡一切想像的虛無與時空概念,來鋪叙這
一漫長而偉大的宇宙創生過程,其中真正值得注意的,祇是一個
“氣”的觀念,有了“氣”,纔有了宇宙萬有的產生。在“氣”產生之
前,不論如何地繁複鋪叙,分成幾個階段,終歸祇是個寂靜虛無。
抽離繁複的文字鋪叙,這三大階段、四大階段的主要意思,其實不
出《天文》、《精神》兩篇的叙述,而後者卻較《俶真》明爽許多。《天
文》說:

　　　　天地未形,馮馮翼翼,洞洞灟灟,故曰太始。太始生虛霩,虛
　　霩生宇宙,宇宙生元氣,元氣有涯限,清陽者薄靡而爲天,重濁者
　　凝滯而爲地。清妙之合專易,重濁之凝竭難,故天先成而地後定。
　　天地之襲精爲陰陽,陰陽之專精爲四時,四時之散精爲萬物。

　　太始—虛霩—宇宙—元氣—$\frac{清妙}{重濁}$〈$\frac{天}{地}$〉陰陽—四時—萬物
“太始”、“虛霩”是宇宙未創生前的渾沌與虛無,爲了表示它的久
遠,所以分成兩個階段。經過這兩大虛無階段,而逐漸有了時空
(宇宙),元氣便肇生在其中。時間有久暫,空間有形界,肇生其中的

元氣自然有了"涯限",是不折不扣地"有"了。元氣有清濁兩質,由
此而開分天地;天地一開分,自然的現象與萬物的生化便開始。根
據這樣的說法,天地萬物的生化,是以"元氣"爲關鍵的,"元氣"是
天地萬有生化的基元。《精神》説:

> 古未有天地之時,惘像無形,窈窈冥冥,芒芠漠閔,傾漾鴻
> 洞,莫知其門,有二神混生,經天營地,孔乎莫知其所終極,滔乎
> 莫知其所止息。於是乃別爲陰陽,離爲八極,剛柔相成,萬物乃
> 形;煩氣爲蟲,精氣爲人。是故,精神者,天之有也;而骨骸者,地
> 之有也。精神入其門,骨骸反其根,我尚何存?

　　惘像無形……二神(陰陽)——天地一〈陽(剛)〉萬物〈精氣─人〉
　　　　　　　　　　　　　　　　　　陰(柔)　　　　繁氣─蟲

這裏的"惘像無形"相當於《天文》篇"太始"、"虛霩"階段,"二神"
應指元氣清濁含和未分狀態,由此而下開天地,化生萬物。也是以
陰陽含和未分的元氣階段——"二神"爲創生之始。這《天文》、《精
神》兩篇言宇宙的創生雖不完全等同,卻是相應的。衹是,《精神》
篇更堅持這元氣的清濁二質在此後人與萬物的化生過程中,先天
上分明的決定性:清者成天,化生人,賦生精神;濁者凝地,化生
獸,賦生形骸。它説:"精神者所受於天也,而骨骸者所受於地
也。"將來,生命一旦消亡,一切仍要復返各自質性不同的元氣初
態。從源到委的化生過程中,這清濁(陰陽)二質的決定性與作用,
冥冥中始終相當地涇渭分明,它甚至堅持到這一生命歷程的結
束,由委再返源(《老子》所謂"歸根"、"復命")爲止。照這樣的説
法,人也罷,獸也罷,精神也罷,形骸也罷,每一個生命都衹是一段
週期性的氣化過程,人、獸、精神、形骸都衹是氣化過程中的過渡
現象,生命一旦消亡,都要復返氣的本然狀態的。

　　不僅人與萬物的生成如此,對於大自然日、月、星辰、風、霜、
雨、露等自然現象的形成,《淮南子》也是以陰陽氣化來説明,《天
文》説:

> 積陽之熱氣久者生火,火氣之精者爲日;積陰之寒氣久者爲

水,水氣之精者爲月,日月之淫氣精者爲星辰……天地之偏氣怒

者爲風,天地之含氣和者爲雨,陰陽相薄,感而爲雷,激而爲霆,

亂而爲霧,陽氣盛則散爲雨露,陰氣盛則凝爲霜雪。

萬有的生成,在《淮南子》看來,全是一"氣"之激薄轉化。因此,《本經》説:"天地之合和,陰陽之陶化萬物,皆乘一氣者也。"這樣的理論,固然是循著《老子》"道生一"……而作的詮釋,其一氣轉化的基本觀點,卻應該是來自《莊子·知北遊》"臭腐化爲神奇,神奇化爲臭腐,通天下一氣"、"人之生,氣之聚也,聚則爲生,散則爲死。"一系觀念,卻爲中古中國架構了一個相當系統化的宇宙論模式。此後,它便成爲我國哲學家宇宙論傳統而典型的間架,在《易》緯《乾鑿度》、《括地象》、張衡《靈憲》,乃至《春秋繁露》、《白虎通德論》、《太平經》、王充《論衡》裏,我們都可以看到這類理論的推衍,可以説,在東西兩漢的哲學論著中,不論儒、道、陰陽、方術家,一談到宇宙論,沒有人能脱離這個基本模式。

二、漢人的氣化天地萬物學説

以《淮南子》爲代表的這一系氣化宇宙論,在兩漢引起普遍的迴響。

《潛夫論·本訓》説:

上古之世,太素之時,元氣窈冥,未有形兆,萬精合併,混而

爲一,……若斯久之,翻然自化,清濁分別,變成陰陽,陰陽有體,

實生兩儀,天地壹鬱,萬物化醇。

內容雖然簡略許多,和《淮南子·天文》〈精神〉顯然是一系的説法。這一系宇宙論,其明顯的表徵之一就是:氣化天地萬物的觀點。漢代人在詮釋天地萬物的創生時,往往不再談"道",而是以"氣"來詮釋,王符《潛夫論》説:"道者,氣之根也;氣者,道之使也。"(〈本訓〉)以"道"爲本體,"氣"爲此一本體之發用,有了"氣",道的創生作用纔能開展。漢人講宇宙的創生,因此多就發用的"氣"上來講,著重在"一生二,二生三,三生萬物"的階段,這個化

生萬物基元的“一”，在漢人的觀念裏就是“氣”。在《老子》的觀點，“道”是以“一”開始它在現象界的生化；在漢人的解釋，宇宙正是以“氣”開始肇生有形世界。《春秋繁露》說：

> 天地之氣合而爲一，分爲陰陽，判爲四時，列爲五行。（《五行
> 相生》）唯聖人能屬萬物於一而系之元也……元者爲萬物之
> 本……乃在乎天地之前。（《玉英》）

不過，《春秋繁露》的終極目的卻在把這個“分爲陰陽，列爲五行”的“氣”，轉向感應神學的方向去發展。它所說的“元”是什麼？《太平經》說：“元乃氣，包裹天地八方，莫不受其氣而生。”又說：“夫物，始于元氣。”“元”就是“氣”，是肇生天地萬物的總源。張衡說：“天地各乘氣而立”（《渾天儀注》），王充說：“天地，含氣之自然也。”（《論衡·談天》），天地是“氣”所肇生。《論衡》又說：

> （萬物）因氣而生，種類相產。（《物勢》）
>
> 萬物自生，皆稟元氣。（《言毒》）
>
> 俱稟元氣，或獨爲人，或爲禽獸。（《幸偶》）

《太平經》說：“夫人本生混沌之氣……本于陰陽之氣。”人與萬物也都是“氣”所化生。《論衡·論死》還說：“人之所以生者精氣也”，則不但承繼《淮南子·精神》“煩氣爲蟲精氣爲人”的說法，也說明了何以“俱稟元氣，或獨爲人，或爲禽獸”。

　　至於這“氣”或“元氣”是如何地肇生天地萬物？就天地的形成而言，《淮南子·天文》說是由“有涯限”的混沌“元氣”開分而來，清陽者薄靡爲天，重濁者凝滯成地，並且是“天先成而地後定”。根據這類說法，《河圖括地象》便說：

> 元氣無形，洶洶隆隆，偃者爲地，伏者爲天。
>
> 易有太極，是生兩儀，兩儀未分，其氣混沌，清濁既分，伏者
> 爲天，偃者爲地。

《太平經》說：

> 元氣恍忽自然，共凝成一，名爲天也；分而生陰而成地，名爲

二也。因爲上天下地，陰陽相合施生人，名爲三也；三統其生，長
養萬物，名爲財也。

明顯對《老子》"道生一，一生二，二生三，三生萬物。"提出詮釋。它
以"元氣"釋"道"，以元氣形成"天"爲"道生一"，以天地的開分爲
"一生二"，以天地陰陽之氣的相合生人爲"二生三"，天、地、人的
共同長養萬物爲"三生萬物"。也同樣認爲天地的形成是由元氣開
分而來，而且天先地後。

　　就萬物的形成而言：《淮南子·精神》説是在天地形成之後，
由這天地的陰陽二氣"剛柔相成，萬物乃形"。《太平經》説是"上天
下地，陰陽相合"以施生，是由"天氣悦喜下生，地氣順喜上養……
陰陽相得，交而爲和"來生養萬物的。説得更清楚一點，《太平經》
説：

　　　天者常下施，其氣下流也；地者常上求，其氣上合也，兩氣交
　　於中央。……兩氣者常交用事，合於中央，乃共生萬物，萬物番受
　　此二氣以成形，……無此二氣，不能生成也。

王充的看法也差不多，《論衡》説：

　　　天主施氣，地主産物。(《感虛》)

　　　天覆于上，地偃于下，下氣烝上，上氣降下，萬物自生其中間
　　矣。(《自然》)

　　　天地合氣，物偶自生。(《物勢》)

天氣下降，地氣上升，兩氣交和到一定程度，達到一定條件，萬物
自然産生，這是《太平經》和王充對天地生化萬物一致的看法。不
過，在王充看來，這其中除了"氣"之外，仍有一定的機率問題，因
此説"物偶自生"。

三、以太極、太始、太易、太初、太素爲名的宇宙創生系列

　　其次自從《淮南子·天文》以"太始"、"虛霩"名宇宙肇生前的
虛寂階段，《俶真》又以"有始"、"有無"等七大階段強調那虛無階
段演化的漫長與久遠後，在漢人的著作中便常出現這種以"太"爲

名,似同還異,疊床架屋的演化系列;除了前述《潛夫論‧本訓》的
説法,以"元氣窈冥,未有形兆"的"太素"爲宇宙化生之始外,《易》
緯《乾鑿度》也説:

> 有形生於無形……有太易,有太初,有太始,有太素也。太易
> 者未見氣也,太初者,氣之始也,太始者形之始也,太素者質之始
> 也。無形質具而未離,故曰渾淪,渾淪者言萬物相渾成而未相離,
> 視之不見,聽之不聞,循之不得,故曰易也。易無形畔,易變而爲
> 一,……一者形變之始,清輕者上爲天,濁重者下爲地。

它以太易、太初、太始、太素四個名稱來標示宇宙演化的四大階
段,表示宇宙至少是通過無形無氣、有氣、有形、有質四個階段的
演化,纔化生出天地來。祇是,它以"太始"爲"形之始",又説"一"
是"形變之始",顯然等同"太始"與"一"。以後《白虎通德論》便因
承其説云:

> 天始起,先有太初,後有太始,形兆既成,名曰太素,混沌相
> 連,視之不見,聽之不聞,然後剖判,清濁既分,精出曜布,度物施
> 生。……故《易‧乾鑿度》曰:"太初者氣之始也,太始者形兆之
> 始也,太素者,質之始也。陽唱陰和,男行女隨也。"(《天地》)

《白虎通德論》省去"太易"一段,直接由"氣之始"的"太初"開始講
天地的肇生,應該不是疏忽,卻明白顯示了漢人處理這一論題較
大的興趣和著重點仍然是在"氣"上。《乾鑿度》之外,張衡的《靈
憲》也談到宇宙的創生,他説:

> 太素之前幽清玄静,寂寞冥默,不可爲象,厥中惟虛,厥外惟
> 無,如是者永久焉,斯謂"溟涬",蓋乃道之根也。道根既建,自無
> 生有,太素始萌,明而未兆,并氣同色,渾沌不分,故道志之言
> 云:"有物渾成,先天地生",其氣體固未可得而形,其遲速固未
> 可得而紀也,如是者又永久焉,斯謂"龐鴻",蓋乃道之幹也。道幹
> 既育,萬物成體,於是元氣剖判,剛柔始分,清濁異位,天成於外,
> 地定於內。天體於陽,故圓以動;地體於陰,故平以静。動以行施,

静以合化，埋鬱構精，時育厥類，斯謂"天元"，蓋乃道之實也。
身爲科學家的張衡，也是根據"氣"的有無、合分，把宇宙天地的創
生簡單歸分爲"太素之前"、"太素始萌"與"元氣剖判"三大階段，
也就是未有元氣前的"溟涬"，元氣始生未分的"龐洪"與元氣開分
的"天元"。"太素"代表著"元氣"的萌生，這緣是宇宙化生的真正
關鍵，所以稱做"道之幹"。前此，一片虛無，在宇宙創生的意義上，
象徵著生化的初源，所以叫"道之根"。後此，"元氣"一分化，一切
有形可見的生生化化真正開始，所以稱"道之實"。

　　不過，張衡與王充雖然都承認"氣"是化生天地萬物的基元；
然而，除了"氣"之外，張衡說，還有一個"水"的因素，《渾天儀注》
說："天地各乘氣而立，載水而浮。"王充則說天地間雖充滿了
"氣"，靠著這些氣在和合化生；但，天地本身卻是個"體"，是個充
滿了"氣"的"體"。《論衡‧祀義》說："夫天者體也，與地同。"《談
天》說："如實論之；天、體，非氣也。"祇不過，這個"體"是個"含氣
之自然體"，內部充滿了"氣"，一動二行，就能"施氣"，萬物就是由
它所施的"氣"化生而來的。《自然》說：

　　　　天之動行也，施氣也；體動，氣乃出，物乃生矣。天體施氣，與

　　地交和生物；但，物卻是生在"地"上的，王充因此說："天主施

　　氣，地主產物。"(《感虛》)

這樣的觀點似乎是從自然動物雄性施精，雌性孕產的普遍經驗，
想當然爾地推得。

三、兩漢氣化宇宙論的影響

一、楊泉唯氣的物理論

　　晉楊泉作《物理論》，明顯地受到漢人氣化宇宙論的影響，把
天、地、人、物、土、石、風、星，乃至抽象的"姦"，都說成是"氣"或
"元氣"的積生。《物理論》說：

元氣皓大，則稱皓天；皓天，元氣也，皓然而已，無他物也。

"天"就是廣大的元氣瀰漫。《物理論》又説：

風者陰陽亂氣激發而起者也，猶人之內氣，因喜、怒、哀、樂
激越而發也。

八風（四正、四維之風）者，方土異氣，疾徐不同……非有使
之者也，氣積自然。

風是各地質性不同的氣相激相盪，自然形成。

星者元氣之英（精）也，……氣發而升，精華上浮，宛轉隨流，
名之曰天河，一曰雲漢，衆星出焉。

星宿也是元氣的精華上升而成。不祇天與各種天象是元氣激盪、
浮積而成，地與地上的土、石、山陵、河川也一樣，《物理論》説：

地者底也，陰體下著也。

土地皆有形名……氣勢之始終，陰陽之所極也。

地形有高下，氣有剛柔，……鎮之以五嶽，積之以丘陵，播之
以四瀆，流之以四川，蓋氣自然之體也。石，氣之核也，氣之生石，
猶人筋絡之生爪牙也。地與土、石都是氣所凝著積生，氣有剛柔
不同的質性，形成了山陵、河川高低不同的地形。

《物理論》又説：

人含氣而生。

螽，與天地俱生，自然之氣也。

人是氣所生，連抽象的邪妄事物都是天地自然之氣所成，宇宙間
事物真是無一而非"氣"所生成了。

不過，在"氣"之外，楊泉和張衡同樣，都提出了一個"水"來作
爲天地生成之源。這個"水"有時還比"氣"更爲根源。《物理論》
説：

所以立天地者水也。失水，地之本也，吐元氣，發日月，經星
辰，皆由水而興。

所以立天地者水也，成天地者氣也，水土之氣升而爲

天,……夫地有形而天無體,譬如灰焉,烟在上,灰在下也。

照張衡渾天儀的説法,天地"乘氣而立,載水而浮","氣"和"水"同樣是構成天地的要素。照《物理論》的説法,"水"可以"吐元氣",則"水"似乎更爲"元氣"根源。不過,對於水的來源和生成,張衡和楊泉都沒有進一步交待。前面既説山嶽、丘陵、溝瀆、河川是"氣"自然之體,這裏又説元氣、星辰"皆由水而興",水與氣有如烟與灰一樣,一在上,一在下,究竟是水由氣生? 還是氣由水生? 楊泉顯然也無法解釋。不過在傳統氣化宇宙的解釋上,張衡和楊泉都已然注意到,除了"氣"之外,"水"在天地宇宙間所佔的比重和關鍵性了。

二、張載"太虚即氣"的唯氣論

(一) 太虚、太和、太極皆氣

北宋理學家張載也以氣來作爲他哲學體系的基本概念。在張載的哲學理論中,"氣"是發端,也是最後歸趣。他以"太虚"來指稱廣遠無窮的宇宙,又以"太和"稱述生化的本源。然而,對於"太虚",張載詮釋説:"太虚即氣。"(《正蒙·神化》)

> 太虚無形,氣之本體;其聚其散,變化之客形爾。(《正蒙·太
> 和》)

"太虚"就是"氣"的本體。氣聚有形,便生萬物;氣散無形,謂之"太虚",太虚衹是氣原始而本然的狀況,宇宙衹是一"氣"。《正蒙》説:

> 太虚不能無氣,氣不能不聚而爲萬物,萬物不能不散而爲太
> 虚。(《太和》)

太虚隱而無形,物顯而有像,張載説: 其實都是氣的作用,衹是一氣之聚散,"氣聚,則離明得施而有形;氣不聚,則離明不得施而無形。"這種現象,張載説:"猶冰凝釋于水。"因此,有形、無形,是顯、是隱,衹是形態的不同,就本質言,同是一氣。

對於"太和",張載説:

太和所謂道,中涵浮沉升降動静相感之性,是生絪緼相蕩勝
負屈伸之始。(《正蒙‧太和》)

"太和"就是"道",而張載説:"由氣化,有道之名。"(《太和》) 道由
"氣化"來,"道"也是"氣",是規律性的氣化過程,"太和"因此也是
"氣",是因緼未分之氣,指氣分陰陽剛柔,開始升降、動静的端源。
"太虚""太和"之外,又有所謂"太極",《正蒙‧參兩》説:"一物兩
體,氣也。"《大易》説:"一物兩體,其太極之謂與? "所謂"兩體",
指陰陽。因此,太虚是氣的本體狀態,太和是指稱氣將分未分、將
動未動的開端,太極則是指陰陽二氣的合體。這"太和"、極就相當
於《淮南子‧天文》所説的"二神混生",終結地説,統統是"氣"。

(二) 萬物、萬象、生死、鬼神皆氣化

從這樣的基本觀點出發,張載以"氣"來詮釋天地萬物的生
成,詮釋生死鬼神,詮釋一切時空現象。他説:

凡可狀皆有也,凡有皆象也,凡象皆氣也。(《正蒙‧乾稱》)

萬物皆祖于虚,生于氣,氣以成體,體以受性。(《潛虚》)

一切有形象的東西皆由氣來,萬物皆生于氣。張載又説:

天惟運動一氣。(《正蒙‧神化》)

天之化也,運清氣。(同上)

天的運動變化就是氣的運動變化,"天"也是"氣"。

不祗道、天與萬物是一氣之聚散、變化,掌凡自然界風、雨、
雷、霆、雲、霧、霜、雪等自然現象,也都是氣的激盪變化,是陰陽異
質之氣交互作用的結果。《正蒙》説:

氣,块然太虚,升降飛揚,未嘗止息……浮而上者陽之清,降
而下者陰之濁。其感遇聚散,爲風雷,萬品之流形,山川之融結。

詳細地説:

陰性凝聚,陽性發散;陰聚之,陽必散之,其勢均散。陽爲陰
累,則相持爲雨而降;陰爲陽得,則飄揚爲雲而升。故雲物班布太
虚者,陰爲風驅,斂聚而未散者也。(《參兩》)

凡陰氣凝聚,陽在內者不得出,則奮擊而爲雷霆;陽在外者
不得入,則周旋不捨而爲風。其聚有遠近虛實,故雷風有小大暴
緩,和而散,則爲霜雪雨露;不和而散,則爲戾氣曀霾;陰常散緩,
受交於陽,則風雨調、寒暑正。(《參兩》)

"氣"包括一升一降、一清一濁、質性相反的陰陽兩類,這兩氣互爲
消長,互相推助。當散發上升的陽氣遇到凝聚的陰氣,被壓降下
來,便成雨。如果上升的陽氣沒被陰氣壓降,反倒推助陰氣向上飛
騰,便成了雷。如果陽氣在內,陰氣在外,散發的陽氣被凝聚的陰
氣含包在內不得出,便爆散成爲雷霆。如果陰氣凝聚在內,陽氣在
外揚散不得入,便盤旋成風。等到凝聚的陰氣被散發盡了,風便停
止。而因著陰氣凝聚疏密情況的不同,與兩氣相距遠近之差異,所
產生的風、雷也因此有了大小、暴緩的區別。陰陽二氣交和順利,
便形成霜雪雨露,交和不順利,便造成曀霾,各種大自然現象的形
成也都是一"氣"。這樣的說法,基本上是遠承《淮南子·精神》,近
續楊泉《物理論》的。

　　除了以"氣"詮釋萬物、萬象之外,張載也以"氣"的聚散來詮
釋生死現象和鬼神問題,他說:

　　　氣于人,生而不離,死而游散者謂魂。(《正蒙·動物》)

　　　氣之方來皆屬陽,是神;氣之反皆屬陰,是鬼。

　　　精氣者自無而有,游魂者自有而無。自無而有,神之情也;自
　　有而無,鬼之情也……顯而爲物者,神之狀也;隱而爲變者,鬼之
　　狀也。大意不越有無而已,物雖是實,本自虛來,故謂之神;變是
　　用虛,本緣實得,故謂之鬼。(《橫渠易說·繫辭上》)

生死、鬼神也是氣的聚散、顯隱變化,是氣在運動過程中的不同形
態。氣散,看不見,便是死,便是鬼;氣聚,有形,便是生,便是神。總
之,宇宙間一切有形、無形的時空現象和存在物都祇是一"氣"的
作用。張載因此說:"聚亦吾體,散亦吾體。""知虛空即氣,則有
無、顯隱、神化、性命通一無二。"

（三）氣先於道（理）、道器混一，物我同體：

既然説"由氣化，有道名"，"氣"自然是在"道"之先了。而透過
這一"氣""通一無二"的統合，一切的有無、陰陽、動静、剛柔、形上
與形下，道與器，物與我，統統結爲一體，彼此能相感、相通、相交，
張載由是而推衍出《西銘》裏"乾稱父，坤稱母……天地之塞吾其
體……，民吾同胞，物吾與也"之類天地人我一家一體的偉大理論
來。

三、程朱的"氣"説

張載之後，程朱雖然置"理"於"氣"之上，以理爲本根，氣爲枝
葉，理本而氣末；但在談到萬物與自然現象的生成時，仍然不能不
以氣來解釋，承認理氣不離不雜。程子説：

地氣不上騰，天氣不下降；天氣下降至於地中，生育萬物者，
乃天之氣也。（《二程粹言》卷之下《天地》）

天有五氣，故凡生物，莫不具有五性。（《河南程氏遺書》卷十
五）

人乃五行之秀氣，此是天地清明純粹之氣所生也。（同上）萬
物是天地之氣交和所生，人是天地交和氣之尤精粹者所化成，物
"性"也是禀"氣"而來的。程子又説：

萬物之始皆氣化，既形，然後以形相禪，有形化。形化長，則
氣化漸消。（《河南程氏遺書》第五）

萬物的化生，開始是氣化，以後有了男女，纔轉爲形化。人物之外，
日月、星辰、風雨、霜雷、雹露，乃至一切怪異現象的形成，也就因
氣而來；程子説：

日月星辰皆氣也。（《二程粹言》卷之下《天地》）日月，陰陽之
精氣耳……四時，陰陽之氣耳。

陰陽之氣常存而不散者日月是也；有消長而無窮者寒暑是
也。（《二程粹言》卷之下《天地》）

日月之爲物，陰陽發見之尤盛者也。（《二程粹言》卷之下《天

地》)雷者陽氣奮發，陰陽相薄而成聲也。……陽始潛閉地中，及
其動，則出地奮震也。(《周易程氏傳》卷二《豫卦》)

雲，陰陽之氣，二氣交而和，則相畜固而成雨……不和則不
能成雨。(《周易程氏傳》卷一《小畜卦》)

陽降陰升，合則和而成雨。(《周易程氏傳》卷六《小過卦》)

露與霜不同。霜、金氣，星月之氣；露亦星月之氣，看感得甚
氣，即爲露，甚氣即爲霜。如言露結爲霜，非也。雹是陰陽相薄之
氣，乃是沴氣。(《河南程氏遺書》第十八)

日月、星辰、四時、寒暑、雲雨、霜露、雹都是氣的作用，日月是較精
的陰陽氣，四時是一般陰陽氣所成，寒暑則是陰陽二氣的消長變
化，雲、雨、雷是陰陽之氣交和順、逆之不同所產生的，霜露則是由
不同的氣交互作用而成，雷與雹都是沴戾之氣所成。總之，一切大
自然現象都是物質性"氣"的相交、相激，運動變化。講到最後，程
子甚至說："和氣出祥、乖氣致異"，麒麟是"太平和氣所致"(《河
南程氏遺書》第十八) 這就跟漢儒董仲舒的論調沒什麼不同了。

至於朱子，雖然也以理爲本根，以道爲"形而上"者，氣爲"形
而下"者，卻也承認"離了陰陽更無道"、"理未嘗離乎氣"，理氣二
者"不離不雜"。對於天地萬物與自然現象的形成也說：

天地間人物、草木、禽獸，其生也莫不有種，定不會無種子，
白地生出一個物事，這個都是氣。(《朱子語類》卷一)

這就是程子所說的萬物之始，先有氣化，後有形化，種生就是形
化。朱子又說：

天地初間，祇是陰陽之氣，這一個氣運行，磨來磨去，磨得急
了，便拶出許多查滓，裏面無處出，便結個地在中央。氣之清者便
爲天，爲日月，爲星辰，祇在外常周環運轉，地便祇是在中央不
動，不是在下。(《朱子語類》卷一)

藉著陰陽二氣的轉動摩擦，便形成了天地、日月、星辰等自然界現
象。

四、宋、明他儒的氣論

　　繼張載之後，以"氣"爲宇宙天地之唯一本源者，至少有楊時、
王廷相、羅欽順、劉宗周、黃宗羲，到王夫之而臻於極矣。楊時本是
二程弟子，是唯心的理學家，在解釋《孟子》時卻說：

　　　　通天地一氣耳，天地其體也，氣，體之充也。人受天地之中以
　　生，均一氣耳。(《楊龜山先生全集》卷八《經解・孟子解》"其爲氣
　　也至大至剛"下)

天地、萬物、人都是一氣之凝聚與流行。王廷相說：

　　　　天內外皆氣，地中亦氣，物虛實皆氣，通極上下，造化之實體
　　也。是故，虛受乎氣，非能生氣也；理載于氣，非能始氣也。(《慎
　　言》卷一《道體》)

　　　　氣游于虛者也，理生于氣者也，氣雖有散，仍在兩間(天地)，
　　不能滅也……理根于氣……故曰神與性皆氣所固有。(《明儒學
　　案・王浚川學案・橫渠理氣辨》)

除了詮釋張載的唯氣論，對於程朱的理本氣末也表示了一定的意
見，認爲是"理生于氣"、"根于氣"。龜山、廷相之外，羅整庵說：

　　　　蓋通天地，互古今，無非一氣而已。氣本一也，而一動一靜，
　　一往一來，一闔一闢，一升一降；循環不已，積微而著，由著復微，
　　爲四時之温涼寒暑，爲萬物之生長收藏，爲斯民之日用彝倫，爲
　　人事之成敗得失，千條萬緒……而卒不克亂……是即所謂理也。
　　初非別有一物，依于氣而立，附于氣以行也。(《明儒學案・羅整
　　庵學案》困知記)

"理"就是"氣"動靜、往來的條理化狀態，没有"氣"的作用，就没有
"理"，這其實也就是王廷相所說的"理根于氣""生于氣"，氣是第
一元，理是第二元。劉宗周因此說：

　　　　理即是氣之理，斷然不在氣先，不在氣之外。……義理之性
　　即氣質之本性。(《明儒學案・蕺山學案・獨證篇》)

　　　　盈天地間，一氣而已矣。(同上)

到了明清之際，黃梨洲與王夫之説得更乾脆了，梨洲説：

> 天地之間衹有氣，更無理。所謂理者，以氣自有條理，故立此
> 名耳。(《明儒學案‧王浚川學案》)

直是王廷相説法的翻版。又説：

> 理氣之名由人而造，自其浮沉升降者而言，則謂之氣，自
> 其……不失其則者而言，則謂之理。葢一物而兩名，非兩物而一
> 體也。(《明儒學案‧曹月川學案》)

換言之，理就是氣的異名。又説：

> 天地間衹有一氣充周，生人生物。人禀是氣以生，心即氣之
> 靈處。……心即氣也。(《孟子師説》卷上《浩然章》)

> 氣未有不靈者，氣之行處皆是心……即腔子內亦未始不是
> 耳。(《明儒學案‧薛思庵學案》)

不衹理是氣，即便心也是氣了，這就比張載唯氣得更徹底。張載儘
管唯氣，卻從不曾以物理去解釋心靈或精神功能，也從沒否定過
心的獨立性與道德自主性。

承繼著這樣的觀點，王夫之説：

> 言心、言性、言天、言理，俱必在氣上説，若無氣處，則俱無
> 也。(《讀四書大全説》卷十《孟子》)

他肯定張載凡"虛空皆氣"的觀點，承認虛與氣的實有性，他説：

> 氣方是二儀之實。天人之蘊，一氣而已，從乎氣之善而謂之
> 理，氣外更無虛託孤立之理也。(同右)

> 天下難器而已矣，道者器之道，器者不可謂之道之器……故
> 無其器則無其道……君子之道盡乎器而已矣。(《周易外傳卷
> 五‧繫辭上傳第十二章》)

他最欣賞羅整庵，也最稱許整庵"通天地、互古今，無非一氣"的説
法。而在《思問錄‧內篇》，他説"道"和"器"都無非"一陰一陽之和
而成。盡器，則道在其中矣。"而不管形上的"道"，還是形下的器，
最後都"統之乎一形"(《周易外傳》卷五《繫辭上傳》第十二章)。兩

漢以來的氣化宇宙論,乃至張載以來的唯氣論,至此變成了唯"器"論了。黄、王二人也就以這樣的觀點,希望矯正宋明以來,心學派道學家唯心太甚,致士子普遍性命空疏之弊,終使他的哲學轉向重實踐與客觀事物的方向上去。

四、結語

漢代道家結合著陰陽家所形成的氣化宇宙論,不僅在當代造成廣大的迴響,也在漢以後的思想界造成一定的影響;既形成了張衡、楊泉一系偏向物理性的宇宙論,也深深影響了張載、黄宗羲、王船山一系重實踐、重客觀的"唯氣"乃甚至是"唯器"的宇宙觀,儘管張載、黄宗羲等人並不否定或貶抑"理"的價值地位,卻有效調整了宋明以來,程朱,尤其是陸王末流唯理、唯心太甚,墮入玄虛,而忽視具體事物世界的流病,在一定程度上開啟了清初講求"下學"工夫,重視實事求是的樸實學風。

作者簡介　陳麗桂,台北市人,1949 年生。臺灣師範大學文學博士。現任臺灣師範大學國文系教授。著有《王充自然思想研究》、《淮南鴻烈思想研究》、《中國歷代思想家王充、葉適》、《戰國時期的黄老思想》等。

兩漢之際的儒學與老莊學

王 卡

内容提要 本文通過對有關史料的分析,指出在兩漢之際某些隱士或儒家學者中,存在着研習老莊思想的學術傳統。他們的思想具有儒道會通的傾向,對後來的魏晉玄學家不無啟迪。作者還對儒道兩家學術宗旨之區別及相通之處,提出了自己的看法。

前人對漢魏六朝的道家學説,向來有兩種稱謂。或稱之爲"黄老",或謂之"老莊"。二者雖同指道家,而旨趣稍有不同。大抵黄老之學重在治國養生,法道自然,清虚自守。而老莊學則旨在樹立士大夫不受世俗名利牽纍的人生理想,全性保真,快然肆志,不因落入名教網羅而喪失自我獨立人格。許多學術史家認爲:黄老之學盛行于兩漢,而老莊學則倡于魏晉。清儒洪亮吉曾考證説:老莊並稱,始于魏晉之際玄學名士何晏、阮籍、嵇康等人①。江泉則云:"漢以前皆稱黄老而不稱老莊,以莊并老,實起于魏晉之後。"②這種説泫固然有其理據,但亦不盡然。因爲據史籍所載,不僅太史公已將老莊合爲一傳,而且兩漢之際,研習老莊的儒生隱士也已不乏其人。

---

①參見洪亮吉《曉讀書齋初録》卷下。
②江泉《論黄老老莊申韓之遞變》,載《讀子厄言》卷二。

　　西漢自武帝推行"獨尊儒術"政策之後,儒家經學大盛。漢初
曾經盛行的黃老道學失去官方學術地位,只能在少數學者中私相
傳授,不絕如縷。按諸史籍,漢武之後道家學說的存續與發展,大
致有兩條綫索可尋。其一是兩漢之際,某些隱士或儒家學者服膺
老莊之學,意圖會通儒道,吸收道家思想以挽救官方經學之弊。他
們的思想對魏晉玄學家不無啟迪。其二是東漢之時黃老學復興,
與神仙家長生信仰結合,逐漸從理國治人之道演變爲個人養生祈
福之術,並進而發展爲神學化的道教。本文所要探討的內容,即上
述儒學與老莊會通的傾向。

一、嚴君平會通儒道的思想

　　兩漢之際以傳習老莊學著名的學者,首推蜀人嚴君平。嚴君
平即嚴遵,本姓莊氏,因避明帝之諱而改作"嚴"。他生活的時代大
約在西漢後期,精通老莊之學,終生不仕,而以著書立說,勸行忠
孝爲事。從他選擇卜筮爲業推測,應對儒家《易》學有所兼通。因此
他的思想具有會通儒道的傾向。

　　嚴遵的著作現僅存《老子指歸》七卷 (原本十三卷)。唐人成玄
英概述其要旨爲: "嚴君平《指歸》以玄虛爲宗。"自秦漢以來的道
家著作,大多以元氣生成論解釋老子道生萬物之說。例如《淮南
子》宣稱: 道始于虛廓,虛廓生宇宙,宇宙生元氣,元氣分爲清濁,
生化天地陰陽,四時人物。嚴遵《老子指歸》對宇宙生成順序的解
釋大體上與漢初道家相同,但是對天地萬物的共同本源,亦即道
體的虛無性質則更爲強調。《指歸》以"道德"爲最高哲學範疇。道
德既是萬物共生的本原,也是囊括宇宙,統合天地人物的本體。作
爲宇宙本體,道德既無形無名,是絕無任何實在性的"虛之虛者";
而且道德生化萬物的功用,也是自然而然,無所存心施爲的"不用
之用"。《老子指歸》說:

　　　道德無形而王萬天者,無心之心存也。天地無爲而萬類順之

者，無慮之慮運也。由此觀之，無心之心，心之主也；不用之用，用
之母也。

　　道體虛無而萬物有形，無有狀貌而萬物方圓，寂然無聲而萬
物有聲。由此觀之，道不施與而萬物以存，不爲不宰而萬物以然。
然生于不然，存生于不存，亦明矣。

　　道體虛無而萬物有形，道德無用而萬物順之自生。因此道德
于體于用皆不可以形名求之，只能由體道者在玄思冥想中"獨見
獨聞"。從嚴君平對道德本體與天地萬物關係的論述中，似乎已隱
含了魏晉玄學家郭象所持的玄冥獨化思想。

　　漢代道家學者重視宇宙生成理論的研究，其本意并非只是爲
了探明宇宙萬物究竟如何起源發生的道理。而是着眼于統合天
人，從萬物同源共生原理中，推演出天地人物同源一體，故能相感
相應的結論。嚴君平說："天地人物，皆同元始，共一宗祖。六合之
內，宇宙之表，連屬一體。"是故"人主動于邇，則人物應于遠；人物
動于此，則天地應于彼。彼我相應，出入無門，往來無戶。天地之
間，虛廓之中，遼遠廣大，物類相應，不失毫厘者，同體故也"。

　　從宇宙萬物同源共生，同體互動的統一性哲理中，漢代道家
得出天道與人道相通，人事理應效法天道的結論。因爲萬事萬物
皆稟道而生，順道而行，所以聖人明王治國修身也當順道法天。實
際上漢代儒道兩家的政治倫理及人生哲學，都建立在這種天人相
通，物我交感相應的哲理基礎之上。只不過道家所謂的"天道"，是
宇宙萬物在生成演化中自然形成的和諧秩序，聖人清虛自守，順
天而行，則天下百姓自安，太平自興。而儒家經學所說的天道，則
是天神有意識有目的的設計安排。實際上是儒家學者根據歷史現
實及其治世理想，預先設計出等級有序的名教制度和倫理道德，
然後假托天道神意，以推行其仁義禮樂之治。

　　自漢武採用儒學治世之後，假托神道設教的儒家經學對鞏固
中央集權體制和宗法倫理秩序發揮了重要作用，但是其荒誕煩瑣
的弊病也日漸暴露。嚴君平在其書中即對當時儒學治世之弊提出

嚴厲批評。首先指出儒家禮樂之治在實際推行中流于形式。"故制禮作樂，改正易服，進退威儀，動有常節，先識來事，以明得失，此道之華而德之末"。禮樂儀式本爲彰明等級名分，使上下有序，親疏有別，人人各守其節分。過于繁多則流于虛偽浮華，泥古不化，煩擾民生，因此被嚴遵稱作"爲亂之源"。其次是漢朝強制推行以經爲教，以法爲治的集權式統治，儒學與政法體制緊密結合，成爲統治者鉗制人民思想行爲的工具。正如《指歸》所説："使日下之民皆執禮易，通詩書，明律比，知詔令；家一吏，里一令，鄉一倉，亭一庫。明察摺中，強武求道，使天下重足而立，側面而視，父子不相隱，兄弟不相容。此事之極，無益于治。"世界上任何政治學説或倫理思想，即使其中包含合理因素，一旦與政治強權結合，變成"獨尊"的官學，強行讓人民學習接受，這種思想就必然變善爲惡，成爲"以理殺人"的工具。儒家學説自漢以來在實際施行中最大的弊端，正在于"強武求道"，以勢壓人，執善以敲剝天下。

　　針對漢代儒家經學之弊，嚴遵重新提出以道家清静無爲思想治國。要求"明王放道效天，清静爲首，和順爲常，因應爲始，誠信爲元，名實爲紀，賞罰爲綱"。君主應損抑奢欲，除去繁禮苛法，薄賦寡徭，清静無欲，纔能率導天下返初歸璞，使禍亂消弭，太平自興，天下自寧。嚴遵并不否定儒家推崇的綱常名教，上下有序的禮法制度，仍然提倡"主明臣忠"、"父慈子孝"等宗法倫理，并親自假卜筮勸行忠孝。但他認爲治國應先道德而後仁義禮法，在上者清静自守，在下者順從敦樸，仁義禮法方能真正實行。因此嚴遵的治國思想，大略以道家爲主，以儒學爲輔。至于其個人立身處世的理想，則近于莊學。向往"輕物傲世，卓爾不污"的清高人生，潔身自好，"隱遁煬和"，終生不仕，不肯陷入西漢後期政治混亂的漩渦而罹禍。

二、揚雄儒道結合的思想體系

　　揚雄字子雲，蜀郡成都人。與嚴君平同鄉，早年曾從嚴游學，受老莊思想影響。《漢書·揚雄傳》說：“雄少而好學，不爲章句，訓詁通而已，博覽無所不見。爲人簡易佚蕩，口吃不能劇談，默而好深湛之思。清静亡爲，少嗜欲，不汲汲于富貴，不戚戚于貧賤，不修廉隅以邀名當世。”從這段記載來看，揚雄早年的學業及爲人處世態度，頗有道家隱士之風，與當時只知通章句逐名利的俗儒有所不同。揚雄生當西漢末世，皇室衰落，外戚當權，政局多變，社會危機日益嚴重。值此世事昏暗之時，正直的士人總會面臨如何安身立世的兩難選擇。是挺身而出，涉險入仕，正言時弊，挽救危局？還是超然高舉，隱遁煬和，潔身自好，全性保真？揚雄的態度似乎介于儒道之間。《揚雄傳》稱：雄好辭賦，每作賦以司馬相如爲式。又怪“屈原文過相如，至不容而作《離騷》，自投江而死。悲其文，讀之未嘗不流涕也。以爲君子得時則大行，不得時則龍蛇（蟄隱）。遇不遇命也，何必湛身哉”！因此反《離騷》之意而作辭賦，名曰《反離騷》。其文中有云：

　　　夫聖哲之遭兮，固時命之所有。雖增欷以於邑兮，吾恐靈均
　　（楚王）之不纍改。昔仲尼之去魯兮，斐斐遲遲而周邁。終回復于
　　舊都兮，何必湘淵與濤瀨？溷漁父之餔啜兮，潔沐浴之振衣；棄'
　　由聃（許由、老聃）之所珍兮，蹠彭咸之所遺。

　　儒道兩家對如何安身立命，是出世還是入仕有不同見解，大抵儒者忠直而道流隨順。儒家知其不可而爲之，盡人事而聽天命；道家知其不可而安之，順自然而隨命運。是故孔子悽悽惶惶，勞心苦形而不改其志；莊子輕物傲世，獨師造化而不失天真。屈原行吟澤畔，寧赴湘流；漁父揚波餔啜，鼓枻而歌。揚雄哀嘆聖哲生不逢時，屈原忠直進諫而楚王不改。既然如此，又何必爲之痛不欲生？君子用之則行，舍之則藏，或儒或道，亦孔亦老，立身于用與不用之間，豈不悠哉！

　　揚雄的哲學思想，主要體現在《太玄》、《法言》二書中。《太玄》重在明體，構造天人合一的思想體系。《法言》旨在達用，批判繼承

諸子百家之學，以圖挽救官方儒學荒誕煩瑣之弊，復興孔孟之道。
儒道兼通，體用結合，是其學術思想之特點。

揚雄《太玄》體系以"玄"爲最高範疇。"玄者，幽攡萬類而不見
形者也"。"夫玄也者，天道也、地道也、人道也。兼三道而天名之"。
玄是通貫天地人三道的理體，是統合萬物的普遍法則。天地人物
皆由玄化生，而玄體則幽暗無形。事物的發展變化遵循自然無爲
的玄道，而玄道則被揚雄描述爲依三進制數理法則排列展開的宇
宙萬物生成演化秩序，亦即"自然之道"。其道大抵以玄體爲初始，
以一分爲三爲法則。由太玄分爲三方、九州、二十七部、八十一家、
七百二十九贊。模仿《周易》卦爻，依次排列成序，各係之以天象曆
數、地理物候、人事休咎。由此構成總括天地人三物生成演化的世
界模式。其《太玄》學説的實質，就是從玄體通貫天人、宇宙萬物皆
遵循玄道，自然和諧有序的觀點，論證儒家綱常名教的合理性。
《法言·問道篇》説："或曰玄爲何？曰爲仁義。"可見構造玄學是
爲了説明人道。揚雄在天道觀方面融合易老，以道家自然法則代
替董仲舒的天神意志。在政治倫理學方面，則堅持以儒家聖王之
道爲正統，強調忠孝仁義不可廢棄。同時也吸取老莊崇尚道德素
樸的思想，以"道德"與仁義禮法相結合。《法言·問道篇》説："夫
道以導之，德以得之，仁以人之，義以宜之，禮以體之，天也。合則
渾，離則散，一人而兼統四體者，其身全乎？"揚雄兼融儒道的思
想，大體與嚴遵相同。但嚴君平以道家爲本，主張先道德而後仁義
禮法。揚雄則以儒家爲正統，不同意老莊以道德"槌仁義，絶滅禮
學"。

三、班嗣、馬融與老莊學

兩漢之際，老莊學不僅傳于蜀郡，京師附近的儒家學者也有
人貴尚老莊，扶風班嗣、馬融即其顯要者。《漢書·叙傳》云：

嗣雖修儒學，然貴老嚴（即老莊）之術。桓生（桓譚）欲借其

書,嗣報曰:"若夫嚴子(莊子)者,絕聖棄智,修生保真,清虛淡泊,歸之自然,獨師友造化,而不爲世俗所役者也。漁釣于一壑,則萬物不奸其志;棲遲于一丘,則天下不易其樂。不絓(挂)聖人之網,不嗅驕君之餌。(顏注:聖人謂周孔,餌謂爵禄)蕩然肆志,談者不得而名焉,故可貴也。今吾子(指桓譚)已貫仁誼之羈絆,系名聲之繮鎖,伏周孔之軌躅,馳顏閔之極摯。既系攣于世教矣,何用大道爲自炫耀? 昔有學步于邯鄲者,曾未得其仿佛,又復失其故步,遂匍匐而歸耳。恐似此類,故不進"。嗣之行己持論如此。

桓譚是兩漢之際名儒,欲向班嗣借閱老莊之書。班嗣借機對他宣揚老莊義理,卻不肯借書。理由是桓譚已受世俗名教拘係太多,恐怕再學"大道",也只能如邯鄲學步,難得老莊精義。誠如《莊子》所説:"曲士不可語于道者,束于教也。"班嗣所貴尚的老莊之術,確爲莊學正宗。全性保真,清靜自守,獨師造化,復歸自然,而鄙棄周孔聖教,世俗名利。自漢武之後,魏晉之前,如此推崇莊子人生境界而貶斥儒學名教者,班嗣可説是獨此一家。只可惜班嗣不曾留下長篇著作,因而難知其學説的細節①。否則阮籍、嵇康當引之以爲同道。

東漢初年,班氏家族轉爲專攻史學的世家。班彪及其長子班固、幼女班昭皆專治《漢書》,少子班超一門則通使西域,立功邊陲。班固思想中也有儒道並重的傾向。其《幽通賦》模仿揚雄《反離騷》,自言人生志向。其中有云:"溺招路(謂桀溺招見子路)以從己兮,謂孔氏猶未可。安悒悒而不服兮,卒隕身乎世禍。"感嘆俗世滔滔,孔子之道難行。然而作者對老莊憤世嫉俗,退身自保之説也不予贊同。因此説:"周賈(莊周、賈誼)蕩而貢憤兮,齊生死與禍福。抗爽言以矯情兮,信畏犧而忌服。"知識分子在專制政權壓制下,入世行道則危身招禍,出世避禍又于心不甘。進退兩難,上下

---

①譚戒甫《屈賦新編》認爲《楚辭·遠游篇》爲班嗣所作,但其説證據不足。

無路的矛盾痛苦心情,只能在文章辭賦中發洩感嘆,聊以撫慰內心的傷痛。究竟如何安身立命,是舍身取義還是明哲保身? 也只能如《楚辭·卜居》所説,"用君之心,行君之意",自己斟酌選擇吧。因此班固在《幽通賦》最後寫道:"天造草昧,立性命兮。復心弘道,唯聖人兮。渾元運物,流不處兮。保身遺名,民之表兮。舍生取誼,亦道用兮。憂傷夭物,忝莫痛兮!昊爾太素,曷渝色兮? 尚粤其幾,淪神域兮。"無論爲儒還是爲道,皆可安身立命,任由選擇。要在守死善道,不染于流俗,于道無違,于心自安,即是超凡入神之境域矣。儒道兩家的人生觀由此而可以會通。

在東漢重視老莊學的儒家學者,還有與班氏家族同郡的大儒馬融。據《後漢書·列女傳》載,和帝時班固之妹班昭奉旨續成《漢書》,藏于東觀。"同郡馬融伏于閣下,從昭受讀"。班昭又撰有《女誡》七篇,"馬融善之,令妻女習焉"。可見馬融與班氏家族在學術上有所交往。又據《後漢書·馬融傳》記載:馬融早年修習儒術,大將軍鄧騭聞其名,欲召爲舍人。這只是個私家僕從之職,非馬融所好,故不應命。後來馬融客居涼州,正值當地羌虜反叛,邊方擾亂,米穀踴貴。"融既飢困,乃悔而嘆息,謂其友人曰:'古人有言:左手據天下之圖,右手吻其喉,愚夫不爲。所以然者,生貴于天下也。今以曲俗咫尺之羞,滅無貲之軀,殆非老莊所謂也。'故往應鄧召"。

按馬融所引"古人之言",見于《莊子·讓王》和《呂氏春秋·審爲》篇。這兩篇據近人研究,應爲先秦楊朱學派之作。所謂"生貴于天下"的話,即出自楊朱派後學子華子之口。楊朱學派主張重生貴己,"全性保真,不以物纍形"[1]。即不因世俗爵禄名利而傷害個人生命形體。故孟子攻擊揚朱爲我,"拔一毛而利天下,不爲也"。這種重視自我生命的價值觀,介乎老莊之間。因爲老子有言:"吾

---

[1]《淮南子·氾論訓》。

所以有大患者,爲吾有身。"老子以身爲患,貴以身爲天下,不會爲保全個人形體生命而罔顧其他。莊子雖也主張全身保真,不爲名利所累,但莊子所欲保全的首先是自我獨立自由的精神生命,而不祇是形體身軀。老子主張利天下,楊朱主張爲我,莊子則言無我。因此楊朱所持爲個人實利主義人生觀,而老莊則爲獻身理想的浪漫主義人生觀。馬融所説的"生重于天下",其實與"老莊所謂"大相逕庭。從馬融引述古人之言的前後因果看,主要是爲自己應召出仕辯解,不想因追求世俗虛名而放棄謀取禄食的機會。這種只重實利而罔顧其他的想法,較之楊朱尚且不如,更遑言老莊。

馬融身爲東漢名儒,對儒道之學皆甚精通。嘗注解《孝經》、《論語》及詩書易禮等儒經,亦曾注解《老子》、《淮南子》。但他的人生觀似乎既非純儒亦非正道,而屬不拘名節的享樂主義者。《後漢書·馬融傳》説:

> 融才高洽博,爲世通儒,教養諸生,常有千數。涿郡盧植、北海鄭玄,皆其徒也。善鼓琴,好吹笛,達生任性,不拘儒者名節。居宇器服,多存奢侈。常坐高堂,施絳紗帳,前授生徒,後列女樂。弟子以次相傳,鮮有入其室者。

看來馬融爲人處世的態度,似較接近魏晉玄學中的頽廢派,如劉伶、謝鯤等。此派假托老莊達生任性之説,主張享樂人生,不拘名節,放情肆志,唯以追求"豐屋美服、厚味皎色"爲務。這種名爲放達實則放蕩的個人享樂主義人生觀,固不值效法,但亦有其合理一面。在官方正統儒學籠罩世人的漢代,專制政權以功名富貴、禮教名分、鬼神報應等觀念控制人心,拘束人性,壓抑人們追求個人正當物質利益的欲望。享樂主義人生觀正是對這種名教窒息人欲狀況的有力衝擊。正統的儒家和道家學説都主張對人欲加以克制,如果在實施中被推至禁欲主義極端,只知存天理而滅絶人欲,則不免矯情虛僞,扼殺生動活潑的人性,同樣是"蔽于天而不知人"。實際上也阻礙了社會物質生產和文化娛樂的發展。因此楊朱之學亦不失爲對正統儒道天人之學的補充。

　　從以上所述，可知兩漢之際的老莊之學，已經包含了魏晉玄學各派觀點的種子。何晏、王弼、郭象等玄學正統派以自然本體論證名教綱常的思路，隱含在嚴遵、揚雄的思想體系中。阮籍、嵇康等玄學激進派貴尚自然而鄙棄名教，可以引班嗣爲同道。玄學頹廢派以自然人欲衝擊破壞名教，則當以馬融爲先師。玄學諸派與兩漢老莊學的關係，大體如此。

　　作者簡介　　王卡，1956 年出生，河北人。現爲中國社會科學院世界宗教研究所道教室副主任、副研究員。

貴無之學——王　弼

湯用彤

　　貴無之學有三系統，一爲王何，二者嵇阮。王何二人又不同。王爲全新人物，何則尚脱不了漢學之風。而最脱不了漢學的意義者爲張湛、道安，此二人爲其三。

一、自漢學至玄學

　　1、何晏與王弼。王何二人并論，其故在何晏地位顯貴，爲王弼之説鼓吹。且當時玄學家不多，王、何、夏侯玄等同時倡導此風，故常並論也。然何晏實帶漢人氣味。何晏著《論語集解》，此非他一人之作，乃集前人之説而成。此書不能代表他的思想。《列子・仲尼篇注》引何晏《無名論》一段，又《列子・天瑞篇注》引其道論一段。又《晉書・王衍傳》中有一篇無名論，相傳爲何晏作，然頗可疑。從《無名論》可知何晏取名家説法，而以道家之意作爲其形而上學之根據，此與王弼同。從《道論》可知何晏尚未脱漢學窠臼。《無名論》云：“爲民所譽，則有名者也。無譽，無名者也。若夫聖人，名無名，譽無譽。”漢以來，以名治天下。爲與論所稱，則有名者也。有名者或文或武，而聖人則超乎文武，故名無名。“謂無名爲道，無譽爲大，則夫無名者，可以言有名矣。”(聖王知人授官，故有名出于無名。此之道體萬有，亦然。)“無譽者，可以言有譽矣。然與夫可譽可名者,豈同用哉? 此比于無所有,故皆有所有矣。而于有所有之中,當與無所有相從,而與夫有所有者不同。"君爲諸臣共同之因。諸臣互相不同,或文或武。互不同皆出于同,故曰當與無所有相從。"夫道者,惟無所有者也。自天地已來皆有所有矣。然猶謂之道者,以其能復用無所有也。"天地萬物皆有所有,然皆自然運行,正如國家之治以聖人故。道究竟是如何的? 漢人謂萬物爲五行之配合。五行出于陰陽。在陰陽未分時爲太素,爲元氣。此從宇宙論説也。何晏《道論》中説,萬物有白有黑,而道無黑白,卻爲黑白所從出。此説與漢人無大差别。道出于現象之外,現象之後,爲本質。然此所謂道實爲一實物,在時間中。故此種學説爲科學的學説。王弼之説不同于此。王弼所謂道與時間無關。道即宇宙全體。漢人與何晏之説爲本質的學説,王弼之説爲本體的學説。前者認爲萬物之性以外有本質,本質無名,而與有名爲兩個東西。後者則認爲體用不二。

2、王弼大衍義。何劭《王弼傳》(《三國志・鍾會傳》注引) 爲現存之最有價值的王弼的傳記。其中載王弼與裴徽之談話。何晏稱許王弼,又,何王二人論性情之不同。其中又載荀融反對王弼之大衍義。(荀融本爲王弼之友。) 易曰:"大衍之數五十,其用四十有九。……天數二十有五,地數三十。"漢代經學大師馬融釋五十爲北辰、兩儀、日月、四時、五行、十二月、二十四氣。北辰 (天極宮) 居中不動,故曰其用四十有九。馬融又謂北辰即太極。鄭康成則釋五十爲十月、十二辰、二十八宿。此説出于易緯。而四十有九者,則以天地數共五十五,去五行,又減一 (爲何減一,鄭未明説)。荀爽則釋五十爲六爻,八卦爲四十八,再加乾坤用九用六共五十。初九勿用,故四十有九。姚信、董遇則以爲天地數五十五,每卦六畫,五十五減六爲四十九。五十則未釋。《易・繫辭》與後來哲學最有關者爲太極一觀念。欲説太極,則必牽涉到大衍之數。王弼大衍義即以玄學家之眼光釋天地之數。"大衍義"已佚,韓康伯之論保存一部分。(宋人謂韓康伯親受業于王弼,此可疑。然韓之論與王説近似。)
王弼曰:"演天地之數所賴者五十也。其用四十有九,則其一不用
也。不用而用之以通,非數而數之以成,斯易之太極也。四十有九,
數之極也。夫無不可以無明,必因于有,故常于有物之極,而必明
其所由之宗也。"韓康伯説:"有必始于無,……取其有之所極,況
之太極。"無者即有之所極。萬有或大或小,皆可以數形容。有可以
有數,無無數。蓋數者,所以記物。四十有九,數之極,亦有之極也。
大衍之數,實只四十九,其一非數,以其非"有物"故。然有無非二,
有物之極與所由之宗非二。其一不用之一,非數之一,乃形上學之
一。一即全,即不二。

漢學研究世界如何構成,世界是用什麼材料做的。推源至太
初、太始或太素,有元素焉。元素無名,實爲本質。漢學爲宇宙論,
接近科學。漢人所謂元素,爲"有體"的,爲一東西,唯在其表現之
萬有之後。王弼之説則爲本體論。此所謂體,非一東西。萬物因本
體而有,超乎時空,超乎數量,超乎一切名言分別,而一切時空等
種種分別皆在本體之内,皆因本體而有。王弼不問世界是 what,
or what is made of ,亞里士多德説種種科學皆講"什麼",being
this or that,而形上學則講 being as being。以下分論王弼之學
説。

二、道

1、體,無體。道有衆義,其一爲道理,其一爲元氣 (如《淮南
子》)。前者爲抽象的,後者則爲具體的東西。漢人以至抱朴子,二
義混用。王弼之道則與之不同。《論語釋疑》云: "道者,無之稱也。
無不通也,無不由也,況之曰道。寂然無體,不可爲象。"無爲體,此
所謂寂然無體,無形體也。(舊時所謂體,皆如身體之體。至王弼始
以之爲本體。) 本體非物。物有數有象,可以用名言去説它。非物,

故非數 (非四十有九之一)，非象，無名。萬物紛雜，本體則寂然。形
容本體，擬議本體，最好之辭爲道。(王弼以爲"強爲之名曰大"尚
不妥。) 道即 whole, 即 order。無漢人之元氣爲質料義，而有爲法
爲理義，故曰通，曰由。說元氣先天地生，在時間中，而王弼所謂先
天地生，無時間先後意。"不知其誰之子，故曰先天地生。"

　　2、道之別一名爲常。a 常有本然義，本來如此曰常。常對奇言。
對個人說，有許多事很可奇怪；對宇宙說，則無所謂奇，一切本來
如此。人對外物不能了解，不能控制，乃以爲有奇，其實無奇。b 常
有靜義。《老子》二十五章注云："返化終始，不失其常。"萬有千變
萬化，皆有其理。c 常有絕對義。《老子》一章注云："指事造形，非
其常也。"指事造形，特殊的，具體的東西有變化，全則不變。有變
者爲相對，不變者爲絕對。就此點言，亦可說常有靜義。但此所謂
靜，爲絕對的靜，包括動靜言。

　　(三) 自然。《易略例・明象》云："物無妄然，必由其理。"物無
妄然，即自然。此二句爲"道順自然"之確解。道即全，即 absolute，
即 order。一個東西之所以有，必有所由，萬物之有，皆由于道，"物
皆不敢妄，然後乃各全其性"(《易・無妄卦》注)。如妄然，則失其
性。性即物之如此如彼也。有出于道，亦即有生于無義。

　　(四) 道德。漢有才性論，正始有道德論 (後衍爲無有之辨、真
俗二諦之爭，其實爲同一問題)。何晏道德論已爲形上學的。王弼
所謂道爲自然，爲常，德即指事造形。《老子》五十一章注云："道
者物之所由也，德者物之所得也。"道德論即無名有名之關係，亦
即性與變之關係。王弼以道爲體，萬物得其一德，與漢末人異。(漢
末之道德論，如《尹文子》，實爲一種政治學說。君主合乎道，而臣
民得其一才。)《易略例・明爻》一篇，說宗主與情僞，其關係爲動
的。全即 totality，即 order。謂全爲靜，乃絕對的靜，超乎動靜。

　　(五) 極。即道之全也。六朝人謂之宗極。(王弼說極說宗，亦同
義。) 萬有皆出乎道，指事造形，具數理而有。此謂之得 (佛家謂之

取),在宇宙間得其一定的地位也。此即順乎自然,即不敢妄然。對"數個理"而言,王弼說道之全。道之全即有之極,即無。個別事物皆有其一定地位,不敢妄然。但若因此"殊其己而有其心,則一體不能自全,肌骨不能相容"(《老子》三十八章注)。一切的安排與秩序即極。王弼有時又說:"一極",明不可分也。又說"大極"。

　　(六) 反本。"復者反本之謂也。天地以本爲心者也。凡動息則靜,靜非對動者也。語息則默,默非對語者也。然則天地雖大,富有萬物,雷動風行,運化萬變,寂然至無,是其本矣。"具體的事物 A 與 B 是相對的,二者可以互相衝突、互相排斥。故曰:"若其以有爲心,則異類未獲具存矣。"王弼所謂天地非道。"天者,形之名也"(乾卦注)。本即無。天地以無爲心。王弼之說與政治學說有密切關係。以無爲心,即大公無私,無我。以有爲心則反之。天地以無爲心,萬物自然運行。君主以無爲心,乃合于道。若以有爲心,則拘于仁義。"健者,用形者也。"健即道。具體的事物 A、B、C 等各有其地位,各有其用,是謂順性守命,然此猶是私,是以有爲心。反本即以無爲心,則明全體大用。此即道之自用也。具體的事物各有其得(或取),是謂德。道之自得(其實無得)爲上德,或聖德。就道體言,道以無爲體。就上德言,道以"無"爲用。(過去釋爲以"無爲"用,誤。)《老子》三十八章注云:"夫大之極也,其唯道乎。自此以往,豈足尊哉。故雖盛業大富,而有萬物,猶各得其德。雖貴以'無'爲用,不能舍'無'以爲體也。不能舍無以爲體,則失其大矣,所謂失道而後德也。"此所謂德,實爲上德或聖德。"盛德大富而有萬物",在政治上說,即君主之治天下。在形上學說,即道之全體大用。用不能舍體。以無爲用,即老子所謂"冲而用之"。"執一家之量者不能全家,執一國之量者不能全國。窮力舉重,不能爲用,……"有無窮之力,纔能治天下,即爲有聖德之君。A、B、C 因全而有,若 A、B、C 各只顧自己,各守性命,則至多只是"良民"而已。若 A、B、C 不忘本體,與全體大用打成一片,乃成聖人。是爲"與天地合其德"，"與極同體"。如此不失，不忘其體，是爲反本，是爲復命。問：何以普通人不能反于無？《老子》三十九章注云："物各得此一以成，既成而舍以居成。居成則失其母，故皆裂發歇竭滅蹶也。"萬有之存在由于本體，非離本體而自存。然既成，且自居于成，乃居末而忘本。忘本，則不能全其生。

(七) 政論。

1 聖人。《老子》各章所説聖人，大半皆指君主。《論語釋疑》謂君子有二義，一指帝王，一指"德足君物，皆稱君子，有德者之通稱"。自漢以來，皆信聖人天成，王弼似亦持此見解。"聖人茂于人者，神明也。"神明天成。然王弼所説聖人之內容與儒家之説不同。聖人有"則天之德"，無名、中和，與道同體，與天地合其德。聖人之治天下，分職任官，各得其當，即分職合其名分，用人合其名目。分職用人爲有名，聖王無名，無名統有名，有名以無名爲主。《老子》二十八章注云："真散而百行出，殊類生，若器也。聖人因其分散，故爲之立官長。"三十二章注、二十七章注、三十八章注皆可參考。

2 因。王弼所謂無爲，一爲 natural，對人偽言。任天，或則天行化，非故意如此或如彼，帝王行事，無論爲善舉或刑罰，皆非矯揉造作，而順乎自然。順自然即順性。物無妄然，皆由其理。順性即因其性。一爲無身。A、B 等自居于其個體或個性，則失其性，此即私 (參見十七章注)。"惟無身無私乎自然"。若以自己爲體，爲本，則私乎自然。聖王無身，與天地合其德，是爲公。聖王行事，無論善舉或刑罰，皆爲當然，此亦即順自然，亦即因。(參見二十九章注。)帝王之治天下，對萬物萬事，皆"因之"而已。無爲非不作事，政治上一切活動皆應有，但帝王所行之事，非造作，而是順乎自然。王弼不攻擊儒者之名教。《老子》三十八章中所蔑視之禮，王弼以爲是文飾之禮。《論語》有云"立于禮"，王弼《釋疑》云："禮以敬爲主。"因即順自然，即無爲而自化。要做到如此，首先聖王必須大公無私，其次聖王以"觀"感化人，而不以刑制使物。觀卦注云："王道之可以觀者，莫甚于宗廟，……"宗廟祭祀實大有功用。即便是刑制，只要"因"，亦應有。訟卦注云："無訟在于謀始，謀始在于作制。……物有其分，……"刑制名分使人各得其分，則可免爭。又，因非不變。革卦注云，民不喜變革，但聖王知宇宙間本有變，不合則變，變須得當 (參考鼎卦注。)

　　3 儒道窮通。雖然老子反對仁義，反對禮，要絕聖棄智，王弼則以爲這是反對假的聖賢，假的仁義。(何晏亦如此主張。見《世說新語・文學》注引文章敘錄："晏說與聖人同"。) 王弼以爲自己的學說爲儒的一種解釋，並非反對孔子。王何皆以爲"老不及聖"，然而何以性與天道等，《論語》卻不多說，而《老子》講得很多？《三國志》注引王弼傳中說，裴徽問，《論語》書中何以不講無。王弼答曰："聖人體無，無又不可以訓，故不說也。老子是有者也，故恆言其所不足。聖人要教人，故不說無。且就聖人自己亦不必說。"王弼把孔老拉在一起說，以名教爲訓，形上學爲體。形上學爲名教之根本，而名教爲形上學之例證。王弼把名家說放在道家基礎上。既然以聖人爲君，何以有些聖人如孔子不做君主？《論語》云："用則行之，舍則藏之。"玄學家以爲孔子本有聖德，可爲君主，但天地有數有命，聖人乃有窮通之分。"逢時遇世，莫若舜禹。"《論語釋疑》子見南子注云："否泰有命，……天命厭之。"王弼之說如決定論，物無妄然。宇宙有一定之消長，此命也。窮通之論，最初玄學即討論。揚子《太玄賦》云："觀大易之損益，覽老氏之倚伏。"漢人講天道，即福禍吉凶，楊子講玄，亦講此。張衡《思玄賦》云："吉凶倚伏，出微難明，乃作思玄賦。"張楊之玄，與王弼之玄自然大不同，但王弼之說用舍行藏，實根源于此最早之玄學。漢人熱心政治，以爲應該做官。漢末三國人乃漸厭棄政治，以爲不一定要做官，做隱士亦可。王弼窮通之論與此傾向相合。觀卦注且以爲隱遁者亦可爲民所觀。

　　(八) 工夫。除佛學外，玄學很少講工夫。就王弼之系統說，人類分二部分，臣民各得一體，具特殊之理，有特殊之功能，臣民被統治，而君主則得道之全，君主是聖人，天下自然有秩序。故王弼少講臣民而多講君主。君主如何治天下？王弼于這方面也講得很少。因爲王弼相信：1聖人"智慧自備"(《老子》二章注)。且聖人順自然，不造作，"爲則僞也"。聖人不需要常人之"學"。2聖人之智慧即明。明夷卦注云："藏明于内，乃得明也。"聖人之明不外露，無鋒芒。蒙卦注云："蒙以養正，乃聖功也。"聖人有明，乃能知人，乃能善任，如此，則無爲而無不爲。此種説法，原自名家來。3只要聖人體無，不必講體如何如何，只須講儒家之名教即可。

(九) 性情

1材料。a何晏説聖人無情，王弼不同意，作文辨之。此文有一段保存在《三國志》注引何劭王弼傳。b同傳中有王弼致荀融書，曾説"以情從理"。c乾卦注云："不性其情，何能久行其正？"d何晏《論語集解》釋顔子不貳過，以顔子能以情從理也。

2應注意之點：a聖人只有幾個人纔合此資格，其他若顔子，則爲賢人。何晏説顔子以情從理，王弼説聖人以情從理，若謂二説同，則誤。b自漢以來，性有二義。董子《春秋繁露》云："身亦兩，有貪仁之性。"此性包括情言。又云："身之有性情也，猶天之有陰陽也。"此以性與情對待言。c性情之分別，從善惡方面言，即性情相應不相應問題。或説相應 (或皆善或皆惡)，或説不相應 (即性惡情善，或反是)。最普通之説爲性情二元，即性善情惡。然劉向則謂性情相應，性不獨善，情不獨惡。(荀悦《申鑒》甚推崇劉説。)d性情之定義，各派異説。與性情相關問題如善惡、理欲等，各派皆討論，然以立場不同，定義各異。對于性情之分別乃各異其説。(i)董仲舒、班固等從陰陽説性情，性陽情陰，(ii)又有從理欲説性情，性順理而情縱欲，儒家所持之觀點常如此。(iii)又有從動靜説性情，情爲性之動，性爲情之末發。性，生而然，爲陰；情爲已發，形外，接物而發，爲陽。劉向之性情相應説是也。《禮‧樂記》云："人生而静，天之性也。感于物而動，性之欲也。"此爲最早從動静説性情，很顯然本爲道家之説。e復卦注云："動非對静者也。"動静（或體用）非二，是王弼之説。

3 王弼傳云："聖人茂于人者，神明也；同于人者，五情也。神明茂，故能體沖和以通無；五情同，故不能無哀樂以應物。"此王弼駁何晏聖人無情之説也。同傳《與荀融書》云："明足以尋極幽微，而不能去自然之性。顔子之量，孔父之所預在，然遇之不能無樂，喪之不能無哀。"自然之性即情也。《論語釋疑》云："喜懼哀樂，民之自然，應感而動，則發乎聲歌。"應物之確解，即應感而動。聖人體幽微，明窮通，顔子之壽夭，孔父皆知之。然遇之不能無樂，喪之不能無哀。依王弼説，性善情亦善，性惡情亦惡，亦從動静説性情也，而與何晏以情順理之説全異。（《申鑒》可參考，乾卦、感卦、臨卦、明夷卦等注可參考。）何晏之本體論似分二截，故其性情論説聖人無情。聖人以下者，賢人爲能以理化情，常人不能。王弼之本體論説體用不二，其性情論説聖人與常人皆有情，唯聖人能性其情，久行其正，能隨心所欲不踰矩，常人則不能。顔子三月不違仁，是賢者矣。王弼又以爲："然則聖人情應物而無累于物者也。"答荀融書又云："又常狹斯人，以爲未能以情從理者也，而今乃知自然之不可革。"應者感也，即《樂記》"感于物而動"之感，即《易》大傳"感而遂通"之感。寂然之體，感于物而動，即爲情。情包括感情與情欲二義。聖人有情，此從動静方面説也。聖人性其情，則自然能以情從理。答荀融書所云多戲語，以情從理，非從動静言，乃從善惡言。

簡論魏晉玄學是新道家

許抗生

內容提要 本文首先論說了魏晉玄學思想屬於道家思想的系統，道家思想在魏晉玄學中起了主導的作用。其次，又論說了魏晉玄學是歷史上的新道家，它與先秦兩漢以來的道家相比，具有着新的特點，這一新道家在道家思想發展史，乃至整個中國哲學思想發展史上，具有着劃時代的意義。

自周秦以來，我國傳統文化有兩大支柱和系統：一是儒家及其系統，一是道家及其系統。兩大學術派系互相紛爭又互相融合，形成了我國傳統文化思想的長河而源遠流長。儒學自春秋末年孔子創建以來，直至今日，有着自己不斷發展的歷史(儒學史)。一般學者把春秋戰爭時代的初創儒學稱之爲原始儒家或早期儒學，而把歷史上最繁榮的宋明理學稱之爲"新儒學"，又把"五四"以來儒學的復興稱之爲"當代新儒學"。儒家的歷史發展是如此，那麼道家的歷史發展是否也是這樣呢？有沒有歷史上的"新道家"和"當代新道家"的問題呢？目前學術界上已有一些人正在探討着這一問題。有些學者已經提出了要建立"當代新道家"的創議，也有些學者正在試圖創建起"當代新道家"的思想體系。如董光璧先生已出版了"當代新道家"一書，提出了自己對當代新道家的看法。又如王中江先生則正在擬議當代新道家的思想體系。我相信"當代新道家學派"猶如母腹中的嬰兒不久的將來即可誕生。"當代新道家"崇尚自然的和諧和人與自然的和諧,這是當今時代的需要(如環保學、生態學等的需要),她的產生是歷史的必然產物。對于這點我是深信不疑的。至于歷史上是否與"新儒學"一樣,產生過"新道家"呢? 這是一個值得討論的問題。我認爲,儒家既然在歷史上有儒家發展史,與之相應道家在歷史上亦有道家發展史。既各有自己的發展史,那麼兩者在各自的發展過程中,都會呈現出不同的發展階段性來。原始儒學(或稱早期儒家)、宋明新儒學、當代新儒學(或稱現代新儒學),這標誌着儒學在發展過程中呈現出來的三個重要發展階段。那麼道家在自己的發展史上是否也呈現出了這樣幾個重要的發展階段呢? 當然"現代新道家"從嚴格意義上來説尚未形成,雖説已有人提出,或者已提出了某些思想觀點,但還未建立起完整的思想體系。至于在封建社會的漫長歲月中,是否出現過與原始道家(即以老莊爲代表的先秦道家)既有密切聯係又有很大不同並帶有自己特定的"新道家"呢? 這一回答應當是肯定的。在學術界,有些學者也早已提出了這一"新道家"的概念。但"新道家"究竟是指誰,指道家發展史上的哪一個學派或思潮,則有着不同的理解和看法。有些學者提出了漢代的黃老學爲新道家,也有些學者則把魏晉玄學稱作爲"新道家",我感到要弄清這一問題,首先應該弄清什麼是"新道家",這一概念的涵義主要是指什麼。按照我的理解,"新道家"應當包含兩方面的內容:一是應屬道家,二是應是"新"的道家,重在"新"上。"新"與"舊"相對,新道家就應具備有不同於原始道家(先秦道家)的特點,在道家發展史上具有劃時代的意義,猶如宋明理學在儒家發展史上具有劃時代的意義一樣。宋明理學直接繼承了先秦孔孟以來的儒家思想,同時又吸取了佛、道兩家的思想,建立了不同於以往儒學的新思想體系,尤其是提出了以天理爲宇宙之根本的思想,正如程顥所説:"吾學雖有所受,天理二字卻是自家體貼出來"(《遺書》

卷十二)。以天理爲本的宇宙論學説,的確是二程首先提出的,在儒學發展史上是一個具有劃時代意義的新思想、新觀點。所以二程所奠定的宋明理學,可稱之爲歷史上的"新儒學"。那麼"魏晉玄學"抑或漢代的"黄老之學",究竟誰可稱作爲"新道家"呢,按照我的看法,魏晉玄學是可以稱之爲"新道家"的,而漢代的黄老學似尚缺乏稱作"新道家"的條件。要解決魏晉玄學是歷史上的"新道家"問題,自然首先要解答的是魏晉玄學是屬道家,同時還要解答魏晉玄學是否具有不同於以往道家的新特點。下面我就對這兩大問題試作些分析:

一、魏晉玄學是道家思潮

魏晉玄學是否是一股道家思潮,在學術界也是有不同看法的,有一些學者認爲它是儒道兩家互補的産物,它既非儒亦非道,玄學就是玄學,它是中國學術發展史上的一個階段而已。確實魏晉玄學是儒道互補的産物,猶如宋明理學是儒佛道三教互補(合流)的産物一樣。但雖説是互補(或合流)的産物,亦并不妨礙它有學派性質的歸屬,就如大家共認宋明理學是儒學那樣。以此魏晉玄學雖説是儒道互補的産物,亦不妨礙它有學派性質的歸屬問題。儒道互補中總有一個思想的主導方面,或稱之爲矛盾的主要方面,事物的性質就是由矛盾的主要方面所決定的,那麼在魏晉玄學的儒道互補中,究竟誰是矛盾的主要方面呢? 我認爲在這一互補中起主導方面作用的不是儒家而是道家,以此魏晉玄學不是儒家而是道家。我認爲在魏晉玄學中道家屬主導方面,其表現是十分明顯的,試以玄學中的主流思想何晏王弼的玄學爲例,其主要思想哲學宇宙觀和政治倫理學説而言,皆是以繼承和發揮老子的道家思想爲主導思想的:

(1) 何晏王弼玄學的宇宙本體論主要是發揮老子道家思想

的。何、王玄學宇宙論直接繼承了老子的宇宙論思想，討論了萬物
("有")與宇宙的本原"道"(亦稱爲"無")的關係問題，即"有無"關
係問題，並在老子的"天下萬物生于有，有生于無"和"守母(母即
無)存子(子即有)"的思想基礎之上，提出了"以無爲本"、"以有爲
末"的宇宙本體論思想。很顯然，這一宇宙論學説是屬於道家系統
的。對于這點已爲學術界所共識。

　　(2) 何晏王弼的政治倫理學説也主要是發揮老子道家思想
的。何晏王弼玄學的政治倫理學説，我們一般好用"名教出于自
然"論來概括之。"名教"指儒家的名分等級思想的教化，即指儒家
的三綱五常的政治倫理思想的教化，簡言之，就是我們一般所説
的"禮教"。"自然"一般把它解釋爲宇宙的本體"道"。"名教出于自
然"就是説儒家的禮教是根由於道家的宇宙本體論而來的。如是
這樣簡單的理解，似乎何、王玄學的宇宙論是道家的，而政治倫理
思想則是儒家的，或者説儒家在玄學的政治倫理領域占有主要地
位。何、王玄學果真是這樣麼? 依我看來，何、王玄學在政治倫理
領域裏亦并非如此，何、王玄學提出的是以道家的素樸無爲之治
爲"本"，以儒家的仁義教化爲"末"的思想，并提出了"崇本舉末"
的主張。王弼在《老子指略》中明確地説：

　　　　竭聖智以治巧偽，未若見質素以静民欲；興仁義以敦薄俗，
　　未若抱朴以全篤實；多巧利以興事用，未若寡私欲以息華競。故
　　絕司察，潛聰明，去勸進，剪華譽，棄巧用，賤寶貨，唯在使民愛欲
　　不生，不在攻其爲邪也。故見素樸以絕聖智，寡私欲以棄巧利，皆
　　崇本以息末之謂也。

這裏講的"本"是指道家所倡導的"見素抱樸"、"少私寡欲"，所講
的"末"是指巧偽、薄俗、華競。王弼認爲只有"崇本"即提倡素樸，
寡欲的無爲之治，纔能"息末"即消滅巧偽、薄俗、華競等等社會上
的浮華現象。社會上的這些弊端是不能用"竭聖智"、"興仁義"和
"多巧利"來解決的，這是因爲只是崇尚仁義名教，其結果會適得

其反,招來禍患,以此王弼説:"夫敦樸之德不著,而名行之美顯尚,則修其所尚而望其譽,修其所道而冀其利。望譽冀利以勸其行,名彌美而誠愈外,利彌重而心愈競。父子兄弟,懷情失直,孝不任誠,慈不任實,蓋顯名行之所招也。患俗薄而名興行、崇仁義,愈致斯僞,況術之賤此者乎? 故絕仁棄義以復孝慈,未渠弘也"。(《老子指略》) 這是説,崇尚名教("名行之美顯尚"),望譽冀利,必然會名彌美而利彌重心愈競,失去真情誠實而愈招至虛僞,所以老子説:"絕仁棄義,民復孝慈"。可見王弼在此對儒家的名教之治是提出了批評的。但王弼是否完全否定仁義名教呢? 這也不是,他要的是敦厚樸實的仁義名教,而不是沽名釣譽的名教。那麼怎樣纔能使仁義名教純樸呢? 王弼認爲:"仁德之厚,非用仁之所解也;行義之正,非用義之所成也;禮敬之清,非用禮之所濟也"(《老子注》三十八章) 仁厚、義正、禮敬,並不是靠仁義禮教本身就能做得到的。"夫載之以大道,鎮之以無名,則物無所尚,志無所營,名任其貞,事用其誠,則仁德厚焉,行義正焉,禮敬清焉。"(同上) 又説:"載之以道,統之以母,故顯之而無所尚,彰之而無所競。用夫無名,故名以篤焉;用夫無形,故形已成焉。守母以存其子,崇本以舉其末,則形名俱有而邪不生,大美配天而華不作。"(同上) 這即是説,祇有用無名無形無爲的"道"來治理天下,纔能做到"物無所尚,志無所營",各用其誠,最後達到仁德厚、行義正,禮敬清的結果。這就叫做:"崇本舉末"和"守母存子"。可見,道家的樸素無爲之治是"本"是"母",儒家的名教則是"末"是"子"。儒家的名教必須依賴于道家的無爲之治纔能實現的。由此,我們的結論是: 王弼的政治倫理學説也是以道家的思想爲其主導思想的。

以上兩點從何王玄學的哲學宇宙論基礎,到它的治理國家的政治倫理學説,都説明了道家思想是何、王玄學的主導思想,何、王玄學確實屬於道家的系統。

然而有人可能要問: 何晏、王弼不僅都作了《老子注》發揮了

老子的思想，而且也都作了《論語注》(何晏有《論語集解》，王弼有
《論語釋疑》)，王弼還作了《周易注》和《周易略例》闡釋了儒家的
經典思想，以此我們也就不能把何、王當作道家中的人物。確實何
晏、王弼皆是老(老子)孔(孔子)兼學或老《易》兼學的。這是魏晉
玄學中的一大風氣。這是玄學不同於先秦道家的一個重要方面。
所以，在何晏、王弼的玄學中吸取了不少儒家的思想，這不必諱
言。如以王弼的《論語釋疑》爲例。在這部著作中有不少內容是宣
揚儒家的倫理思想的，如在《里仁篇》中王弼在對"夫子之道，忠恕
而已矣"句解釋中，就十分推崇忠道和恕道。王弼說："忠者，情之
盡也；恕者，反情以同物者也。未有反諸其身而不得物之情，未有
能全其恕而不盡理之極也。能盡理極，則無物不統。極不可二，故
謂之一也。推身統物，窮類適盡，一言而終身行者，其唯恕也。"
(《皇疏》)"恕"道是理之極則，推身統物，可一言而終身行之者。可
見，王弼在這裏是極其推尊孔子的恕道的。但在談到孔子的"道"
和"聖人"思想時，王弼卻不以儒家思想來解《論語》，而是用以老
解孔的辦法，宣揚起了道家的哲學思想和政治學說。如在解釋《述
而篇》的"志于道"時，王弼說："道者，無之稱也，無不通也，無不
由也。況之曰道，寂然無體，不可爲象。是道不可體(體指體察)，故
但志慕而已。"(《邢疏》)很明顯孔子在《述而篇》講的道指的是仁
道或忠恕之道，而不是講的宇宙本原的"道"。王弼卻用老子的宇
宙本原的道來解釋孔子的道，認爲道是無形無象的寂然無名的
"無"，它是天地萬物的根由("無不由也")。又如在解釋《泰伯篇》
的"大哉、堯之爲君也！巍巍乎唯天爲大，唯堯則之，蕩蕩乎民無能
名焉"這一段話時說：

> 聖人有則天之德。所以稱唯堯則之者，唯堯於時全則天之道
> 也。蕩蕩，無形無名之稱也。夫名所名者，生於善有所章而惠有所
> 存。善惡相須，而名分形焉。若夫大愛無私，惠將安在？至美無
> 偏，名將何生？故則天成化，道同自然，不私其子而君其臣。兇者

　　自罰，善者自功，功成而不立其譽，罰加而不任其刑。百姓日用而

　　不知所以然，夫又何可名也!(《皇疏》)

這完全是用老子的思想來解釋《論語》。孔子本來衹是歌頌堯之偉
大，認爲已不能用言語名稱來稱頌他，而王弼卻在這裏講了一套
哲學道理，認爲名出于"善有所章而惠有所存"，可見名是用來指
稱具體事物的(即相對的善惡的)，至於大愛無私、至美無偏，超越
了相對而達到了絕對，那麼"名將何在？""聖人"道同自然"，無爲
而治，是至善至美的，"又何可名也"。這就是老子所説的"道可道，
非常道；名可名，非常名"和"聖人無名"的思想。由此可見，王弼在
這裏形式上是解釋《論語》，實際上則是在宣揚道家的思想。陽是
儒而陰是道，這纔是思想的實質。以此王弼在與裴徽討論究竟是
聖人(孔子)還是老子誰能"體無"(體認宇宙之本體"無")問題時，
有這樣一段絕妙的對話："(徽)問弼曰：'夫無者誠萬物之所資
也。然聖人(指孔子)莫肯致言，而老子申之無已者何？'弼曰：
'聖人體無，無又不可以訓，故不説也。老子是有者也，故恆言其所
不足'"。(《三國志·魏志·鍾會傳》引何劭《王弼傳》)這是説，"無"
是萬物賴以存在的依據("萬有恃無以生")，然而爲什麼孔聖人不
講一句有關"無"的問題，而老子卻講個不完呢？裴徽的這一問題
本來是很難回答的，這是儒道兩家思想根本不同之所在，然而王
弼卻很容易地把它解決了。其用的方法仍然是以道解儒的方法，
即把孔子道家化，認爲孔子聖人是"體無"(體認"無")的，然而
"無"是超言絕象不可言説的，所以聖人不説"無"。老子則并沒有
能"體無"，所以他"恆言其所不足"，對"無"説個不停。王弼在這裏
形式上似乎是尊儒抑道、崇孔貶老，其實是陽尊孔而陰實崇老，孔
子已經是老子化了的聖人，以此這裏尊孔實是尊老。由此可見，王
弼雖説奉孔子爲聖人，並注釋了儒家經典，他的主導思想卻並不
是儒家而是道家思想。

　　至于阮籍、嵇康爲代表的另一派玄學，他們是歷史上有名的

反儒人物，他們的反儒思想是直接繼承了先秦的老莊思想而來
的。正如嵇康所説："老子、莊子，吾之師也。"(《嵇康集・與山巨
源絶交書》) 他站在道家自然人性的立場上抨擊儒家的六經，認爲
六經的思想是違背自然人性的。嵇康説："六經以抑引爲主，人性
以從欲爲歡。抑引則違其德，從欲則得自然。然則自然之得，不由
抑引之‘六經’，全性之本，不須犯情之禮律。知仁義務于理僞，非養
真之要素，謙讓生于爭奪，非自然之所出也。"(《嵇康集・難自然
好學論》) 全性養真不在于禮律仁義而在於任自然。以此嵇康提出
了"越名教而任自然"的主張，認爲名教是桎梏自然本性的，祇有
"越名任心"、"值心而言"、"觸情而行"，纔能做到"公而無私"、"是
而無非"。這種隨順自然，尤其強調隨順心之自然的思想，顯然是
對老子道家因順自然思想的進一步的發揮，而是與儒家的名教
(禮教) 思想相對立的。當然嵇康與阮籍也並没有完全否定禮樂教
化的作用，他們之反禮教是"有激而爲之"的 (反司馬氏集團的名
教統治而爲的)，但當時的社會逼着他們走上了這條反儒家的道
路，成爲了道家中的人物。這是無容諱言的。

　　以向秀、郭象爲代表的玄學崇有派，他們以注《莊子》而享盛
名。他們在儒、道兩者的關係上主"儒道合一"説，提出了"名教即
是自然"的思想。從"儒道合一"説 (即"名教即自然") 看，似乎它是
亦儒亦道的思想，兩者思想很難分出主次。從宇宙論上來看，他們
反對"無中生有"説，主張萬有"自生"、"獨化"説，這種思想既不同
于老子，亦不同於莊子，甚至可以説它是老子思想的反對派 (當然
亦是何、王貴無論玄學的反對派)。以此似乎他們也很難説它是道
家的哲學思想。但他們的這些思想并没有超出道家哲學所討論的
中心課題——有無之辯，他們不過是以道家貴無派哲學的反對派
面目出現而已。這是其一。其二，向秀、郭象玄學崇有派哲學所追
求的終極目的，則是與莊子道家的目的是相同的，都是爲了達到
人生的逍遥 (自由) 爲目的的。《莊子》有《逍遥游篇》，提出了無待

而逍遙的思想，主張物我雙忘(即"無待")而達到逍遙(精神的絕對自由)的境界。向秀郭象亦以逍遙爲目的，提出了任性(或足性)逍遙的學説，以發展莊子的逍遙義。據劉孝標説："向子期、郭子玄逍遙義曰：'夫大鵬之上九萬，尺鷃之起榆枋，小大雖差，各任其性，苟當其分，逍遙一也。'"(《世説新語・文學篇》注引)逍遙在於各任其性，所以大鵬高飛九萬里滿足了自己的性分而逍遙，尺鷃則低飛于榆樹枋樹之間，亦滿足了自己的性分，也得到了逍遙，"其于逍遙一也"。這就是所謂"足性逍遙"説("苟足于其性，則雖大鵬無以自貴於小鳥，小鳥無羨于天池，而榮願有餘矣。故小大雖殊，逍遙一也")。人們的性分各是不同的，性分各有差，聖人的性分就是作天下的最高統治者治理國家，以此他雖忙于政務，日理萬機，而祗要充分地發揮了他的這一性分，他精神上也就達到了逍遙自在的境地。由此郭象説："夫聖人雖在廟堂之上，然其心無異于山林之中。"(《莊子・逍遙游注》)這就是所謂"游外宏內"之説，游外宏內是合二而一的。"宏內"從事"名教"，"游外"實現"無爲""逍遙"任自然，以此在這裏"名教與自然"、"儒家與道家"皆是合二爲一了。而"足性逍遙"説就是名教與自然合一、儒家與道家合一的理論基礎。這種逍遙義顯然是對莊子逍遙義的發揮，屬於莊學道家思想的範圍。所以《晉書・向秀傳》説："向秀……，雅好老莊之學。莊周著內外數十篇，歷世才士雖有觀者，莫適論其旨統也。秀乃爲之隱解，發明奇趣，振起玄風，讀之者超然心悟，莫不自足一時也。惠帝之世，郭象又述而廣之。儒墨之迹見鄙，道家之言遂盛焉。"可見，歷史上人們是把向秀、郭象的思想當作爲"道家之言"的。"道家遂盛"、"儒墨見鄙"，魏晉玄學是一股新的道家的思潮，而不屬於儒家的範疇。

二、魏晉玄學是歷史上的新道家

如上所説，所謂"新道家"重在一個"新"字上，新道家應具備有不同於原來道家的新特點，并在道家發展史上具有劃時代的意義。這樣的道家纔可稱得上爲新道家，如果按照這一要求來考察，我認爲魏晉玄學在歷史上是可稱得上爲"新道家"的。魏晉玄學確實具有不同於原有道家的新特點，并能在道家發展史上起着劃時代的作用。

在魏晉玄學中，最具有新道家特點的當首推何晏、王弼的玄學貴無派思想。何、王玄學的産生，標誌着在道家思想發展史乃至整個中國哲學思想發展史上進入了一個新時代。先秦兩漢的道家哲學乃至先秦兩漢以來的整個中國哲學，就其宇宙觀而言，皆屬於道家系統的宇宙生成論和宇宙構成論爲其主導的思想。宇宙生成論學説首先是由春秋末年道家創始人——老子所提出的，他提出了"天下萬物生于有，有生於無"和"道生一、一生二、二生三，三生萬物。萬物負陰而抱陽，冲氣以爲和"的思想。這是我國哲學史上所提出的第一個宇宙生成論哲學體系。之後這一思想又爲戰國中期的莊子和西漢的《淮南子》所發揮。至於宇宙構成説一般則以氣或元氣以及五行思想來構築。用氣來構成宇宙天地萬物，最早是由稷下黄老學（《管子》中的《內業》等篇）所提出的，他們把老子的"道"解釋成"氣"（精氣），認爲天地萬物皆是由精氣所構成。之後以氣構成天地萬物的思想在漢代又得到了《淮南子》和王充等發揮，形成了氣一元論的龐大體系。由此可見，先秦兩漢在宇宙論上可説是一脈相承的，都是屬於道家宇宙生成論和宇宙構成論的學説。時至魏晉玄學纔在宇宙論上起了一個根本性的轉變，即從以往的宇宙生成論或宇宙構成論轉變爲宇宙本體論的思想。宇宙本體論討論的是萬有賴以存在的根據，用本末與體用這兩對範疇來説明"萬有"與其存在的根據之間的關係,按何晏、王弼看來,萬有的存在根據是絕言超象的無,以此有爲末、無爲本,或言有爲用,無爲體,所以王弼提出了"以無爲體"或"以無爲本"的思想。這就突破了先秦兩漢以來的宇宙生成論和構成論學説,而深入到探究宇宙萬有的本質,不再停留在兩漢的現象學層面。這樣就從兩漢哲學對具體科學問題(如宇宙演化和構成等)的討論,而昇華爲對抽象的哲學問題(如世界存在的依據,萬有的統一性等問題)的探究。這是我國歷史上哲學思維的一大進步,具有劃時代的意義。之後魏晉玄學的本體論,直接影響到了佛教的本體論和宋明理學的本體論哲學,使中國哲學走上了一條研討哲學本體論之路。以此我們有充分的理由説,魏晉玄學是一種新道家的思潮,也是中國哲學史上的一股新哲學的思潮。

　　在魏晉玄學中,不僅何、王玄學有着明顯的新道家的特點,就是在嵇康、阮籍的玄學和向秀、郭象的崇有派玄學中,也有着不同於以往道家的新特點。例如嵇康所提出的"越名教而任自然"的思想,強調的是"越名任心",任心之自然,所以主張"值心而行",反對用名教束縛人心。這就與老莊所講的"自然"有了不同,老子莊子強調的是"道法自然",即宇宙本原"道"的自然無爲的存在狀態,人應當效法道,亦應法自然而無爲。在這裏,"自然"強調的是客觀自然界的法則,作爲統治者來説則應效法這一法則,實行無爲而治,從而反對儒家所提倡的人爲的禮義教化之治。以此老莊并不講隨任人心而行,而主張聖人應保持絕對虛静的心理境界。由此可見,嵇康與老莊一樣雖説同講"自然",但他們對"自然"這一概念的理解上已經有了很大的不同,從而使得嵇康的玄學也就不同了老莊的道家。

　　再如向秀、郭象的適性(或足性)逍遥説,也已不同于莊子的物我雙忘的無待逍遥説。莊子講的是得"道"逍遥,如何得"道"呢? 道是超言絕象的絕對,它是無形無象的無,它是不可用通過感性和理性的認識所能把握的，它祇能通過"物我雙忘"的精神修養的功夫，達到與道同體的境界纔能獲得。這就是莊子的無待逍遙說。如果按照莊子的這一思想推下去，向郭的足性說是不可能獲得逍遙的，"足性"就要受到自己性分的限制，也就做不到"無己"("無我")，忘不分"我"，最終達不到逍遙。然而向秀、郭象從"合儒道"思想出發，認爲宏內即游外、足性即逍遙，這就與莊子的思想有了質的不同，這可以說向秀，郭象的莊學已經不同於以往的莊子思想，而有了新質，已經是新莊學了。

　　至於有些學者把漢代的黃老學當作歷史上的新道家的。確實黃老之學不同於以往的老子思想，它是一種新的老學。黃老學與老子不同，它具有更大的學術思想的包容性，老子反對儒家、法家等學派思想，而黃老之學不僅不反儒、法等家思想，而且兼"採儒墨之善、撮名法之要"，把儒墨的仁愛思想禮義思想、名法的形名思想法治思想等等，皆吸收到自己的思想體系之中，以此大不同了原來的老子思想。就這點來說，把它稱作爲新的老子學應是毫無問題的。但我們爲什麼不把兩漢的黃老之學當作爲歷史上的新道家呢？ 我們主要的理由是： 黃老之學並不是漢代的產物，它產生于戰國中期，漢代的黃老之學是戰國時期黃老之學的直接繼承和發揮，它並不帶有根本性的變化，不具有劃時代的意義。

　　黃老之學產生於戰國中期，這已爲大多數的學者所公認。例如大家都認爲稷下黃老學 (其主要代表著作是《管子》中的《內業》、《白心》、《心術》上下等篇) 是產生於戰國中期的齊國稷下學宮的。《史記》則把齊宣王時代的稷下學士慎到、田駢、接予、環淵等人稱作爲"皆學黃老道德之術，因發明序其指意"的 (見《史記·孟子荀子列傳》)，可惜他們的黃老著作皆已不存。1973 年長沙馬王堆漢墓出土的《經法》、《十六經》(又稱《十大經》)、《道原》、《稱》四種古佚書，大家一致斷定它們爲黃老學的著作，這應該說是無疑問的。但在這些著作寫作的年代問題，則發生了分歧，有的人認爲它們成書於西漢初年或秦漢之際,有的人認爲成書於戰國末期,也有的認爲成書於戰國中期。我也傾向於戰國中期,最晚不得遲於戰國末期之説①。但不管四部古佚書成書於戰國時期也好,還是成書於西漢初年亦罷,都不能改變黄老之學産生於戰國中期的這一歷史事實,也改變不了黄老學這一學派的思想性質。漢初的黄老學如曹參、竇太后等人,不過是用清静無爲的黄老思想來治理國政而已。至於深受黄老思想影響的《淮南子》等書,在宇宙論上也没有能突破老子以來的宇宙生成演化論學説,雖説對演化的過程作了比老子詳細得多的描繪,以此我們可以説,漢代的黄老學并没有突破多少先秦的黄老思想。先秦道家屬於初創時期,自老子始創道家學派之後,道家逐漸分化成諸多分派,如楊朱學派、列子學派、莊子學派和黄老學派等。這猶如孔子自創建儒家學派之後,逐步分化成孟氏之儒、荀氏之儒等等,有所謂"儒分爲八"的説法。這都屬於初創時期的産物,同屬於一個時代的東西。這些分派都不能代表一個時代的新儒學或新道家的思潮。以此它們都不帶有劃時代的意義。所以祇有後來代表時代思潮的魏晉玄學和宋明理學,纔可稱得上爲歷史上的"新道家"和"新儒家"。

作者簡介　許抗生,1937 年生,江蘇武進人。現任北京大學哲學系教授。著有《帛書老子注釋與研究》、《老子與道家》、《三國兩晉玄、佛、道思想簡論》、《魏晉南北朝哲學思想研究概論》等。

---

①關於成書於戰國中期説,可參閲唐蘭先生的《馬王堆出土〈老子〉乙本卷前古佚書研究》一文 (載《考古學報》1975 年第一期) 和余明光先生的《黄帝四經書名及成書年代考》(載《道家文化研究》第 1 輯)。

晉宋山水詩與道家精神

王　玫

　　魏晉六朝是中國文學發展史上一個重要階段,不僅因爲源遠流長的山水詩傳統開始於本時期,更由於這時期在思想根源上發生了一場思維觀念和方式的更新,並對以後文學創作産生重大影響。傳統的儒家道德觀念以及與此相關的思維模式在這時期面臨嚴峻的挑戰,人們不再滿足于在有限的價值領域內討生活,而對自然本體和生命存在的有效方式表示極大關注,以使心靈在宇宙深沉的暗夜顛簸中得以安息。山水詩正是以詩歌的形式反映這時期人們對生命存在問題的沉思及回歸精神家園的迫切心情。一直對生命存在的本體方式表示關切的道家哲學指出人生所有價值關懷之枉然,衹有回歸生命的本然狀態,順應宇宙自然的法則,纔能使心靈找到歸宿。六朝時期再次揭櫫道家哲學始終如一的主題:崇尚自然。在道家精神的感召下,這時期山水意識空前覺醒。于是富有詩的氣質的道家哲學在魏晉六朝藉自然山水被前所未有地熱情謳歌而被合理地詩化,中國古典詩發展至此則因融入道的本體意識使詩境大爲超拔,晉宋山水詩中玄理感悟與山水體驗相融並存則是具體表現。那麽,道家精神如何體現于晉宋山水詩中? 晉宋山水詩以何種方式接納了道家精神之沾溉? 以下三方面試圖由此展開思路。

尋求生命與自然的交融

　　晉宋山水詩的生成明顯表現出對生命本體的體認，以及將生命與自然交融，從而回歸自然這一旨意。這時期幾乎每篇堪稱山水詩的作品無不反映回歸自然、在自然中安頓生命的意願。"自然"在此有兩方面涵義：一是人的價值實存狀態 (生命本然)；二是自然形態本身 (自然山水)。"回歸自然"便是使生命存在借助於自然形態本身返歸自然本體或原樣自呈，從而達到生命與自然在本體層次上相融爲一。自然形態本身不等于自然本體，它祇是本體借以呈現的中介，但是自然形態本身統一生動的氣韵無不顯示本然生命的光耀。使本然生命自我呈現、歸依自然，這一理想的終極目標爲"道"的概念涵蓋無盡。"道"不是一個抽象的與主體生命無關的絕對存在，道本身就是主體生命與宇宙自然相融統一的整體。道家哲學雖然否定任何價值形態的意義，但並不否棄本然的生命，并希企生命自身獲取最實存最本質的存在，所以道的境界并非是摒棄生命于外的抽象存在，而是使在價值世界中遭到歪曲的生命形式回復到它的本然狀態，張揚個體自身潛伏的生命力與超個體的生命本體的合歡。

　　如果説"道"本身是超形相的絶對存在，那麼，六朝人眼中的自然山水則是道之精神的形象體現，所謂"山水以形媚道"(宗炳《畫山水序》)。自然山水使高深莫測的大道變得具體可感，而作爲道之表徵的自然山水以其曠蕩深遠容納了個體生命在經驗世界中的局促，沉痛，使個體生命挣脱現存價值領域內的種種俗務情累，向本體返歸，獲得心靈的自由解放。自然山水本身無異生命莊嚴的展示，在自然山水中可以解讀生命品格的崇高和宇宙精神的神聖。視山水爲道，與其説這是對玄虛之道的形象體悟，不如説是對生命與自然得以交融的歡歌，所有的現世煩惱、失意，以及功名利祿的誘惑皆頹倒在這一生命大歡洽的氣息之下，人們紛紛在自然山水中放釋精神和肉體的羈縛，縱意情遊，“散懷山水，蕭然忘羈”(王徽之《蘭亭詩》二首其一)。

　　晉宋山水詩正是道之精神的詩意呈現。山水詩在六朝由孕育而形成及至勃興，正在于獨稟了道家的精神氣質。既不滿於社會道德綱常的瑣屑虛偽，又不曾對彼岸世界懷抱幻想，使道家哲學導向對玄虛之道的追尋。儒家過於關切人在價值世界的生存方式而使之無法超功利超價值地去把握生命存在的最本質形態，對社會倫理道德的專注，使之缺乏深切的回歸意識。佛家或許比道家更透徹體悟人生種種價值存在之虛妄，但是，由於對生命本然狀態的一並否定，因此淡漠了尋求生命與自然交融的熱情。與此相關，儒家眼中的自然山水成爲人的精神品質的純粹象徵物，或某種道德觀念的對應物，忽略了自然作爲“自在”的存在的實體性，自然山水因此充滿道德說教氣息，魏晉六朝一些受儒家思想浸淫的山水描寫便是如此。佛家，尤其禪宗取消了道家外在于人的形上本體，而把這一本體主觀化空無化，自然山水成爲枯寂清虛的心志之映現，缺少一種生生之氣的湧動。王維山水詩形象展現了佛教禪宗境界，在一片冷寂虛空的詩境中，默潛心靈底部作超形忘相的精神獨遊，生命與自然融化一體的欣悦已消匿於一片寂無之中。

　　生命與自然大交融，於自然中點燃生命的光輝，以生命的莊嚴去理解自然的真義，這須在自然中作長久漫遊，與自然山水頻繁接觸中，不斷將生命融入其中，千百次研讀自然與生命的深邃，方可達到的最高境界，魏晉六朝風魔整個時代的山水遊覽，山水賞會足以顯示這種熱忱。然而，道家精神無異一道靈光洞照幽邃，將生命於自然中點化提升，使自然山水無不充溢着生命遼遠的和聲：“神散宇宙內，形浪濠梁津”(虞説《蘭亭詩》)；“羣籟雖參差，適我無非新”(王羲之《蘭亭詩》)；“散豁情志暢，塵纓忽已捐”(王蘊之

《蘭亭詩》);"俯仰終宇宙"(陶淵明《讀山海經》十三首之一);"復得
返自然"(陶淵明《歸園田居》五首其一);"觀此遺物慮,一悟得所
遺"(謝靈運《從斤竹澗越嶺溪行》);"非徒不弭忘,覽物情彌遒"(謝
靈運《郡東山望溟海》)。山水從此不再是無生命的物質實體,作爲
自然之道的體現,它的身上也放射着生命的光彩。六朝時期不少
山水詩都孜孜于表白體道悟玄的熱情,這絕非僅是不動情感的理
性沉思,而是生命沉潛到自然底部的無言獨化,所謂"以玄對山
水"就是要以生命本然形態面對純净之山水,若非如此則無以顯
示生命于自然中沉酣的歡躍和巨大滿足,哪怕是一點俗念或不敬
都會褻瀆這種神聖,這是對自然山水的最大崇敬,也是對大道的
極大尊崇所有的虔誠,表現出生命急欲與自然交融的熱忱。晉宋
山水詩中這種澎湃的歡情可以説在唐宋山水詩中不易見到,更不
是六朝以前山水詩蒙昧階段所曾自覺表現,這是中國古人從自然
中第一次認識了自己,認識生命的實存意義,第一次真正挣脱世
俗種種價值形態的羈絆,在自然山水中找尋生命的依歸;也是第
一次真正打破文化意義上的思維觀念的桎梏,傾聽宇宙自然深處
的呼唤,真實地去把握潛在於自然深處生命的律動,使生命返回
原初。

對自然美的理解和追求

　　由"自然"一詞所包含的兩種涵義認所決定,自然美在道家美
學中便具有兩方面內涵,實存性的生命本然所顯現的美爲其一
(無言大美);自然形態本身所呈示的美爲其二 (自然山水美)。自然
形態本身的美固然令人心曠神怡,但是自然山水衹有體現了超功
利超形相的本體真美,顯現生命的本然,它的形式美纔具有深刻
的意義。對於自然山水來説,這種形式美也是天工所成,而非人力
所就,爲抽象之道的審美表徵,完整自足地體現大道至美,一山一

水，一草一木，星光月色，雲影霞輝，蘊含着自然生命的無限生機，儘管自然萬物的美形態萬千，但是它們都是宇宙精神、生命意蘊的豐富展現，都是大道至美在表象世界中不經意留下的傑作。晉宋詩人眼中山水所以美，正在於它體現了至高無上的道之精神："山靜而谷深者，自然之道也"(阮籍《達莊論》)。自然山水順從朝夕晦明的變化而運轉斡旋，一如大道，自然而然。直面山水可以使人領悟其中蘊含的大道精神，於審美之中獲得情感的愉悅和理思的滿足。

　　對自然美的欣賞也是主體情感自我呈現的需要。自然山水既然是汗漫無際的大道之體現，也是主體情感的一種表現形式，主體情感由無所附麗的抽象狀態藉自然美欣賞得以審美顯現，對於審美主體而言，欣賞自然美不僅感官形式上可以獲得審美愉悅，也能得到自我人格欣賞的心理滿足，由遠離塵囂的自然山水疊印遺世超俗的自然人格。這時期人物品藻往往以自然美比況人格美人體美便是實例："濯濯如春月柳"(《世説·容止》)；"朗朗如日月之入懷"(同前)；"岩岩若孤松之獨立"(同前)；"謖謖如勁松下風"(《世説·賞譽》)；"岩岩清峙，壁立千仞"(《世説·賞譽》)。處處可見審美主體在欣賞自然美的同時也獲得自我欣賞的滿足，而理想的人格或人體無不與自然山水一樣顯示出自然的神韵和光澤。于是，對自然山水的觀賞及對宇宙本原——"道"之大美的觀照，與自我胸襟的澡雪，在審美活動中同步進行，感性個體通過審美静觀方式，與超個體的生命本體融化爲一。

　　六朝時期自然美審美標準普遍以"清逸"爲特徵。"清"作爲自然美的內質意味着清雅絶俗，不染塵雜，"清水出芙蓉"，一如大道之深邃清遠。因此展示于山水詩中的意象或是山深水長，或是碧空孤月，遠岫流雲。春夏則修竹幽谷，流風停雲，秋冬則疏木古柏，虚岫空山，在一片清遠飄逸的自然景物中仿佛可以讀到主體生命沉潛於自然造化之中的瑩澈澄明，祇有一脈靈泉無限地延伸向宇宙生命之根。山水詩于是有理由不關切自然山水的實用性，詩中幾乎無須着力描繪人境中片磚塊瓦，雕甍飛簷，也不曾縈懷山川跋涉的疲憊困頓，似乎唯有開拓出清虛遠逸的詩境纔能領悟大道的真義，聽任生命與自然肆意交融。謝靈運山水詩中這種情懷最爲深沉："近澗涓密石，遠山映疏木"(《過白岸亭》)；"白雲抱幽石，綠篠媚清漣"(《過始寧墅》)；"潛虯媚幽姿，飛鴻響遠音"(《登池上樓》)；"連嶂疊巘嶤，青翠杳深沉。曉霜楓葉丹，夕曛嵐氣陰"(《晚出西射堂》)；"密林含餘清，遠峰隱半規"(《遊南亭》)；"林壑斂暝色，云霞收夕霏"(《石壁精舍還湖中作》)；"岩下雲方合，露上花猶泫"(《從斤竹澗越嶺溪行》)，無一不是清幽超逸的自然山水，寄托詩人"賞心勞愛"的心表之殷殷，在"山水含清暉"中舒展主體生命對自然奧義的深刻體驗。

　　"清"也是"道"的特徵，"天得一以清，地得一以寧"(《老子》三十九章)。"夫道，淵乎其居也；漻乎其清也"(《莊子·天地》)。道，淵深幽隱，澄澈清明，一如水深而清，不可測試。以"清"爲審美標準正是來自道家對大道之美的追求，在道的觀念尚未建立之前，詩中自然風景描寫顯然缺少清虛絕俗氣息，魏晉時期以公宴、遊覽、行旅爲題材的詩作莫不如此，這些景物多是詩人宴遊集會，道路經歷所見實況，由於審美主體對生命存在的本然狀態缺乏更深切的關懷而不能揭示自然山水更深微潛在的精神氣蘊。道的觀念滲入後，詩歌境界也大爲超拔，及至謝靈運，山水詩規模格調便已形成，大謝詩中清遠超逸的自然山水幾乎蕩去市俗烟火氣息，在對深山大壑的陶寫中寄托高蹈遺世之心曲，一篇《石門岩上宿》便可見雲光月影，林籟風聲，彈觸多少生命靈竅，在蒼茫懷想中亦有不可掩抑的歡欣，那是傾聽到自然深處生命的強大呼吸所擁有的至悲與至樂。

　　這種高懷遠思正是來自道家，尤其莊子，莊子哲學在對玄虛哲理進行思考和對道的無窮探究中，將主體精神高舉在世俗悲歡之上,儘管他本身居陋巷、飯蔬食,但是一種不嬰世務、鄙薄名利、向慕自然的"清高",使莊子精神遠遠超越于世俗價值領域。這種清逸脫俗的精神氣質明顯爲晉宋山水詩所秉承。泠泠超逸的氣象風神,落落孤傲的胸襟懷抱,使晉宋山水詩顯示出清逸高標的自然神韵而具獨特的審美形態。

整體把握自然山水的方式

詩歌形式並非是與生命品格無關的東西。晉宋山水詩既然是生命與自然合一的詩化形式,它的文學表現方式和技巧必然也成爲這一價值存在的確定方式,詩歌中感知方式、思想境界,語言意象都是生命價值存在的具體表達。儘管"形式"與"內容"的協調這時期在技術性嘗試方面還不盡如人意,但是力圖從整體意義上展示對生命存在的本體意義的思考在山水詩形式方面也有所表現,這時期山水詩不同於以前的風景描寫在于把握自然景物的方式明顯表現出整體性特徵,自然萬物在山水詩人眼中是一個不可分割的整體,自然萬象的生成變化無異於渾然一體的大道,儘管山川草木形質各異,朝昏旦暮變化無窮,但是它們卻有內在的統一氣韵:"大矣造化功,萬殊莫不均"(王羲之《蘭亭詩》)。因此山水詩中的山水描寫不是面向單一事物,那是詠物詩的寫法,而是整體觀察多於個別觀察,寫山水不在爲寫而寫,而是在對山水的整體把握中表現對玄虛大道的理解。在山水詩創作中這種整體意識主要表現在超時空和超語言兩種表現形式。

超時空形式具體表現爲兩種把握時空的手法,一是以不標明具體時空來表現時空的無限性;二是點明具體時空以強調個體生命的有限性,從而反映無限時空中道的永恆性。前者有如謝萬《蘭亭詩》二首其一:"肆眺崇阿,寓目高林。青蘿翳岫,修竹冠岑。谷流清響,條鼓鳴音。玄崿吐潤,霏霧成蔭"。湛方生《還都帆詩》:

"高嶽萬丈峻,長湖千里清。白沙窮年潔,林松冬夏青。水無暫停流,木有千載貞。寤言賦新詩,忽忘羈客情"。如果説謝詩没有標明具體時空袛是種無意識的行爲,并不曾説明有何深層的寓意,那麽,湛詩則明顯含蘊着某種時空觀念,從"萬丈"、"千里"、"千載"這些"泛泛"之詞中不難理會經驗世界中恆久的時空實際上是超時空。人是生活在時空之中,但是個體生命所擁有的時空十分有限,唯有道是超時空的絕對存在,道的整體性正是通過超時空的形式得以表現,而不受任何具體時空的範限。這種形式在以後受禪宗影響的詩作中發揮得淋漓盡致。滄海無際,人生有涯,草木枯而復榮,日月落而再升,從短暫的人生看去,自然界在無窮盡的整體性時空中湧動着大道不死的生命。

　　與前者相反的是強化時空意識的表現方式,這是對道的整體性理解的另一種表現形式。最常見的句式是"朝(晨)……,暮(夕)……";或者以對仗方式表現上下遠近,四方八極。從對道的理解方面而言,這種表現方式與前者並無鑿枘,強調具體時空,實則嘆惋生命。最早在楚辭中已有這種形式,但是魏晉以後道的觀念樹立,這種形式的運用更爲自覺且普遍。此時個體生命俯仰天地,周覽萬物,深感時空威逼,年華易逝,由此對比超時空的道之永恆。如果説模糊時空的方式是從道的實存性方面展示自然山水不受時空分割的整體面貌,以反映道的整體性觀念,那麽強化時空的方式,則是從個體生命的有限性角度比較道的絕對與永恆,二者都是從時空角度反映道的整體性,袛是手段各異。此外,朝昏旦暮、上下遠近,兩兩對比,句句成偶形式的運用,似乎亦可看作感性個體試圖多方位多角度地把握宇宙自然的整體氣蘊,謝靈運山水詩最能體現這一特徵,在兩兩相對的景物描寫中,表現上下四方完整一體的自然總貌。山塢水涯、高雲飛鳥、汀芷渚蘭、猿聲鶴影,無不組成一個渾然的整體,昭示着搖撼詩人心旌、激發詩人對自然山水深深沉湎的不僅僅是一草一木的俏麗,或一雲一鳥的高遠,而是由自然萬物匯集而成的萬竅簫聲、五音繁響。

　　因此,對景物進行細緻周詳地描寫也就難免了,似乎唯有如此方能顯示出自然山水的整體面貌,所謂"極貌寫物","巧言切狀"(劉勰《文心雕龍·明詩篇》),這種方式本身所潛藏的深層意識實際上仍是基於對道的整體性認識。爲了有效地表現自然山水的原初形貌,以往整飭單一的句法已不能滿足需要,於是詞句倒裝,語詞活用頻頻出現,以前山水描寫中常見的陳述句式逐漸爲描述句式所替代,叙述再現風景轉爲藝術表現山水。這一過程幾乎是與對道的理解逐漸深入同步發展。由於道的觀念建立,以往邏輯思維控制下的平衡語序被顛倒錯亂,語言形式由日常文化意義規範下的"有序"狀態進入"無序",事實上這意味着對語言形式的超越,詩歌終以非邏輯思維方式反映最本真最實存的自然本體,因爲人類文化思維意義上的"無序"正是自然本體意義上的有序,從而完成對語言本體的回歸。中國古典詩歌語言形式變化萬端與西方詩歌相比,更接近生生不息的自然原貌,這一特點之形成與六朝時期道的觀念對詩歌創作的全面滲透不無關係,而晉宋山水詩首先獨禀了自然的神恩。所謂"極貌寫物","巧言切狀"正是道的觀念對詩歌語言形式的滲入所產生的必然結果,不僅僅是通常所說的爲"形式主義"風氣影響下的產物。所謂"形式主義風氣"亦非空穴來風,而是有其深刻的思想根源,這便是魏晉以來日漸盛行的道家思想所帶來的自由解放、崇尚自然的時代風潮。

結　語

　　六朝山水詩的生成顯然具有衆多複雜的因素,山水詩與道家的聯繫亦有諸多方面,本篇文章尚無法全面系統地考察魏晉六朝山水詩與道家學說關係的每一細節,祇能試圖從道家精神對晉宋山水詩形成所產生的深刻影響作一概略表述,藉此找出六朝時期詩歌創作的某些本質特徵,以及這時期文學觀念的變化對詩歌創作所產生的深遠影響。其次,也想藉此對六朝山水詩研究某些有爭議的方面提出個人看法。不少研究山水詩的文章認爲六朝(尤其晉宋)山水詩由於在詩中談玄說理,所以不足爲貴,唯南朝以後(謝朓)擺脱玄言"尾巴",從而導向王維山水詩的成熟,方稱嘉妙。若是由此看待六朝與唐代在詩歌藝術表現方面的成熟與否,或許無可非議,但是若以此軒輊六朝與唐代山水詩境界的高下則未免失之于當。事實上,對自然的整體把握和對宇宙生命的深入追尋,無論是唐代還是以後都不及山水詩興起之初做得如此富有生機,祇是由對道的體認及對自然生命的徹悟到用詩歌形式妥當表現出來,其間存在一個尷尬的距離,山水詩興起之初,詩人們所缺乏的祇是泯没這段距離的時間和經驗,而非在於道的觀念滲入山水詩創作的過失。甚至可以誇大點説,如果没有道的觀念的影響,不僅山水詩,可能以後許多成功的古典詩歌的境界或許還無法由平淺而超拔,即便王維爲數並不多的山水佳篇展示的是更爲透徹明净的禪宗境界,但是若無經過六朝山水詩階段則是不可想像。中國古典詩歌在六朝時期發生了一場重大革命,不僅在於這時期詩歌題材的顯著增加,獨立而有影響的詩人層出不窮,更重要的應是在於古典詩歌從日常瑣碎的生活實録中走出來,從儒家道德觀念的束縛下解放出來,詩歌的境界大大提升了,超拔了,這是六朝詩歌對中國古典詩歌發展的最大貢獻,其中以山水詩創作成就最爲卓越,道家精神的貫注對此産生不可低估的作用。

漢魏以至六朝,道家思想的復興以至發展對山水詩的形成勃興作用甚大,並且影響深遠,人與自然契合之間所産生的巨大歡欣第一次在六朝山水詩中得以自覺表現,六朝山水詩中的自然山水絶非是通常文章所説的與詩人自身品格無關的抽象概念的對應物,山水詩得以興起這一事實就是詩人對自然的渥恩無限感動的産物,祇不過此時人們不限於表達零碎的憂傷或日常的歡樂,而是真正追尋到生命與自然相融的根部，在萬壑風聲、滿川雲影中體驗生命的深邃和莊嚴，這正是道家啟開慧眼，使生命從層層名繮利鎖中釋放出來，山水詩正是以詩歌的形式宣告了人類文明發展史上伴隨着人的自覺時代而來的返璞歸真的追求，其意義已不僅限於對某種玄虛哲理的體悟或對某種抽象概念的詮釋，而是展示了人們對自身處於宇宙自然中的位置的深沉反思，及尋找生命回歸的強烈願望。

作者簡介　王玫，1957 年生，福建福州人。1982 年畢業于廈門大學中文系，現爲廈門大學中文系講師。撰有《古典文學與接受美學隨想》等論文。

北宋理學與唐代道教

李大華

内容提要 本文認爲：(一) 理學"博雜"、"遍求"的學術風格乃是唐代儒學内部守道與開放兩種學術路向的兼綜重構,而這兩種路向卻包涵了對道家、道教兼容風格的認同。(二) 理學家是從道教那裏學習"物之理",從而開始從事本體論建構的。理學合理與氣爲一體的二元本體論與道教的道氣二元本體論有着完全的一致性,理學家的發明之義是給自然宇宙本體論賦予了人倫化的内容。(三) 理學家在認識論中大講性命原則,是接受了唐代道教的影響,儘管理學與道教在對性命的闡釋上不盡相同,但把認知問題與身心超越及其安身立命聯繫起來,則又是一致的。

過去有關理學與道教關係的研究多限於北宋陳摶"先天圖"、"無極圖"與周敦頤、邵雍等學脈一系,這是形成上術觀點的基本原因。本文擬將宋代理學具特色的學術風格、本體論、性命原則等三個方面與唐、五代道教思想作一比較研究,看看宋代理學從道教那裏擷取了哪些思想觀念。

一、"博雜"、"遍求"學術風格之由來

二程曾評價張載的學術思想説:"子厚則高才,其學更先從

博雜中來。"(《二程集》第 38 頁，中華書局出版)《宋史·道學傳》也
說張載"訪諸釋老，累年究極其說"。黃百家評論朱熹說："博極羣
書，自經史著述而外，凡夫諸子、佛老、天文、地理之學，無不涉獵
而講求也。"(《宋元學案·晦翁學案》) 全祖望也認爲："善談朱子
之書者，正當遍求諸家，以收去短集長之益。若墨守而屏棄一切
爲，則非朱子之學也。"(同上) 張、朱的學術風格在理學諸派中具
有廣泛的代表性，這種以"博雜"、"遍求"爲表徵的學術風格用張
載的話來表述就是："博文以集義，集義以正經。"(《正蒙·中正
篇》)

　　然而，這種開放的學術風格卻本非儒家從來就有的。孔子"不
語怪、力、亂、神"，主張"思無邪"、"一以貫之"，思、孟強調"思誠"、
求放心"，儘管先秦時期百家之學盈天下，然儒學者猶不屑曲己之
道"以證其邪，故可引而不發以需其自得"。(王夫之《張子正蒙注》)
先秦以降，世代儒學者皆信師是古，恪守"百代同道"觀念，"合於
道者著之，離於道者黜去之"(韓愈語)，尤忌"雜佛老言"。儒學這種
治學方式屢次使自身陷入困境與危機，如東漢讖緯神學的荒誕，
隋唐"章句之學"的疏淺。隋唐時期，三教鼎立，佛教本身的辨思性
很強，又大膽地融攝老莊哲學思想，進一步實現其中國化；道教則
也廣泛地攝取佛教的佛性思想，實現了自身的思辨化，在更高程
度上向老莊思想復歸；唯有儒學，雖居正宗地位，思想內容卻貧
乏，拿不出理論性強的東西與佛道抗衡，大批儒林學士不免皈依
佛道，用二程的話來說："儒者而卒歸異教者，只爲於己道實無所
得，其勢自然如此。"(《二程集》第 156 頁) 這對儒學來講，乃是一
場深刻的危機。在這種危機中，儒學內部滋生出兩種似乎方向相
反的思想傾向，一是韓愈、李翱、姚崇這般醇儒的守道思想，一是
柳宗元、劉禹錫、顏真卿等"不根師說"、"去名求實"的開放思想。
相反相成，兩種思想傾向恰好反映了儒學發展的兩種需要，前者
突出了在文化融合中不可失卻"自我"的本位意識，後者體現了異

派思想文化合流補益的趨勢。發展是自身的發展，而自身的發展
囿於狹小的圈子亦不能實現。宋代理學實際上就是沿着這兩種思
想傾向又兼綜兩者發展而成的。

　　顯然，無論就"守道"思想傾向，抑或"開放"思想傾向來説，佛
道的思想影響是重要的，換句話來説，是佛道兩者相互對立又相
互攝取所推動的文化交融刺激了儒學的這兩種傾向。比較而言，
道家、道教對儒家的影響要直接一些。道家道教則與儒家同爲本
土文化，道教"天地君親師"的守德倫次也不與儒學綱常倫理相牴
牾，因而，他們本能地認同了道家、道教的思維方式和治學態度，
像柳宗元就曾因緣道家的思維模式，試圖建構自己的元氣本體論
學説。這種嘗試對理學本體論的建構不無淵源關係。

　　隋唐文化交融中，一個更爲重要的事實是：道家、道教思想
家已經明確地提出"三教合流"的要求。陸希聲認爲孔子"文以治
情"，老子"質以復性"，提出"學者能統會其旨，則孔老之術不相悖
矣"(《道德真經傳》，見《道藏‧洞神部》)。杜光庭則更明確地提
出："若悟真理，則不以西竺東土爲名分別，六合之內，天上地下，
道化一也。若解悟者亦不以至道爲尊，亦不以象數爲異，亦不以儒
宗爲別也。三教聖人所説各異，其理一也。"(《老子説常清静經
注》，見《道藏‧洞神部》) 這是在治學方法上開了宋明"三教合流"
的先河。

　　北宋理學家既是沿着隋唐儒學家們開闢的學術路向和道佛
勵行的兼綜雜取的特性發展開來的，但又非簡單地承襲。在理學
家們看來，韓愈等"能將許大見識尋求"(《二程集‧二先生語録》)，
但"言不謹嚴"，"孤孤單單、窄窄狹狹去看道理"，不免"左動右礙，
前觸後窒"(《宋元學案‧晦翁學案》陳北溪《答蘇德甫》)。柳宗元、
劉禹錫、乃至王安石等雖然言語開闊，但不知擇術而求，"遂使儒、
佛、老、莊混然一途"，流失所居，亦即意不醇，不免"蔽於詖而陷於
淫"。實際上韓愈的治學方式乃是孔孟式的，柳、劉、王氏的治學方

式乃是近乎道家式的。北宋理學家們乃兼綜各家之長的重構。

顯然，理學家於道佛並非無所取焉，他們在"力闢"佛老時，則又自覺或不自覺地涵納其思想，如葉適在《習學記言序目》中所云："程張攻斥老佛至深，然盡用其學而不自知者。"在他們的言論中不時地表露出對道佛思想的認同，以二程為例，時而說"佛老其言近理"（《二程集》第 138 頁），時而又說"佛莊之學，大抵略見道體"（同上第 156 頁）。就其實際情形來說，宋代理學受道教的影響遠遠深於佛教，其中道教經典《陰符經》就為二程、朱熹屢次贊同。但是，理學家們在涵納道佛思想時，卻同時抱有很高的戒備心，二程說："常戒到自家自信後，便不能亂得。"（同上第 25、26 頁）這種戒備，一方面是因為"釋氏無實"，莊子"無禮無本"；另一方面也因為儒學的學術傳統所致，理學家們有勇氣走出儒學營壘，博雜、遍求各種學術思想，也有勇氣拿過來明辨之，涵納之，卻沒有勇氣承認從異端得到了益處，周敦頤明明受益於道教，卻"莫或知其師傳之所自"（朱熹《通書後記》），邵雍"於佛老之學未嘗言，知之而不言也"（《河南邵氏聞見前錄》卷 19）。這即是理學家們特有的作法：陽拒陰納。然而，理學從道佛那裏竊取了思想成果，尤其是從唐代道教那裏稟受了開放的學術精神畢竟是一個歷史事實。

二、合理與氣的本體論建構

儒學本來不注重本體論問題，如果說儒學也有自己的哲學的話，那只能是粗淺的倫理哲學，這種只講人倫關係的哲學在三教攻訐中，自然處于劣勢，如佛教就認為"大道精微之理，儒家所不能談"（《張載集》第 4 頁，中華書局 1971 年版）。為要扶正儒學正宗地位除了建立儒學系統完整、辨思性強的理論，沒有更好的辦法，其中營構儒學本體論是首要的。本體論樹立起來了，纔能談得上"正經"，也纔能夠"一以其歸"，這是理學大師們清醒意識到的。可是,爲要做到這一切,須將視角從人之倫轉移到物之理上。北宋諸子中,周敦頤、邵雍率先向道教學習"物之理",北宋時期,道教理論家陳摶的"先天圖"、"無極圖"經過一些中間環節,分別爲周、邵二人繼承,周子着重闡揚其中的"氣化觀",邵子着重闡揚了其中的"數理觀"。朱熹曾説:周子以太極圖授程子,"程子之言性與天道,多出於此"(《周敦頤集》第 7 頁,中華書局 90 年版)。二程也曾説過:"邵堯夫于物理上盡説得,亦大段漏洩佗天機。"(《二程集》第 42 頁) 理學家之所以要向道教學習"物之理",是因爲道教重物理輕人倫,最善于建構宇宙本體論學説,對物之理、命之體追究的也最深。佛教雖然析理達到纖悉精微,但佛教認萬物爲幻相,只强調在心上用功,不究物理。

　　理學完備成熟形態的本體論實際上經歷了一個理論過程,先是北宋五子分途而趨地運思、營構,後是南宋朱熹兼綜條貫,"交底于極"。朱熹直接繼承着二程的本體論。二程提出"天理"範疇,并論證了它的實在性、本原性、超越性,並首次將宇宙本體的"理"與儒家仁義禮智的道德規範合起來論證,其云:"禮即是理也。"(《河南程氏遺書》) 二程氏的本體論論證爲朱熹本體論的最直接理論來源。但二程輕視"氣化論",其"理本論"的確有空泛的傾向,不合于"實"。朱熹融會各家所長,建立了完備系統而精深的儒學本體論,其做法是: 首先,將道 (理) 抽象到無以復加的高度,"道無不包"(《朱子語類》卷 63),"至廣至大"、"至精至極"(同上卷 62)。其次,它不是懸空之物,"有是理,便有是氣"(同上卷 1),陰陽二氣是形而下者,而"一陰一陽者,乃理也,形而上者也"(《朱文公文集》卷 59),亦即理不離於氣。從而避免了二程的空泛傾向。其三,理既是一,又是多,"體用一源,顯微無間",亦即"理一分殊"。其四,"理"不僅是人之理 (以仁、義、禮、智爲內核),同時又是萬物之理,"仁義禮智,物豈不有,但偏耳"(《論語或問》卷 62)。從而避免了二程"理本論"人倫化的狹窄性。

　　在理學本體論建構的諸要素中，有幾個方面與道家有着密切的聯繫。這裏着重分析與唐代道家、道教的內在聯繫。

　　(一) 氣本論。儒家原本不以氣立論，孟子雖説過"善養浩然之氣"，其"氣"亦不過表示人的某種精神狀態，無自然之氣的蘊義；董仲舒所講的氣主要是表現上帝意志的喜怒哀樂之氣，同樣無自然之氣的意味。佛教講法界緣起，諸法唯識，理事無礙，也不講氣。以氣立論是道家開闢并爲道教承續的思想傳統，在道家、道教任何一部文獻裏，幾乎毫無例外地要談到氣。儒學者中試以氣建立宇宙本體論的當推唐代的柳宗元，柳氏依循屈原、荀況有關天人關係的思路和王充元氣論的基本觀點，吸取隋唐道教元氣論中的有益成分，如無極、太虛、陰陽之合、三一爲歸等等，建立了元氣自動、交錯而功、無賞與罰的元氣論證。這樣的論證雖然不如道教元氣論博大精深，但爲儒家元氣本體論開了端。北宋初還有范仲淹、歐陽修，以及王安石等順着柳宗元的思路展開的元氣論證。張載之學雖説是"擴前聖所未發"，但他與柳宗元一系受道家、道教元氣論影響的痕迹是顯而易見的，如爲張載所樂于推求的"太虛"這一範疇，是儒經中所沒有而首見於《莊子》的。

　　(二) 理本論。"理"也即"道"。唐代道教理論大師便試圖用"理"來解釋道，如成玄英説："道者，虛通之妙理，衆生之正性也。"(《道德真經玄德纂疏》) 成氏的弟子李榮也把"至真之道"看作"虛極之理"。吳筠説："夫道者，無爲之理體，玄妙之本宗。"(《形神可固論》) 在一定意義上，"道"——"理"已經通用。孔子最早講過"朝聞道，夕死可矣"，但儒家所講的道，只限於政治倫理的説教，絶無精神性本體之蘊奧。可以肯定，程顥是把隋唐道教呼之欲出的"理"大膽地確立下來了，并把道教所論"道"的所有蘊義賦予"理"本體上。自然，程子確有"體貼"出來的新義，即以仁義禮智賦予理體，并以之作爲"理"的最基本內核。當然，程子"體貼"天理的過程中，也受到佛教"理事法界説"的重要影響，這裏姑且不論。

　　(三) 理氣二元性。朱熹的"太極——理"本體論,一方面稟受了二程的"理",另一方面則又摭取了張載的"氣",利用兩者的互斥取得互補,從張載的"氣"上窮究推出個"理",從程子的"理"下尋出個"氣",即氣"依傍"於理,理"掛搭"於氣,氣若無理則無"主宰",理若無氣則不能"凝結造作"。在邏輯上窮根究極,"須說先有是理"(《朱子語類》卷 1);在實際流行運化中,則理氣"不可先後言",有理則有氣,有氣則有理,理氣分而有二,卻又合二而一,故謂"理與氣絕非二物"(《朱文公文集》卷 45),"道器 (理氣) 之名雖殊,然其實一物也"(《朱子遺書》)。可見,朱熹的本體論實際上是帶有二元矛盾傾向的客觀唯心主義,他雖肯定理是最高本體,但他同時又宣布理不離於氣。這在他對"天命之性"與"氣質之性"的辨正中更爲顯明,而陸王心學攻斥朱子之學"支離",其中理氣矛盾是一個重要方面。朱熹的此番"磨辨"功夫及其最終理論歸宿與道教沒有兩樣。道教的本體論是一種客觀唯心主義,而且是帶有二元矛盾性質的客觀唯心主義。道教首先標立一個超言絕象的道作爲最高本體,但是卻又擔心這個"道"過於玄虛而喪失規定性,于是援氣實道,甚而直接以氣來界定道,道教史上的"道氣"範疇就是在這種思路下產生的。至唐末杜光庭以"道通氣生"的特點重新界定"道氣",其"道——氣"便作爲二元性質的本體確立下來。道教理論家們的困惑,後來也同樣地是朱熹的困惑,如果說兩者有區別的話,那就是: 道教是典型的二元論的唯心主義,朱熹是帶有二元傾向的唯心主義。這之間的源流關係自不庸細述,有關這一點,近人何炳松先生在《浙東學派溯源》中也曾斷言:"朱氏和朱氏一派中人都是二元論的道家。"

三、性命原則下的認知方式

理學家們樹立起合自然與倫理的本體——理,是要人們去體認躬行,這樣纔算落得實,全祖望評述朱熹説:"其爲學,大抵窮理以致其知,反躬以踐其實,而以居敬爲主。"(《宋元學案‧晦翁學案序録》)因而本體論與認識論貫通一致,乃是理學的一個基本特徵。但是這種格物、窮理與性命問題相聯繫,并在性命的原則下講求格物、窮理,則出自有故。這原因大致有二:第一,在理學家看來,對本體——理的體認須上升到安身立命的高度,纔能深入人心,自覺篤行,朱熹説得明白:"今而後,乃知浩浩大化之中,一家自有一個安宅,正是自家安身立命、主宰知覺處,所以立大本、行大道之樞要。……道邇遠求,亦可笑矣!"(《宋元學案‧晦翁學案》)第二,受道佛影響,尤其是受道教的影響。自然,孟子講過"盡心知性知天",《易傳繫辭》説過"窮理盡性",《中庸》也强調"率性之謂道",但如紀昀所説:"王開祖以上諸儒,皆在濂洛未出以前,其學在于修己治人,無所謂理氣心性之微妙也。"(《四庫總目‧儒家類案語》)儒家原來具有的粗淺的心性學説只能作爲理學家吸納道家性命説的内在根據,不能作爲精微的性命説的直接理論來源。

理學家中,張載首先對性、命作了詳細的分解,而差不多同時期的道教理論家張伯端著的《悟真篇》對性、命以及雙修性命作了系統化的論證,從形式上難以分辨出誰受誰的影響,但這無關緊要。首先,《悟真篇》是道教内丹經典,其中關於性命的論述乃是對隋唐以來興起的内丹學説的理論總結。一部成熟的經典,有作者自家的體會、發明,亦是前人長期探索的結果。在《淮南子》中有大量的有關性命問題的論述,其《原道訓》説:"夫性命者與形俱出其宗,形備而性命成,性命成而好憎生矣。"《詮言訓》説:"性命可

説，不待學問而合於道者，堯舜文王也。"隋唐時期正值涵容人體
生命和人性自然觀念在內的內丹學説興起，道教理論家對於古已
有之的性命問題有着自己的不同於前人的理解，《雲笈七籤・元
氣論》説："夫情信形命稟自元氣，性則同包，命則異類，性不可離
於元氣，命隨類而化生。"《無能子・析惑》説："夫性者神也，命者
氣也，相須於虛無，相生於自然。"晚唐、五代，已有《鍾呂傳道集》、
《入藥鏡》、《靈寶畢法》等多種內丹書問世，其對性命實質的探索
已近乎系統精深。張載不一定受張伯端的影響，卻肯定地受到道
教內丹學説的影響。其二，周敦頤《通書》中有"理性命"章，而周子
之學又根源於道教。程、朱不明言其性命學説與道教的關係，卻一
再稱贊爲中唐道士李筌注解的道教經典《陰符經》，《陰符經》中性
命問題是一個重要的論述方面，其"序"句首便説"所謂命者，性
也。性能命通。"正文又言："性有巧拙，可以伏藏。"可見程朱受道
教性命學説的影響是確信無疑的。

　　不過，儒道兩家對性命的理解，突出表現在對"命"的界定上
有所不同。道教所理解的"命"通常指"命體"(人、物之體)，也就是
化生人、物的元氣。儒學所理解的"命"通常指"命數"，亦即性的終
極、歸根處，張載説："天所不能己者謂命。"(《正蒙・誠明篇》)在
一定層面上講，命也就是性、理。道教主張以命合性，儒學主張復
性歸命，但是這種差別並不妨礙理學家們將兩種源流的思想予以
會通。

　　理學家們雖在性命觀上見仁見智，但有一點是共同的，即認
"理"爲"性"，程顥説："道即性也，若道外尋性，性外尋道，便不
是。"(《二程集》第 1 頁)程頤説："理也，性也，命也，三者未嘗有
異。"(同上第 274 頁)朱熹也説："夫性者，理而已矣。"(《宋元學
案・晦翁學案》)理學家將理等同于性的做法與唐代道教的做法
如出一轍，王玄覽將"大道"與"正性"合而稱之，甚而徑直稱作"道
性"，成玄英也稱"道"爲"妙理正性"。在道教理論中，"性"、"心"、

"神"是完全同一的,而在理學中也是同一的,張載説:"所以妙萬物而謂之神,通萬物而謂之道,體萬物而謂之性。"(《正蒙·乾稱篇下》)程顥説:"理與心一,而人不能會之爲一。"(《二程集》第76頁)朱熹説:"心、性、理,拈著一箇,……存則雖指理言,然心自在其中。"(《宋元學案·晦翁學案》)道教與理學的共同點是既把客觀精神的道(理)作爲最高本體與人、物對置起來,又欲把這種本體移入人的內心,要人們通過某種認知方式去體認它。道教講"修道即修心,修心即修道"(杜光庭《道德真經廣聖義》);理學講"若實窮得理,性命亦可了"。(《二程集》第15頁)這裏的差別只在: 道教把修性體道的認知功夫稱爲"修煉",理學把窮理盡性的認知功夫稱爲"涵養";前者是宗教的神秘直覺,後者是道德理性的自覺。

　　這裏還有一個重要差別,道教認命爲氣,而氣又與神、性相通,故有"神氣"之説;理學以命與性理爲同義語,故其性命學説似不涉及氣,即理、性、命不雜於氣。但不雜至善的性——理卻生出善惡相雜之性的事實來,這作何解釋呢? 張載提出了"天地之性"與"氣質之性"的區別,認爲"氣質之性"實際上是"未成之性","未成性則善惡混",而已成之性則本來是善的。程頤附合張子的觀點説:"氣有善不善,性則無不善也。"(同上第274頁)程顥相反,認爲性與氣不可分離,"性即氣,氣即性,生之謂也。……善固性也,然惡亦不可不謂之性也"[1](同上第11頁)。朱熹在這一問題上左右徘徊,最後採取了兼取兩者的作法,認爲天地之性專指理言,故至善無雜;氣質之性以理與氣雜而言之,故善惡相混。天地之性是普遍的,氣質之性是具體的,"人物並生於天地之間,本同一理,而稟氣有異焉"(《孟子或問》)。因此,性(特別是具體的性)也是不能離開氣而論的,"氣不可謂之性命,而性命因此而立耳"(《朱文公

---

　　[1]原提"二先生語",據蒙培元認定:"歸程顥語似更恰當。"見《理學范疇系統》,人民出版社1989年版。

文集》卷 56)。可見朱熹在某種意義上回復到程顥的觀點上去了，他甚至説："蓋性即氣，氣即性也。"(《朱子語類》卷 95) 而這種説法卻又與道教相混同了。

　　既然理、性同一，窮理與盡性語殊義同，那麽如何窮得理、盡得性呢？ 張載認爲人之性與物之性具有一致性，"盡其性，能盡人物之性；至于命者，亦能至人物之命"(《正蒙·誠明篇》)。這種將物性、人性聯結起來予以窮盡的觀點爲程朱所接受，二程和朱熹皆主張以"格物致知"的方式來達到窮理盡性的目的。"物"指物事，特別是道德踐履的物物事事；"知"指人心中固有的道德知識，也就是性理。"格物是指窮至事物之理"，"致知是推至心中固有之知"(蒙培元《理學範疇系統》，人民出版社，1989 年出版，第 345 頁)。格物是致知的前提，致知是格物的目的，致知須經格物，格物須歸落於致知。在程朱看來，普遍的、至善的理溥散於人、物，若欲窮理盡性，則須經物事之理的認知積累，積之既久，一旦豁然貫通，"衆物之表裏精粗無不到，而吾心之全體大用無不明矣"(朱熹《大學章句·補傳》)。在這一點上，程朱理學與陸王心學不同，也似與道教相異。但如進一步問性、理須窮盡到哪個地步時，就又會發現與唐代道教有驚人的相似。二程説："二氣五行剛柔萬殊，聖人所由惟一理，人須要復其初。"(《二程集》第 83 頁) 朱熹在考慮心性功夫"究竟處"時也主張"工夫多用在已發爲未是，而專求之涵養一路，歸之未發之中去"(《宋元學案·晦翁學案》)。即認爲，經過事事物物上的格至，到反求諸己，達到本性的致知，乃是人役心用智的表現，是"已發"的工夫，而要達到人欲滅盡與天理同一的境界，則須"復其初"，將"已發"歸之于"未發之中去"。道教認爲人生之初，其性清明純一，隨着命體的生長，其性逐漸爲命所蔽，從而渾濁殘雜，修道即是要返其胎全，復其純陽之性。其性純陽，即可感通道體。司馬承禎提出的"以心合道"的修道方式及其杜光庭提出的"安静心王"的修道方式都是這種觀點的具體表現，如杜光庭所説："窮極萬物深妙之理，究盡生靈所禀之性。物理既窮，生性又盡,以至於一也。"(《釋禦序下》,見《道藏·洞神部》) 由此可見,理學與唐代道教的這種相似,絕非偶然。

最後還要指出,唐代道教和宋代理學在合本體論與認識論爲一體,認道、理、性、心爲一貫的運思方式上的一致,也一致地出現了某種程度的心學傾向。流行的觀點認爲,程朱似道,陸王似佛,這不無道理。但是也應看到,中國本土文化中有着心學發育孳生的根基,除了孟子之外(而孟子之道德心乃受稷下道家的影響),老莊一系的道家、道教則更具此一特徵。

作者簡介　李大華,1956 年生,陝西紫陽人。武漢大學哲學碩士,武漢水運工程學院社會科學系講師。

北宋儒學三派的《老子》三注

盧國龍

内容提要 北宋儒學復興，道家之學亦盛。解注《老》、《莊》者，既有義學道士，亦有儒家學人。本文叙論儒學三派——朔學派之司馬光、新學派之王雱、蜀學派之蘇轍的《老子》注，明其宗旨，較評同異；希望通過鈎沉索引，對北宋思想學術形成一個較爲全面的認識，並提出哲學理念與政治變革的因果關係問題，以作進一步的歷史現實之思考。

北宋儒學復興，道家之學亦盛。不但道教中有陳景元、薛致玄等義學道士解注《老》《莊》諸子書，開壇講論，申播其説，儒學者亦每每浸淫其學，屢有著述，注《老》者尤多。如當時有所謂"崇寧五注"，即王安石、王雱、陸佃、劉概、劉涇，其他如司馬光、蘇轍、呂惠卿等，亦皆曾解《老》論《老》。諸家研述，形成一種藉附于道家的理論探討之學風，與《易》學相發明，醖釀出一股"窮理盡性"的學術思潮，促發了道學的興起。但由于諸家宗旨不盡相同，又多立足于儒，所以這一時期的道家之學雖盛，但没有形成"新道家"之類的學派，也不能像玄學那樣可以理論地綜括爲一門相對獨立的學術，而是以道家的思想理論貫通于儒學之中，表現出援道入儒的態勢。

北宋中葉，儒學者因政治觀點及文化背景等方面的不同，分

立爲不同的學派，其中包括新學、朔學、蜀學。上述諸家《老子》解
注，即分屬于三個學派，以新學的王安石等人發聲先唱，演衍最
豐，其他兩派則有與之進行理論對話的性質，也就是藉附于相同
的思想資料，闡發各自的哲學理念，反映出政治分歧背後更爲深
刻的理論差異。本文于三派中，選擇司馬光、王雱、蘇轍爲代表，叙
其宗旨，較評同異，以見此期道家學術之一斑。

一、司馬光論"道者涵仁義以爲體"

司馬光屬朔學派，他的《老子道德論》，大概有爲王安石匡謬
的用意。如他在致王安石的信中説："光昔者從介甫游，介甫于諸
書無不觀，而特好《孟子》與《老子》之言。今得君得位，而行其道，
是宜先其所美，必不先其所不美也。"（轉引自宋彭耜《道德真經集
注·雜説》）王安石尚老氏學，衆所共知。但在司馬光看來，王安石
將老氏學作爲變法的理論根據，并從中研習近似于黃老家的政治
智慧，并不符合老子之道。所以他要對老子之道作出另一種解釋。

總體上看，司馬光是以儒家的聖人道德之人文情懷及倫理思
想解釋老子之所謂道。老子那種"天地不仁"的冷峻而且緊張的理
性思索，在司馬光的解釋中表現得舒緩而且溫和。如他説："巧于
利民，聖智之本也。""聖人道德洽于天下，其爲人所推戴亦然。"出
于這種仁者愛人的情懷，司馬光以仁義爲道之體，以禮樂刑政爲
道之用，説："聖人得道，必制而用之，不能無言。"所謂制而用之，
就是確立禮樂刑政的道德規範和政治制度，即如注解"既得其母，
以知其子"時所説："因道以立禮樂刑政。"禮樂刑政出于道，出于
仁義，但并不即是道，即是仁義，甚至也不是道的全體大用，如
説："禮至于無體，樂至于無聲，刑至于無刑，然後見道之用。"同
樣，仁義與道也不能完全等同。所謂"道者涵仁義以爲體"，是司馬
光論《老子》道德之意的基本宗旨，但他接着又説："行之以誠，不

形于外。故道之行則仁義隱，道之廢則仁義彰。"道德——仁義
——禮樂刑政，或許可以看作一個過程，用司馬光自己的解釋，即
所謂"隨時因物，應變從道"。但三者之間究竟存在一種什麼樣的
體用關係呢？司馬光運用了體用範疇，但沒有作出圓滿的明確解
釋。如果説老子之道"涵仁義以爲體"，説禮樂刑政是道體之用，便
顯然不符合老子本旨，是曲與生説，但又不能反過來，説仁義禮樂
等必然背離所謂道，因爲這樣説便滅裂了仁義禮樂與最高理念的
聯繫。于是出現了司馬光論述中的矛盾。但站在司馬光自身的角
度來看，又似乎並不矛盾，因爲他所要論述的，並非上述三者帶有
思辨性質的體用關係問題，而是從三者演衍中體察出聖人之道德
情懷。換言之，在道德——仁義——禮樂刑政的演衍中，思辨的體
用關係是次要的，一以貫之的聖人情懷纔是主要的，是所以有道
德仁義的真正主體。所謂"聖人得道"，也就是説聖人具有這種情
懷，又因目睹世道之衰，所以"必制而用之，不能無言"。這種聖人
情懷，在司馬光的《道德論》中得到突出的強調，其中或許有微言
諷詠王安石之意，如説："夫貴重天下者，天下亦貴重之；愛利天
下者，天下亦愛利之。未有輕賤殘賊天下而天下貴愛之者也。"

　　司馬光通過論注《老子》，高揚貴愛天下的聖人情懷，頗有其
現實意義。雖然王安石之變法，未必像司馬光所看待的那樣缺乏
仁人愛心，但後文將要談到的王雱的《老子注》，申言天道"任理而
不任情"，也確實造成一種情感壓迫，近似于道法家。而且，歷來學
《老》者也最易入于缺乏人文情懷的流弊。但是，僅抱有這種情懷
而不知天道人心，又畢竟空泛。情懷也就成了"獨絃哀歌"，哲學理
論上則不免于温情的庸淺。司馬光的《道德論》簡練而且平實，理
論展開似嫌不足，但也有其理旨。按照同時人解《老》的基本思路，
可以分述爲窮理和盡性兩個層面。

　　從"窮理"的層面講，司馬光提出這樣一個命題："萬物莫不
以陰陽爲體，以衝氣爲用。"《老子》説："萬物負陰而抱陽，衝氣以

爲和。"司馬光的命題,就是從這句話裏引伸出來的,即引伸爲一種體用關係。萬物以陰陽爲本體,以衝氣爲本體之用,如果按照唐玄宗的《道德經注》,便成體用二元,因爲其説以爲衝和之氣在陰陽之外。但司馬光的理解似乎與之不同。《老子》中有"反者道之動"一語,舊注家多解"反"爲"返",即復返歸根之意。但司馬光卻引《易·繫辭》作解,即"一陰一陽之謂道",別無演繹,但又似乎含有某種微言大義。推尋之,一陰一陽是所謂"反",是統一體的對立面。對立面的相互作用,即所謂"道之動",也即所謂"衝氣爲用"。則衝氣乃陰陽相反之互動,非陰陽本體之外別有動用,是則體用一元。這種體用一元,可以是本體論意義上的,也可以是本元論意義上的。從本元論的意義上講,包括仁義禮智在內的萬物本出于陰陽之互動,有其生成衍化之理,有因時變通之事,但變通不背離一陰一陽之所謂道,即其所謂"隨時因物,應變從道"。在這層意義上,司馬光並不迂執,而能接受變通,如説:"爲之則傷自然,執之則乖變通。"變通出于由陰陽本元而生成衍化的自然之理、自然之勢,所以不可逆抗,只是"聖人于天下,不能全無所爲,但不恃以爲己力耳",亦即不以一己意志勞碌天下百姓,換言之,"善愛民者,任其自生,遂而勿傷;善治國者,任物以能,不勞而成",或曰:"萬物生成,皆不出自然。聖人但以輔之,不敢強有所爲也。"從本體的意義上講,仁義禮智之體用即道德之體用,道德與仁義禮智,是"宗本"與"質性散殊"的關係,司馬光説:"宗本無形謂之道,氣象變化謂之德。聚而成形,質性散殊。"如果説萬物是道德的"質性殊散",是道德本體的化整爲零,那麽,"質性殊散"的萬物各得道德之一偏,部分出于整體又離異于整體,便因差異而起衝突,在這種時變之中,得道聖人"必制而用之","以有名教民",而不能放任自流,逐末而不知歸本。于是,聖人立禮樂刑政之"有名",以應道德本體之動用,這便從一個角度解釋了玄學以來的有無體用問題,即其所謂"萬物既有,則彼無者宜若無所用矣。然聖人常存無不

去,欲以窮神化之微妙也。無既可貴,則彼有宜若無所用矣,然聖
人常存有不去,欲以立萬事之邊際也。苟專用無而棄有,則蕩然流
散,無復邊際。"如果存有去無,便祇能看到各有差異的具象之物,
偏而不全,不能窮神達化,自然也就不能窮理;反之,如果存無去
有,則流散無極,不能掌握時變物遷的限度,一切事理蕩然渙散,
貴無之理也有不成其爲理。這兩種偏失,割裂體用爲二而實無體
無用,唯有無兼存于一體方能體用相宜。

　　從"盡性"的層面上説,司馬光特別突出一個"誠"字。如他在
"道者涵仁義以爲體"的命題下,接着强調的便是"行之以誠"。《老
子》有所謂"多言數窮,不如守中"之説,司馬光解釋爲"能守中誠,
不言而信"。對于《老子》的"上德不德",司馬光也解釋爲"推至誠
而行之,不自以爲德。"至誠出于本來心性,非知其爲德而故意做
作,所以最高尚的道德是一個"誠"字,而不是姑行道德之迹,以邀
道德之譽的假托行爲,此亦所謂"不形于外"。推至誠而行之即是
"盡性",也即聖人"以有名教民"之本,司馬光説:"衆人用心過
分,更成贅疣,故人所學者,在于不學,以復衆人之所過。"衆人有
心爲學,耽于形迹,離散于至誠之本性,所以要從過分之末復歸于
至誠之本。復歸于誠,則窮理盡性之學盡在其中。

二、王雱論"任理而不任情"

　　王雱的《老子注》,作成于熙寧二年(公元 1069 年),時年二十
六歲。但其書並非青春年少的意氣之作,就其理論闡發而言,在新
學派諸家注中——甚至在兩宋的各家注中,皆可推爲上乘。王雱
亦曾注《莊》,其《老子注》,在理論上與郭象的《莊子注》也有着密
切的繼承與發展關係。兩宋人注《老》解《老》,或主黄老之南面術,
或轉合于儒家之道德教訓,或附議于禪,或引合于內丹,雖亦各有
其理旨,但就理論之宏富與深刻而言,實以王雱之會通玄儒較爲

卓越，可以説他代表了玄學、重玄學之後研述《老子》的新水平。王雱不諱言其"以老氏爲正"的思想傾向，也不掩飾其尚變通的政論目的，在新學派所發起的變法運動中，王雱實際上發揮了理論家的作用，提出一個理論體系以呼應王安石所領導的政治變革。對王雱之闡發儒道兩家的思想理論，也許應該進行系統的研究，至于本文，則只能提括其《老子注》的基本宗旨。

　　統觀王雱之注，一個重要的命題即所謂"任理而不任情"。如果不加闡釋，這個命題便容易讓人疑似爲道法家之言，缺乏仁者愛人的情懷。但王雱不是道法家，他所關注的，是國家民族發憤圖強的現實道路，所要提倡的，是一種"因時乘理"的積極進取精神。這種精神，包括生活態度和國家政治兩方面。就政治而言，必須將它與新學派關于其時代的危機感和憂患意識聯繫起來，否則不能作出準確的理解。王安石在《上仁宗皇帝言事書》中説："顧內則不能無以社稷爲憂，外則不能無懼于夷狄。天下之財力日以困窮，而風俗日以衰壞。四方有志之士，謥謥然常恐天下之久不安。"（《臨川先生文集》卷三九）就在這危機四伏中，一些人營營苟苟，因循守舊以偷安，以爲有宋開國百年的太平，在于政治的無爲無事，不知當時世道人心已庸惰消沉，必須進行變革，以克服危機的全面爆發。王安石之發動變革，正出于這種危機感和憂患意識，同樣，王雱之闡發"任理而不任情"的思想理論，也出于這種危機感和憂患意識。《老子》曾以"上善若水"作喻，説明"政善治"的道理。舊注家多據《老子》文意，以爲"政善治"在于清静無爲。而按照王雱的理解，水性"方出空無，而入實有"，離道未遠，體現出"物理自然"；至于"政善治"，則是要"任理而不任情，積柔弱而勝重大"。毫無疑問，柔弱之可積聚爲一種力量，不在于柔情能勝剛強，而在于水之柔弱適變能順應"理"的要求。所以"理"是不可違逆，不容忽視的。進而言之，對古人賦予了許多道德情感的所謂"天"，王雱也不抱任何溫情脈脈的希望，在他看來，"天任理而不任意，其禍福也,付之自爲"。蒼天無情無意,不會爲任何人使樹木開花結果,世間一切生成毀滅,無非任理,任自然法則。但"今世之人,多疑禍福之應,誠以小智,自私任意而不知理,故但見一曲而不睹夫大致也"。大致即天道在萬事萬物中的普遍體現,即付之自爲的均衡平等之自然法則,王雱説:"天道任理故均,人道任情故不均。"任理或者任情,均平或者以情而生分别,便是天道與人道的區别。聖人體天道,不以個人的情感好惡而獨斷是非,而是"因時乘理",所以聖人無情無我,無意無爲。王雱説:"君人體道以治,則因時乘理而無意于爲,故雖無爲而不廢天下之爲。""動之徐生,則變動不居,非物能止。夫誰能安之爲此者? 信陰陽之理,乘自然之運,而無心其間。"又説:"聖人因時乘理而接之以無爲,則其出無方而所應不窮也。"極而言之,"天地之于萬物,聖人之于百姓,應其適然,而不係累于當時,不留情于既往。"

所謂"不係累于當時",就是不受習俗常見的束縛;所謂"不留情于既往",就是不將歷史傳統當作沉重的包袱。如果僅從字面上看,這似乎是一種既鄙薄歷史又鄙薄現實的文化虚無主義,但王雱有一個前提,即對天下百姓的"應其適然",亦即順應天下百姓生存與發展的本性要求。以這個要求作爲判斷所謂"理"的根據,而不以習俗常見或歷史傳統作爲根據,是王雱的一種獨然卓見。也正因爲有一個以百姓本性要求爲重的前提,所以王雱没有走上刑名法術之學的舊路,相反他也具有仁者愛人的情懷。《老子》説:"聖人不仁,以百姓爲芻狗。"如果作刑名法術之學解,這句話實在冷酷,而王雱卻説:"聖人親親而仁民,故獨言百姓。若其道,則與天地一矣,而有人之形,故任各異。"聖人"人貌而天",體天道爲心,所以他的"親親而仁民",並非表現爲以自己的情感意志去治平天下體性各異的百姓,而是寬容其差異,應其適然。按照這個思路,主張"任理而不任情"的王雱,繼承並發展了郭象的獨化論玄學之理論内核,并概括爲所謂"窮理盡性"之學。

　　王雱説："有生曰性,性禀于命,命者在生之先,道之全體也。《易》曰:'窮理盡性以至于命'。觀復,窮理也;歸根,盡性也;復命,至于命也。至于命,極矣,而不離于性也。"這段話可以看作王雱理論體系的基本框架,其展開,則可以分言爲窮理與盡性兩個層面。

　　從窮理的層面上講,所謂"觀復"有兩重涵義,其一是"道生萬物而體未嘗離物",亦即散殊萬形對宗本道體所具有的意義復歸;其二是動静循環中的本性復歸。這兩重涵義,在王雱的思想中是互通而一致的,前者是本體論意義上的哲學基礎,後者是本體之理在時序中的體現,義理一氣貫通,叙述則可分先後。

　　先説第一重涵義。這重涵義涉及到道與物的本末關係問題。在《老子》哲學中,道既是萬物生成之本元,亦爲萬物存在之本體,二者混一不分,生成本元論與存在本體論難以辨别。而在王雱的理論體系中,"道生一"等本元論命題,是按照本體論的邏輯思路予以解釋的。如説:"道生萬物而體未嘗離物,自物之散殊而觀之,則似爲之宗耳。""道生萬物,物之與道,常爲一體,誰有之哉?"按照這樣的理解,所謂道生萬物、"生而不有"云云,是説散殊萬形的萬物之中有其一致之道,所以以道爲萬物宗本而謂之"道生"。换言之,道之成其爲宗本,是窮賾萬物一致之理而作出的抽象概括,並非道爲母體而生萬物之子。王雱顯然很强調這種"一致之理",并將它作爲認識的結果,而不是作爲生成之本元,如注"不窺牖,見天道"時説:"天下之衆,天道之微,其要同于性。今之極,唯盡性者,膠目塞耳而無所不達。苟唯見而後識者,是得其萬殊之形,而昧于一致之理。然則所謂識知者,乃耳目之未用,而非心術之要妙矣。彼自謂博,而不知其寡之至也;彼自智,而不知其愚之極也。"當然,對于王雱的這種"心術"認識論,人們盡可以表示不同的觀點,但無可否認,它作爲一種抽象的理論思維方法,無疑是達到本體論哲學高度的必然途徑,也同樣地不可否認,王雱所謂"一致之理",是對散殊萬形所進行的抽象概括。正是沿着這

條邏輯思路,王弼引郭象獨化論以爲援軍,如注"能知古始"説:
"推而上之,至于無物之初,乃知物無所從來,則道之情得矣。"又
如注"同于失者,失亦得之"時説:"凡人之生,不待物而有,所謂
獨化者是也。"進而言之,王弼強調這樣一個獨化的"一致之理"除
抽象的理論思辨之外,究竟有什麽真實的文化意義呢? 王弼説:
"道至于萬法平等,無有高下之處,非目所視。"用現代的語言説,
以獨化的根本道理去觀照萬物萬類,則世間一切無高低貴賤之
分,天然平等。根據這個理論推行政治,則"治國在乎盡道之正而
已,無容私智"。或者説:"以道制者,因道之勢而適其自然,故雖
制而無宰割之迹。"將這個觀點放開來看,在人類文明史上産生政
治制度,是必然的也是合理的,但政治制度又往返無窮地宰割百
姓,割裂人類,究其根源,實因政治制度出于某些人的私智。王弼
將獨化平等的理念作爲確立政治制度的基礎,無論是對于歷史的
以往還是將來而言,都堪稱卓識。根據這個理論以修身盡性,則
"見理非以有爲,將觀復性之情也。"換言之:"方其窮理之時,物
物而通之,凡以求吾真,非以爲博也。"意思是説,窮賾此理則可復
歸于精神凜然獨立的真我本我,這是王弼闡發"盡性"的理論基
礎。

　　作爲一種本體論層面的哲學思考,我們或許可以撇開時序上
的拘執,就萬物之空間存在,從宏空開豁玄思到具體入微。但時空
是不可分割的,以此"心術"在瞬間徹悟的本體之理,正體現在時
序的變化遷流之中,變化遷流是永恆的,它聯繫着本體之理以及
萬物的過去、現在以至將來,所以從根本上説,洞察時序遷變與窮
賾本體之理是常一不二的。而就本體之理的時序體現而言,王弼
有明顯的尚變通的思想傾向,即所謂"唯變所適,無所響著"。變化
既是萬物本然之理,則聖人之"道術"亦當因時變革,王弼注《老
子》首章説:"可道之道,適時而爲。時徙不留,道亦應變。蓋造化
密(移)未嘗暫止,昔之所是,今已非矣。曲士攬英華爲道根,指蓬

廬爲聖宅。老氏方將袪其弊而開以至理，故以此首篇明乎此，則方今之言猶非常也。"既然道因應時變，那麼，對古先聖人之"道術"的選擇就要看哪一個更適合于我們所處的時代，而不能看哪種"道術"是正統，哪種"道術"是異端。根據這個思路，王雱説"孔老相爲始終"，以爲儒道兩家之興猶夏秋循環，而在他所處的時代，則"以老氏爲正"，因爲這個時代人心爛漫，禮法滋彰，需要老氏的收斂反性之學。王雱注"民復孝慈"有這樣一段話："或曰：孔孟明堯舜之道，專以仁義，而子以老氏爲正，何如？曰：夏以出生爲功，而秋以收斂爲德。一則使之榮華而去本，一則使之凋悴而反根。道，歲也；聖人，時也。明乎道，則孔老相爲終始矣。"注"使民至老死不相往來"時也説："竊嘗考《論語》《孟子》之終篇，皆稱堯舜禹湯聖人之事業，蓋以爲舉是書而之政，則其效可以爲比也。老子，大聖人也，而所遇之變，適當反本盡性之時，故獨明道德之意以收斂事物之散，而一之于樸，誠舉其書以加之政，則化民成俗。"這種觀點在其《老子注序》中也得到強調，可見是王雱的基本思想。現在的問題是，王雱如此主張"收斂事物之散而一之于樸"，是不是在爲加強中央集權製造理論根據呢？如果按照道法家的理論回答應該是肯定的；而從王雱之所謂收斂反性來看，回答則是否定的。

收斂反性也即所謂"盡性"，王雱這方面的思想，出于對器物文明之異化的深重憂患。他説："竊嘗論之，三代之後民無不失其性者。"所以失性的根源在哪裏，王雱沒有像莊子那樣明確地指責堯舜等聖人，但其《序》説："自堯舜至于孔子，禮章樂明，寓之以形名度數，而精神之運炳然見于製作之間。定尊卑，別賢否，以臨天下，事詳物衆，可謂盛矣。"這種繁華的器物文明有其歷史必然性，正如歲時之有夏季成長一樣。但如果流蕩而不知歸本，則風俗頹弊，因名利之欲而紛爭無窮，處處衝突，并因缺乏凜然獨立的主體精神，使一切争競奔逐都失去根本的意義。針對這種時俗流弊，要提倡老氏學,因爲"老子之言,專于復性"。

"復性"與"盡性",在王雱的思想中涵義相同。他説:"學道歸乎復性,復性歸乎體神。所以不能神者,由逐末忘本,以物易己,故喪精失靈,沉爲下愚也。"所謂復性,並不是説要寂然守無,苟且懶惰,而是要在性分自足的意義上"復性起用"。

性分自足的思想來源于向秀、郭象《莊子注》,王雱援引之以證成一種"復性起用"的進取精神。他説:"聖人所謂無爲無執者,故未至于釋然都忘也,但不于性分之外更生一切耳。且民飽食暖衣,性分所不免,欲此而已不爲有欲。而離性之後,更貴難得之貨,此乃愚人迷妄,失本已遠故也。故聖人常欲不欲,以救其迷而反之性。"復返性分之内則心不受物累,志不以俗遷,再現出一個精神凜然獨立的真我本我,在真與足的意義上入于造化之機,所以王雱説"盡性之人蓋將生天生地,宰制造化"。又説:"性分之内,萬物皆足,窮居不損,大行不加。而愚者或舍至貴而徇腐餘,故知有萬之富,則輕天下而不顧矣,此真富也。孟子曰'萬物皆備于我矣',豈非富乎?"本性至真則精神至貴,由這種精神"復性起用",不被名利物欲所奴役,則並天地而獨立,達到一種發情至于忘情,大我至于無我的天人境界。同樣,以此説而加之政,也能達到生機勃勃而和諧的理想。王雱説:"至德之世,民盡其性。"又説:"民性本自廣大流通,而世教下衰,不能使之復樸,乃蹙其居之廣而使狹,厭其生之通而使塞。夫唯狹其居,故民不淳而偽,唯厭其生故民不厚而薄狹。聖人不然,使民逍遥乎天下之廣居,而各遂其浩然之性,則其有干威者乎?"聖人體道而治,而"道,民之性也",因任其本來廣大流通的民性,不以一己之情感意志局之促之,心存天游,則天下豈不生機勃勃而和諧?王雱乃謂之"使天下逍遥于自得之場"。

三、蘇轍的"窮理盡性"之學

蘇轍作《老子新解》，事在元豐三年（公元 1080 年）謫居筠州時，年四十二歲。因作解時曾爲禪僧道全講説，并引六祖"不思善，不思惡"之語爲連類，晚年作《後記》自言此事；蘇軾又有跋説："使漢初有此書，則孔老爲一；使晉宋有此書，則佛老不爲二。"于是《四庫提要》等遂謂"是書大旨主于佛老同源"。這個概括似乎並不準確。實際上，蘇轍亦自有其"窮理盡性"之學，爲其書之主旨或內核。所謂"佛老同源"，即如其《後記》"天下固無二道"云云，是發明此"窮理盡性"之學以後的一種認識境界，或者説是對待三教的一種文化心態。也只有在發明此"窮理盡性"之學以後，才能夠使蘇軾跋中所指三教一致之意落到實處，即三教一致于其學所發明的道理。所以就主旨而論，此書不在于證成"佛老同源"，而在于伸述其"窮理盡性"之學。

總觀蘇轍的解注，很少涉言佛學，圍繞其主旨而展開的基本問題，是老子之所謂道與儒家之禮法倫常的關係問題。在蘇轍的解注中，這個問題被表述爲形而上與形而下、常道與可道、無與有、體與用、仁義禮智與其所以然的關係等。思索其中關係，發明所以然，即所謂"窮理"；盡心以窮此理，不以物蔽性，即所謂"盡性"；性與理冥合，忘物我之辨，即所謂"復命"或"至于命"。這是蘇轍"窮理盡性"之學的大綱。他説："命者性之妙也。性猶可言，至于命則不可言矣。《易》曰：'窮理盡性以至于命。'聖人之學，道必始于窮理，中于盡性，終于復命。仁義禮樂，聖人之所以接物也。而仁義禮樂之用，必有所以然者。不知其所以然，徇其名而爲之，世俗之士也；知其所以然而行之，君子也。此之謂'窮理'。雖然，盡心以窮理而得之，不求則不得也。事物日構于前，必求而後能應，則其爲力也勞，而爲功也少。聖人外不爲物所蔽，其性湛然，不勉而中,不思而得,物至而能應,此之謂'盡性'。雖然,此吾性也,猶有物我之辨焉,則幾于妄矣。君之命曰命,天之命曰命,以性接物而不知其爲我,是以寄之命也,此之謂'復命'。"不難看出,這種思想方法與王雱有某些相類似之處,即窮理與盡性是一個觀念整體,很難進行邏輯的劃分,盡性即所謂窮理。就是說,窮理不是一物一物地認知歸納,然後得出一個道理,而是從自心本性中悟出理之所以然。王雱謂之"心術",蘇轍則描述爲湛然之性的應物無窮。但二者之所謂"理"的涵義又不盡相同,王雱之"理",是天地萬物的本然之理,所以最終歸結爲性分獨化;蘇轍之"理",則是仁義禮樂的應然之理,在這層涵義上與司馬光的觀點較爲接近,但其理論的展開較司馬光更豐富。這一點可以從以下幾個方面來看。

從形而上與形而下之關係的角度看,蘇轍說:"孔子以仁義禮樂治天下,老子絕而棄之。或者以爲不同。《易》曰:'形而上者謂之道,形而下者謂之器。'孔子之慮後世也深,故示人以器而晦其道,使中人以下守其器,不爲道之所眩,以不失爲君子,而中人以上,自是上達也。老子則不然,志于明道而急于開人心,故示人以道而薄于器,以爲學者惟器之知則道隱矣,故絕仁義,棄禮樂以明道。夫道不可言,可言皆其似者也。達者因似以識真,而昧者執似以陷于僞。故後世執老子之言以亂天下者有之,而學孔子者無大過。因老子之言以達道者不少,而求之于孔子者常苦其無所從入。二聖人者,皆不得已也,全于此必略于彼矣。"這段話,我們也可以說它是一種求全之論,雖然在如何將道與器圓滿結合起來的問題上我們還不能從中找到一個究竟的答案——因爲現實衆生的才性差別總是存在的,很難找到一種教法普遍地適應芸芸衆生,但它確實從一個角度說明儒道兩家文化對于文化整體的必要性和合理性,不可偏舉偏廢,同樣也從理論的高度說明了這兩種文化的內在聯繫。

從常道與可道之關係的角度看,蘇轍說:"今夫仁義理智,此

道之可道者也。然而仁不可以爲義，而禮不可以爲智，可道之不可
常如此。惟不可道，然後在仁爲仁，在義爲義，在禮爲禮，在智爲
智。彼皆不常而道常不變，不可道之能常如此。"這段話，也許可以
分成幾個層次去理解。第一，所謂常道，是指仁義禮智之所以然及
其所蘊含的永恆意義，如果我們將仁義禮智概括爲文明，則文明
背後有一個永恆的發生發展之根由或者準則；第二，常道正體現
在仁義禮智等可道之中，離開可道別無所謂常道；第三，仁義禮智
因具體而有其局限，而常道卻以其抽象的意義而通達諸具體，這
層涵義，也可以用有無體用等範疇去表述。蘇轍説："夫道，衝然
至無耳，然以之適衆有。"無之所以能適衆有，根本原因不在于它
是一種空間想象的非存在而能夠變曲于各種具象存在之中，而在
于它代表了"理"的存在，"理"以"通"爲要義。蘇轍説："聖人動必
循環，理之所在，或真或曲，要于通而已。"理解了"通"的涵義，也
就理解所謂常道"在仁爲仁"云云。唯其"通"，所以常道之無與可
道之有即一不二，其説云："以形而言有無，則信兩矣。安知無運
而爲有，有復而爲無，未嘗不一哉？其名雖異，其本則一，知之一
也，則玄矣。"以體用言之，其説亦然。蘇轍説："老子之言道德，每
以嬰兒況之者，皆言其體而已，未及其用也。今夫嬰兒泊然無欲，
其體之者至矣，然而物來而不知應，故未可以言用也。"如果僅從
字面上理解，老子言體不言用，反過來也可以説孔子言用不言體，
似乎是體用二元。但在蘇轍的思想中，孔老所立儒道兩家學説是
渾然一體的，渾然的表現正在于互爲體用，如果不以儒道爲二元，
孔老爲二道，則體用本來統一。這種思路也決定了蘇轍對待不同
文化的融和態度，没有學派門户之見，如其《後記》説："天下固無
二道，而所以治人則異。君臣父子之間，非禮法則亂。知禮法而不
知道，則世之俗儒，不足貴也。居山林，木食澗飲，而心存至道，雖
爲人天師，可也，而以之治世則亂。古之聖人，中心行道，而不毁世
法，然後可耳。"這種文化態度應該説是比較公允平實的，體悟常

道,知仁義禮智之所以然,可以説理旨極高明,因此而"心存至道",也可以説理想極崇高,但不能因此謗毀文明之現實。反之,承認文明現實的必然性和必要性,也不能遽爾鄙薄更高的理旨探求。

以上"窮理","盡性"本已寓寄其中,祇是表述上還可以進一步展開。蘇轍説:"極虛篤静,以觀萬物之變,然後不爲變之所亂。"觀萬物之變是窮理,不爲變之所動即性凝而不流蕩,也即盡性于窮理之中,反之亦然。如此"盡性",能知聖人制立仁義禮智之所以然,自然也就能與聖人相溝通,因爲"聖人與人均有是性"。聖凡並非天然隔絶,其同者性耳。性出于道。蘇轍謂道"混然而成體,其于人爲性"。所以盡性需知其道,即悟達聖人製立仁義禮智之所以然,而不能專在其形迹上求索。蘇轍説"能克己復性,則非力之所及。"力是形迹上的求索,而"性之所及,非特能知能名而已,蓋可以因物之自然,不勞而成之矣。"所謂"因物之自然",蘇轍有一個解釋,説:"道之大,復性而足,而性之妙,見于起居飲食之間耳。"在這種常道盡性與日用飲食即一不二的境界上,蘇轍批評兩種偏失,其一是"世俗之士以物汨性",其二是"枯槁之士以定滅性","以物汨性"之所謂"物",可以指"難得之貨"等物欲,也可以指仁義禮智之中的可利可名,甚至還可以乾脆地指仁義禮智世俗化的現實存在。不管怎麽説,汨性之物非一,而如何根據人的本性發而爲仁義禮智等可道之道,又實在是文明史上的一個永恆問題,所以蘇轍所提出的問題可以進行不斷的思考。"以定滅性"之所謂"定",也可以指離異于現實的思想觀念、精神狀態或人生態度等等,這種傾向刻意地追求"盡性"而最終盡失其爲人之性,雖然揭露了現實與人性的矛盾,但由矛盾所引起的畢竟不是激情與勇力,而是一種枯寂灰滅式的自我瓦解,對矛盾的揭露也就失去了積極的意義,它祇能使人感受到矛盾而又屈服于矛盾,所以蘇轍所提出的批評也同樣可以繼續下去。

四、小　結

就以上對三家《老子》注解的簡述，我們可以提出幾點看法，或者說提出幾個問題以待進一步探討。

第一，三家注解中的思想理論，有同有異。圍繞《易·繫辭》"窮理盡性以至于命"的命題，將《老子》作爲思想資料，探賾一個具有根本意義和普遍意義的道或理，是三家所同之大端。就這個同的層面上看，三家可以相互溝通，從而形成一個共同的哲學理念。但由于對道或理的內涵所作出的規定不盡相同，王雱以之爲天地萬物的本然之理，蘇軾以之爲仁義禮智的應然之理，司馬光略與蘇軾相類，但輕于思辨而重于道德體驗，所以三家又有互不可苟同的差異。這種差異或許反映了他們不同的政治觀點或文化背景。但政治觀點等與深層次的哲學思考，究竟應該存在一種什麼樣的因果關係，是將政治觀點建立在哲學理念的基礎上，抑或祇是將哲學理念作爲政治觀點的補充論證，是一個涉及到依理念建立政治抑或爲現實政治需要確立理念的問題。這個問題不解決，共同的哲學理念就不可能建立起來，彼此之間在思想理論上也就難以溝通。這很容易使人聯想到三個學派在當時的思想分歧和政治分歧。

第二，從窮理到盡性，三家的思想方法似乎基本相同。但因爲"理"的內涵不同，所謂"性"也就存在差異。王雱從本體論出發，最終將"性"推度爲獨化之各人各物的生存要求，近似于道家。司馬光以及蘇轍都注重道德實踐以及道德體驗，將"性"抽繹爲道德本元，則出于儒家。這兩種思路一因自然，一據人文，而人性實具有自然與人文的雙重內涵，如何發掘自然要求之因應人文發展而發展的人性論涵義，也大概是應該繼續探討的問題。

第三，在宋儒道學興起的同時或之前，曾存在過一種"窮理盡性”的學術思潮。這種思潮以儒道兩家學説相發明，既關注社會的現實問題，具有一種建設意識，又因有所本諸道家而激起理論活力，具有一種批判精神，應該説這階段是一個重要的文明重塑時期。這階段產生的思想理論，對道學的興起是否發生過影響，又發生過什麼樣的影響，也或許是哲學史研究中可以提出來討論的問題。

　　以上陳所思所疑，就教于碩學通人。

　　作者簡介　盧國龍，1959 年生於湖北黄梅，現爲中國社會科學院世界宗教研究所研究人員。著有《中國重玄學》、《道教知識百問》及論文多篇。

憨山德清的以佛解老莊

張學智

內容提要　明代後期，中國思想界有很強的儒釋道合一的傾向。明末著名僧人德清從佛家立場對這一思潮所作的回應頗具特色。本文從四個方面考察了德清以佛解老莊並以之融會儒家思想的心路特點：一、對於"道"和佛家本體的比擬；二、對佛道重要思維方法"觀照"的闡發；三，佛道興起之由暨其在三教中的地位；四，從佛教理論出發對《莊子》內七篇所作的註釋。從中可以看出明代思想的某些整體趨向。

德清字澄印，號憨山，世稱憨山德清，明末四大高僧之一。幼年即學於南京報恩寺，熟讀《四書》、《易經》，尤喜讀老莊。出家後未能忘情，於禪暇"細玩沉思，有言會心"。曾註老子《道德經》與《莊子》內七篇，認爲老莊宗旨在無爲。此無爲既可以用於治國，又可以用於修身。德清以老莊宗旨與佛家之義相融會，亦以之比附儒家思想，發揮他的儒釋道三教一致的思想。

一、"道"與"識精元明"

德清認爲，《老子》一書宗旨，在"虛無自然"四字，此四字，與《楞嚴經》所謂"分別都無，非色非空"相當。"虛無自然"的意思,在於萬物各宗其極,並行不悖,各受其本性的必然性支配而運作的狀態。因冥合其理,自然而然,故可視爲無有畛域。此種狀態即道。若用佛理解,則可以説是無分別的本體狀態,本體現象非一非二,有無二相亦非一非二。萬法皆假有,故曰非色;而又非絶對無此假有,故曰非空。真空假有,雙相宛然。德清認爲,若不能認識本體與現象的關係,則墮入二種邊見。他説:"諸修行人不能得成無上菩提,皆由不知兩種根本,錯亂修習,猶如煮沙,欲成佳饌,縱經塵劫,終不能得。"(《道德經題發解》) 德清所説的兩種根本,一是指生死根本,二是指識精元明。德清嘗言,此 "識精元明",即《老子》所謂 "道"。他引《老子》"杳杳冥冥,其中有精,其精甚真" 來形容此本體,他説,此本體至虚至大,故非色;以能生諸緣,故非空。天地萬物皆由此體變現,故謂之自然。凡遇《老子》書中真常玄妙虚無大道等語,皆可以此印證。可見,德清所謂 "識精元明",即阿賴耶識,或真如,亦即佛教所説能生起種種現象的本體。此本體與《老子》所謂 "道" 相類。識認此本體或説 "道",需極高洞識。德清説,此識 "最極幽深,微妙難測,非佛不足以盡之。轉此,則爲大圓鏡智矣。"(同上) 菩薩能得此意,但尚有分別。聲聞、緣覺,以之比附虚無寂滅的 "涅槃";西域外道則以此爲絶對之空無,二者皆未達本體非色非空之旨。德清的根本意思,《老子》所謂道,與佛家非色非空之本體類同:道體至虚至大,故非色;以道能生萬物,故非空。道爲能生者,它是萬物的來源、根據,而它本身又無形無象,不可名狀。

　　德清認爲,明瞭此義,即可明瞭老子心原。《老子》本意和《楞嚴經》一致,即破除執着。破除執着之意,佛書更甚於《老子》。所以,二書可以互相發明。熟讀佛書,領會佛教破執之論,可以更深刻地體會老莊。他説:"愚謂看《老》《莊》者,先要熟覽教乘,精透《楞嚴》,融會吾佛破執之論,則不被它文字所惑。然後精修静定,工夫純熟,用心微細,方見此老工夫苦切。"(《道德經解發題》) 但德清據以破除執着的理論，實際上與《老子》不同。德清是用佛教的"苦"去解説：能看透身爲一切苦的根源，世俗之智是佛慧的累害，自然能"墮肢體、黜聰明"。《老子》雖有身爲心累的意思，如第十三章"吾所以有大患者，爲吾有身；及吾無身，吾有何患？"但這在《老子》書中並不突出。到莊子，纔有"心齋"、"坐忘"、"離形去知"等思想。但莊子尚無後來佛教以身爲苦，以身爲煩惱的根源這種思想。這種思想是佛教宗教性的表現，是一種宗教性的設定，以便在此上建立起整個佛教修養論。德清以此宗教性的設定爲基礎，認爲，破執第一步是勘破身，第二步是勘破智，第三步是勘破世事人情。他説："然要真真實實，看得身爲苦本，智爲根累，自能隳形釋智，方知此老真實受用至樂處。更須將世事一一看破，人情一一覷透，虛懷處世，目前無有絲毫障礙，方見此老真實逍遙快活，廣大自然，儼然一無事道人。"(同上) 這裏德清實際上是雜糅佛道二家宗旨，"身爲苦本"是佛家義，"智爲根累"、看破世事人情，則是佛道共通的。

　勘破世事，目的在獲得静定心境，非此皆不足取。爲此他批評了對於老莊的兩種取法：一種人祇擬老莊文字之美，想像奇特，意境深立，一種人祇學莊子狂放。如嵇康就有"外學莊老，重增其放"之語。老莊對文明社會的種種弊害的批評，要求回到原始質樸，是一些人追求狂放不羈的借口。德清認爲，這都是對老莊思想的偏離。在他這裏，主要學的是老莊的静定功夫，静定是道家與佛教思想的契合點。

二、儒釋道之"觀"

　以上可以説是從根本宗旨上用佛旨理解老莊。在功夫論上，德清也有一整套看法。他特別重視觀照，認爲觀照爲佛道共同功夫要領，他説："《老子》一書，向來解者例以虛無爲宗，及至求其入道功夫，茫然不知下手處。故予於首篇，將‘觀無觀有’一‘觀’字，爲入道之要，使學者易入。然觀照之功最大，三教聖人，皆以此示人。"(《道德經題發解》)佛家最重觀照，因爲佛家宗旨在於衆有中觀照其虛無。觀是一種洞識，不是經驗中的直接照察。洞識需要不同於常情的覺解和一種與本體冥契的精神境界。德清以佛家的觀照來比擬道家、儒家之"觀"。《老子》説："夫物芸芸，吾以觀復。"即在衆有中觀照、洞察其循環往復。在《老子》，循環往復是萬有的根本性質，對這種根本性質的認識是一種洞觀。也是一種胸懷和境界。老子是一個哲人，他的五千言的《道德經》是對萬物根本法則的觀照。德清把佛家道家的體認方式的最主要之點概括爲"觀"，表明他抓住了佛道識認方式的本質。但德清把儒家的識認方式也歸入"觀"，則失之偏頗。德清説，《大學》所謂"知止而後有定"、"明明德"中，"知"、"明"都是了悟之意，都可以説是一種觀。實際上，儒家之知、明，是一種由道德修養、實地踐履所得到的體驗性認識，它是經驗和認知的綜合，而佛道兩家的"觀"則是一種直覺或説冥契、觀想等，它的神秘性和直覺性是很明顯的。

此外，德清將道家、儒家的"觀"拉入佛教"止觀"之觀的較低層次。他嘗説："佛言止觀，則有三乘止觀、人天止觀深淺之不同。若孔子，乃人乘止觀也，老子乃天乘止觀也。"(同上)孔子人乘止觀最下，其所破者在世人之臆度、固執、自以爲是等弊病。在德清看來，這是破執功夫的第一步。世人無論賢愚，皆爲一己之私計，汲汲於功名利禄之場，此即佛教所要破除的貪欲。儒家的宗主是孔子。孔子倡正心誠意修身。心誠意正身修之後，必用世。君臣父子之間，各盡其誠，即是道。這是名教中的道，即道德普遍法則。德清説，孔子本有絕聖棄智之意，但因他的名教宗主地位，主要是爲中下根人説法，故不倡無我之旨。無我衹是自己受用。誨人則用有我。孔子本人心地可以説是"虛懷遊世，寂然不動，物來順應，感而遂通；用心如鏡，不將不迎；來無所粘，去無蹤迹，身心兩忘"。德清此處所説，皆宋明理學所理想的儒家人格典範。寂然不動，感而遂通，物來順應，皆二程《定性書》之意。照德清所説，這就是人乘之極致。人乘之極與天乘相接，故孔子與老子比肩，而佛爲三乘中之最上乘。德清説："至若吾佛説法，雖浩瀚廣大，要之不出破衆生粗細我法二執而已。二執既破，便登佛地，三藏經文，皆是破此二執之具。"(同上) 就是説，儒釋道三教的根本宗旨，皆在破我法二執，孔子重在破我執 (人事)，老子重在破法執 (天地萬物)，佛則一切皆破。孔子所主張、老子所綱維者皆破，無有一法可立。在德清看來，儒釋道在破執這一點上是共通的，不同在深淺等級。孔子破世人"意必固我"之執，老子超出孔子一步，主張釋智遺形、離欲清静。老子之清静即孔子所追求的廓然大公。由此，孔老未嘗不符，其所不同者，在對於世教的門庭設施。德清説，孔子專於經世，老子專於忘世，佛專於出世。其最初一步，皆以破執爲主，功夫皆由止觀入。

　　若從體用方面着眼，德清認爲，儒釋道三教皆體用兼賅。體在無我，用在經世。若從根本上説，三教體用皆同。孔子以無我爲體，經世爲用；佛老破執爲體，利生爲用。"無爲而治者，其舜也歟"，這是儒家與道家一致的地方；《老子》"爲而不宰，長而不恃，功成弗居"等語，是説無爲乃經世之本，老子並非一味忘世；而佛則"體包虛空，用周沙界，隨類現身，所化衆生"，雖出世而用世。故德清説："是知三聖，無我之體，利生之用皆同，但用處大小不同耳。"(同上) 孔子扶助世道，着眼於天下國家，其人格目標爲堯舜；老子見當時人心澆薄，教以淳樸古拙之道，其人格理想是軒轅黃帝；而佛則至廣至大，無所揀擇。

　　德清認爲儒釋道三教體用皆同，這是他和會三教根本思想的直接表露。同時也説明，德清所理解的道家和佛家，皆離開了佛道原來的意謂。德清的着眼點在三教之同。德清並且認爲，三教互相吸收，於自身得甚大益處：儒家吸收了道家忘世的精神，所以能不離世間而得快樂；吸收了佛家的苦行堅韌，所以能耐住一切入世帶來的磨難。道家吸收了儒家的治國經邦之志，調和以道家的虛無大道，故倡“無爲而治”；而老子“三寶”中之“慈”，則是吸收了佛家。佛家之經世，在世間教化衆生，則是吸收了孔子儒家。佛家最高，既入世，也出世。孔、老二人，是佛的化身。所以德清提出，佛徒若想得大知識、大境界、大道果，必須學儒道二家。他指出，後世學佛之人，多不知老，祇管往虛空裡看將去，目前萬法，都成障礙；又多不知孔，用虛玄的說教去涉世，絕不知世道人情，逢人便說玄妙。“如賣死貓頭，一毫没用處”。他這裡包含的意思是，儒道二家可以補佛家空虛玄妙之弊。道家在德清眼裡，並非如後世人指斥的那樣遠離事物，而是一種積極入世的哲學。這種哲學有治國安民的效能，不過它是以“無爲”爲治，以“不爭”息亂，以守柔謙下爲處衆的原則。佛之隨俗度生，亦即孔子經世之心，儒家以仁爲本，佛家以戒行爲本。在根本上，二者是統一的。

三、三教之源

在三教來源上，德清認爲，佛家與儒道一樣，都可以說是世諦。佛教與世俗之事，並不違反。如《華嚴經》中說，佛家之聖人，涉世度生，世間一切經書技藝，醫方雜論，圖書印璽，種種方術，無不精通。世俗之治生產業，正是經中正法。宋代名僧右街贊寧有《勉通外學》，認爲好的僧人應該對儒道之書兼容包綜。佛家有“四韋陀院”，廣集天下外道一切之書，佛徒可在其中肄業，此類書佛皆許讀，爲的是求他山之石攻玉之效。德清也有類似觀點，在他看來，佛法在用上應是儒道俗諦雜糅之學。非世俗之學，不足以教化衆生。德清說：“佛法豈絕無世諦？而世諦豈盡非佛法哉？由人不悟大道之妙，而自畫於內外之差耳。道豈然乎？竊觀古今衛道藩籬者,在此,則曰彼外道耳;在彼,則曰此異端也。大而觀之,其猶貴賤偶人,經界太虛,是非日月之光也。是皆不悟自心之妙,而增益其戲論耳。"(《觀老莊影響論》)佛法與世諦,彼此纏繞,能識其中奧妙者,全在妙悟之心。

德清又從儒道產生之由,來說明孔老二人在整個佛法教乘中的地位。孔子懼世人墮入虎狼禽獸之行,故用仁義禮智教人,使人人棄惡從善,刪定詩書,以序君臣父子之倫,規誡世之弒君弒父之事。孔子的教法,切近人情而易於奉行。但因孔子所處之時,乃人欲橫流之世,故孔子雖汲汲然上說下教,終難於奉行。但這一點,就與佛教濟世之心相同。所以佛教把孔子叫做儒童。孔子之教不行,世人貪冒名利,以至累害生命,操仁義而仁義恰爲盜賊資糧。所謂"竊鈎者誅,竊國者爲諸侯。諸侯之門仁義存焉"。老子憫世人之苦,但絕聖棄智,說:"絕聖棄智,民利百倍;剖斗折衡,則民不爭。"老子之教,目的在懲世人貪欲,以靜定持心,澹泊無爲。這是深得天之法則的。但正因如此,其言難以喻世,故莊子起而發揮之。莊子之書寓言十七,重言十九。意欲使人離人乘而趨天乘,去貪欲之累。另外從世俗眼光看,莊子也曲盡人情,比事類詞,深切明通。莊子說人天法,而且有無礙辯才,可以說是現婆羅門身而說法者。德清讀莊子說:"當羣雄吞噬之劇,舉世顛瞑,亡生於物,欲火馳而不返者衆矣。若非此老崛起,攘臂其間,後世縱有高潔之士,將亦不知軒冕爲桎梏矣。均之濟世之功,又何如耶?"(同上)德清還指出,後人以一曲之心論莊子,以濁亂之心讀莊書,故茫然難入。而爲莊子知音者,唯佛。佛以莊子爲同道,爲破我執之前茅。

但德清認爲,儒道祇在淺層次上與佛教相通,了卻生死大事,究明一心精蘊,則非佛不可。他嘗說:"老氏生人間世,出無佛世,而能窮造化之源,深觀至此,即其精進功夫,誠不易易。但未打破生死窠臼耳。古德嘗言:'孔助於戒',以其嚴於治身;'老助於定',以其精於忘我。二聖之學,與佛相須爲用,豈徒然哉?據實而論,執

孔者涉因緣,執老者墮自然,要皆未離識性,不能究竟一心故
也。"(同上)就是説,如果以佛教之戒定慧言,孔子儒家之道德自
律可以幫助修行者持戒,老子道家之絶聖棄智、墮肢體黜聰明可
以幫助修行者入定。而佛家既不耽着於儒家之俗務,也不耽着於
道家之自然,而是直指生死心源。這是佛慧所在。道家莊子詆毁孔
子,非薄湯武,佛斥二乘爲焦芽敗種,都是爲了趨向更高的目標:
莊子詆毁孔子,非詆毁孔子,是詆毁學孔子外在跡象而抛棄孔子
真心趨向者;佛家批評道家,是批評道家不足以究生死大事而停
留於遣情破執者。此所謂"自大視細者不盡,自細視大者不明"。

德清還有一根本思想,即儒道兩家,一側重於人,一側重於
天,皆忽略了心,欲究一心之精藴,捨佛法無所求。德清在他論儒
釋道的著作中,多次説到這一點。如他説:"原夫即一心而現十界
之象,是則四聖六凡,皆一心之影響也。由是觀之,捨人道無以立
佛法,非佛法無以盡一心。是則佛法以人道爲鎡基,人道以佛法爲
究竟。"(同上)就是説,人道雖可經世,但必須了悟自心。若不了
悟自心,一切皆在世諦中。人之最後歸趣,在於佛法,在於得佛教
"心法"。否則永遠不能認識諸法實相,祇能遣情,不能得自在受
用。這就是他的"人道以佛法爲究竟"的思想。以佛法爲究竟,在
於得佛教觀物之法,德清論"心法"説:"余幼師孔不知孔,師老
不知老,既壯,師佛不知佛。退而入於深山大澤,由是而知三界唯
心,萬法唯識。既唯心識觀,則一切形,心之影也;一切聲,心之響
也。"(《觀老莊影響論》)這裏,德清回到了他佛教哲學的出發點:
山河大地皆吾妙明真心中一點物相。這是最高的最後的認識,儒
家和道家都無法達到。儒家心學之"吾心即是宇宙,宇宙即是吾
心",是説宇宙法則與心中本有的道德法則是同一的,不是説心
能生萬有。道家之自然哲學,更無以心法起滅天地的思想。這就是
德清所謂一心之藴,這就是德清欲用以改造儒道二教,希望儒道
也達到的最後識度。德清認爲,前述儒道在整個修養階乘中的地

位衹是初級的，還衹是世法，能達到對心的認同，纔是最後的一致。這裡所謂＂心＂，與＂三教聖人所同者心所異者跡＂中的＂心＂的意思不同。這是佛教哲學的基礎，是佛教＂心法＂，非世諦所能達到，也非世諦所能改變。

四、以佛理註《莊子》

《莊子》一書，古來作註者甚多。德清從佛教立場所作的《莊子》註，主旨甚不同於前人。德清對莊子十分推崇，他嘗説：＂中國去聖人，即上下千古，負超世之見者，去老唯莊一人而已。載道之言，廣大自在，除佛經，即諸子百氏，究天人之學者，唯莊一書而已。藉令中國無此人，萬世之下不知有真人；中國無此書，萬世之下不知有妙論。＂（《觀老莊影響論》）德清的《莊子》註，衹註內七篇，他認爲內七篇該盡《莊子》全書之旨，外雜篇衹是內篇的推闡解説。衹要精透內七篇，全書之義可概括無餘，即可得大受用。

1.逍遥遊與佛教之無礙解脱　　德清註莊，於內七篇中又特重《逍遥遊》，因爲此篇最能與佛教義理融通。他以逍遥比擬佛教之無礙解脱。他説：＂逍遥者，廣大自在之意，即如佛經無礙解脱。佛以斷盡煩惱爲解脱，莊子以超脱形骸，泯絶知巧，不以生人一身功名爲累爲解脱，蓋指虛無自然爲大道之鄉，爲逍遥之境。＂（《逍遥遊註》）莊子之逍遥，在於外＂無待＂，內＂無我＂，無有束縛，無有牽纏。他的逍遥是理想的、比喻的，代表了道家的自由觀。郭象註莊則修改了莊子，認爲事物皆能本其自有之性，無上下替奪，即是逍遥。所謂＂小大雖殊，而放於自得之塲，則物任其性、事稱其能，各當其分，逍遥一也。＂郭象要調和名教與自然的矛盾，認爲名教即自然，在世俗社會中各安其分、各足其性就是逍遥。這是在世俗中求出世，在名教中求逍遥。德清所謂逍遥異於是，他的逍遥純是佛家的。逍遥即＂廣大自在＂之義，與佛教之＂得大自在"的歸趣一致。其無礙解脱是出世的,逍遥説到底是"斷盡煩惱"的境界,即佛教所謂"涅槃","涅槃"即"得大自在"。這種逍遥的前提是泯絶知巧,超脱形骸。在這一點上,莊子與佛教是一致的,所以莊子的"心齋"、"坐忘"很容易與佛家的禪定、止觀相比附,莊子的"至人呼吸以踵"也可以很自然地與佛家的"數息觀"相通。但德清認爲莊子的逍遥境界尚不能與佛家的涅槃完全類同。涅槃是虚無寂滅,不僅外境已忘,逍遥之境已忘,即忘亦忘。與真如本體一致而無别。這是佛家作爲宗教與道家老莊作爲世俗之學的差别所在。

此外,德清認爲,《莊子》中描寫的"真人"、"大宗師"等,即佛教中所謂菩薩。人之不能成真人,在於執着一個"我"字,被己之功名利禄所拘。他指出:"自古及今,舉世之人,無不被此三件事苦了一生,何曾有一息的快樂。獨有大聖人,忘了此三件事,故得無窮廣大自在逍遥快活。"(同上)故德清讚揚《莊子》中"至人無己,聖人無功,神人無名",此三者,合於佛家之旨。能做到此三者,是道家真人,也是佛家聖人。

2. 齊物與忘我   在德清這裡,忘我纔能齊物。以佛教之義,物乃虚幻不實的假象,"諸法假號不真",種種名言、色相,盡皆如鏡花水月,皆無真實不變之自性。德請認爲,要達到此等見解,首先須忘我:"物論之難齊也久矣,終不明之過也。今莊子意,若齊物之論,須是大覺真人出世,忘我忘人,以真知真悟,了無人我之分,相忘於大道。如此,則物論不必齊而是非自泯,了無人我是非之相,此齊物之大旨也。"(《齊物論註》)德清的功夫,在由忘我,破除我執我見,了悟"諸法實相"然後渾融於大道。這一點也表現在他對"天籟"的發揮上。"天籟"是莊子特有的術語。天籟並非是與"地籟"(衆竅)、"人籟"(比竹)並列的另一物,而是衆竅齊號,"咸其自取,怒者其誰"的情態。衆聲皆發自本性,并無主使者。此即天籟。在德清看來,《齊物論》下手功夫,直接示人處，全在"怒者其誰"一句。而這也正是禪門要參究的。"天籟"
之意，在於教人觀音聲之所自發，無有真宰，全在自然本身。《齊物
論》之能齊衆物，就在於承認萬法平等、無我，一有彼我之分，則自
貴相賤。禪家所宗，亦在無我無物，自然平等，無執着，無行跡。

　　由此，德清又把莊子之"天鈞"，比做佛教的破執。德清作爲
一個僧人，他的理想境界是涅槃。但涅槃首先在無我，在破除一切
執着，是非不生，如莊子所謂"天鈞"。德清説："今要齊物，必先
忘我，此主意也。但人有小知大知之不同，故各執己見以爲必是。
蓋由人迷卻天真之主宰，但認血肉之軀以爲我，故執我見而生是
非之強辯者。是非不必強一，但祇休乎天鈞，則不勞而自齊一。"
(《齊物論》註) 破執、忘我是德清註莊所把握的一個中心概念，是
德清融通佛家與道家的一個橋梁。在他看來，《莊子》一書的根本
意旨在忘我，佛教的根本思想在破執，道家之忘世，佛家之出世，
祇有深淺程度的不同，沒有根本之異。忘世是出世的初始階段，出
世是忘世的極致。實際上從另一角度看，忘世與出世應有重要區
別：忘世是一種哲學，出世亦哲學亦宗教。哲學是一種洞觀，宗教
是一種信仰。哲學是純理論的，宗教則除理論外，還要有修習實
踐。比如德清就説，古今世事皆夢中説夢，必待大覺聖人。這個大
覺聖人就是佛。出世須靠修行成佛纔能達到。

　　3.養生不在養形而在養性　　德清作爲一個僧人，他遵循佛
教基本教義，視人的軀體爲不足貴，養生在於養性。他所謂性，指
精神，精神是生之主。德清説："《養生主》教人養性全生，以性乃
生之主也。意謂世人爲一身口體之謀，逐逐於功名利禄，以爲養生
之策，殘生傷性，終身役役而不知止，即所謂迷失真宰，與物相刃
相靡，其形盡如馳而不知歸者，可不謂之大哀也矣。故教人安時處
順，不必貪求以養形，但以清靜離欲以養性，此示人道之功夫
也。"(《養生主》註) 德清認爲這裡説的就是《養生主》一篇主旨。
此主旨在養性不在養形。道家本重養性，但道家與神仙家合流之

道教則重肉體成仙,故重爐鼎之術。莊子《養生主》、《德充符》也重視養性。文中肢體殘缺而道德渾全之人,正是養生在養性不在養形的例證。德清繼承了莊子這一點,他認性爲一身之主,是佛家"神不滅"思想的延續,也可以説是他對儒家以道德修養爲立身之本這一思想的繼承。他指斥的是世人"以一身口體之謀"汲汲追求功名利禄的做法。在他看來,這正是違反了養性原則,是"殘生傷性。莊子教人安時處順,清静離欲,這與佛教破除無明貪愛種種繫縛是一致的。所以他亦認爲養生主旨在"緣督以爲經"一語。德清所理解的緣督以爲經並非"順從中道",順從中道尚有濃厚的用世味道。德清的緣督以爲經是"但安心順天理之自然以爲常,而無過求馳逐之心也"。即順天理之自然,能如此則遇物忘懷,絕無意於人世,功名利禄不待忘而自忘。這絕不是莊子的"爲善無近名,爲惡無近刑",而是忘掉世俗的一切,與佛教之破法執我執,追求清淨本體同一了。可見德清所謂養生也與其佛教立場一致,某種程度上已經離開了《莊子》原意。他的註《莊》正是藉《莊子》發揮他自己的思想。

作者簡介　張學智,1952 年生,寧夏中衛人。哲學碩士。北京大學哲學系副教授。著有《賀麟》及明代哲學史論文多篇。

海德格理解的"道"

張祥龍

内容提要 海德格認爲"道"的原義是"道路",即原初的和"造路的"大道。這種非概念和非實體之道即是構成着的"域";它從根本上超出了任何現成存在者,祇在純構成和相互緣起中獲得自身的着落。海德格將它比爲和稱之爲"自身的緣起發生"(Ereignis)。被這樣理解的道與前概念化的詩性語言、技藝(包括技術)乃至人類的命運有着深刻的關聯。總之,海德格理解的道與他的最重要的一些思路息息相通;他對於道的看法也確有啓發中國學者之處。

在有過重大影響的西方哲學家中,海德格是唯一一位與中國的"道"發生了真實交流的思想家。從已有的文獻中可知,他在三〇年時(《在與時》發表後三年)已能在講座中隨機引用《莊子》來説明自己的觀點①。由此可推知,他至少在二十年代末就已認真地閱讀了道家的著作。從那時直到六十年代,他對"道"的興趣與日俱增,在公開出版物、演講和私人交往中多次討論道和老莊思想。本文將依據他公開發表的著作中四次直接涉及道和老莊

---

① 《海德格論"道"與東方哲學》,張祥龍編譯,III(1)。

的文字來分析海德格到底是如何理解中國"道"的①。

一、"道"的原義是"道路"

1946 年夏天，海德格與中國學者蕭師毅合作，要將《老子》或《道德經》譯成德文。此次合作雖以失敗告終，但這場經歷使海德格對"道"的字源義和衍伸義有了直接的了解，促使這位已傾心於道家多年的思想家在公開出版的著作中論及"道"。下面是這些討論中的最重要的一段話：

　　"道路"(Weg)很可能是一個語言中古老和原初的詞，它向深思着的人發話。在老子的詩性的思之中，主導的詞在原文裏是"道"(Tao)。它的"真正的"(eigentlich, 原本的)涵義就是"道路"(Weg)。但是，因爲人們將這道路輕率和浮淺地説成是連接兩個地點的路徑，他們就倉促地認爲我們講的"道路"(Weg)不適合於"Tao"(道)的涵義。於是"Tao"就被翻譯成"理性"、"精神"、"理智"、"意義"、或"邏各斯"。

　　可是此"道"(Tao)能夠是那移動一切而成道(allesbe-wee-gende)之道路。在它那裏，我們纔第一次能夠思索什麼是理性、精神、意義、邏各斯這些詞所原本地、即出自它們自身本性地要説出的東西。很可能，在"道路"、即"道"(Tao)這個詞中隱藏着思想着的説(Sagen)的全部秘密，如果我們讓這名稱回復到它未被説出的狀態，而且使此"讓…回返"本身可能的話。今天在方法的統治中存在的令人費解的力量可能也是和正是來自這樣一個事實，即這些方法，不管其如何有效，也只是一個隱蔽着的巨大湍流的分枝而已。此湍流驅動和造成一切，并作爲此湍急之道(reissenden Weg)爲一切開出它們的路徑。一切都是

―――――――――――

　　①《海德格論"道"與東方哲學》，張祥龍編譯，I(1－4)。

道（Weg，道路）。①

在這段話中，海德格認"道"的原本涵義爲"道路"。應該説，這從字源上看來是無可指摘的。"道"的"真正（原本）的"涵義確實就是道路。（許慎《説文解字》）但是，後來的絕大多數注釋者和翻譯者卻不在這個原本的涵義上，而是在它的各種概念抽象化了的衍伸義上來理解"道"。比如韓非將"道"解釋爲"萬物之理"。（《韓非子·解老》）王弼又解之爲一種"無名無形"的"本（體）"。（王弼《老子指路》）近代人更是常常認道爲"最普遍的原則"。在西方那一邊，翻譯家們出於類似的原因將"道"譯爲"理性"、"精神"、"規律"、"（概念化了的）邏各斯"等等。

簡言之，海德格與東西方的哲學家們都知曉"道"是一個意味着最根本的實在或萬物之所由的主導詞。但是，由於他們對根本實在的看法不同，對於"道"的理解也就很不一樣。大多數哲學家覺得"道路"這個詞的意思太直觀、太具體，無法表達道的普適性和無限性。海德格則認爲他們過於輕率和浮淺地看待了"道路"（Weg，way），將它僅僅視爲"連接兩個地點的路徑"。這樣，道路就成爲兩個現成存在者之間的一種現成的空間關係了。在海德格看來，通過"道路"而理解的道性比這種外在的現成關係要更深刻得多。"此'道'能夠是那移動一切而成道之道路"。更關鍵的是，他不認爲將"道路"的涵義深刻化和本源化就意味着"道"的理則化和精神概念化。那移動一切而成道的湍急之道仍然是道路，只不過不再是現成的，而是構成着的（造路的）本源的道路。

這種看待"道"和"道路"的觀點出自海德格的現象學存在觀。在他看來，"現象"并不如形而上學家們所認爲的那樣是達到其後面隱藏着的"本體"的一種過渡手段。通過現象而抽象出本質的過程一定會遺失現象本身的豐富性和在場性。真正的現

---

① 馬丁·海德格：《語言的本質》，同上，I（2）；出自《在通向語言的道路上》，德文單行本，普福林根：G.耐斯克出版社，1986 年版，198 頁。

象乃是"就其自身而顯現着自身"的"開啟"①。與此類似,真正的道路既非外在的路徑,亦非抽象化、概念化了的規律和實體,而是"爲一切開出它們路徑"的構成性的道路。

二、"道"就是構成着的"域"

這種爲一切存在造出路徑的道路在海德格看來就是一種存在論意義上的構成域。他寫道:

> 對於思想着的思想來説,此道路(Weg)應被視爲一種域(die Gegend)。打個比喻,作爲域化(das Gegnende)的這個域是一塊給着自由的林中空地(Lichtung),在其中那被照亮者與那自身隱蔽者一起達到此自由。這個自由的并同時遮蔽着的域的特點即那個造路的驅動(Be-wegung)。在這一驅動中,那屬於此域的各種路出現了。②

這裏,把道之路視爲域並不主要意味着從"綫"推廣到"面"。而是在刻劃那個非現成化了的原本道路的涵義。實際上,"域"在海德格那裏占有極爲重要的地位,代表着一種非現成、非實體和純構成的存在觀。所以,我在另一篇文章中稱海德格與衆不同的思想方式或思想道路(der weg des Denkens)爲"構成域式的"(konstituierend horizontal)或"緣起(發生)域式的"(er-eignend horizontal, ekstatisch-horizontal)③。對於海德格,"域"意味着純構成的存在場所,在(Sein, Being)的意義只有通過它纔能得到理解。

"純構成"是指没有現成的存在物,而祇在"去在"(Zu-sein)中獲得自身的那樣一種存在狀態。海德格從胡塞爾現象學關於

____

①海德格:《在與時》,圖賓根:尼歐馬瑞烏斯出版社,1949 年,28 頁。
②《海德格論"道"與東方哲學》,Ⅰ(2);《在通向語言的道路上》,197 頁。
③張祥龍:《海德格的構成一緣起域型的思想方式及其在中西哲學對話中的地位》,《場有哲學——中外哲學的比較與融通》論集(第一輯),北京:人民(東方)出版社,1994 年。

邊緣域的構成學説和康德《純粹理性批判》(第一版)中關於先驗
想像力的討論得到了重要啟發,認識到探討任何最終實在的問題
(比如"在的根本意義")都會遭遇上這樣一種域型的存在狀態。
傳統的概念法實際上還是處理(抽象的)現成物的方法,因而總是
在最關鍵處"遺忘了"在本身。

　　對於海德格,最根本的實在或存在總要比所有本質和屬性的
總合還要多。這樣,用概念化了的"實體"就無法達到這種總在其
先的根本存在,因爲概念實體——不論它是物質的還是精神的
——從根本上還是現成的思想對象。對於傳統的形而上學者們
而言,失去了實體就無法再思考最終的實在,因而只有陷於相對
主義和虛無主義一途可走。海德格則認爲,要達到最終實在就必
須超出現成實體觀;在現成物的消失和虛無化面前引發出構成域
型的存在觀。存在的意義祇有通過(自身)構成所抛投出的境域
(澄明的開口)纔可理解。此域非有非無,亦有亦無,實乃"有無相
生"之"湍急"之處。恰恰是它使得非實體化的思想有了一個着
落,即一個讓那些不依賴對象的意義得以呈現和保持住的氛圍和
境界。

　　海德格的所有重要思想都出自這個存在論(本體論)的構成
域的思路。在《在與時》之中,"在"(Sein)的意義之所以要通過
"Dasein"(即"人",可譯爲"緣在")去理解,就是因爲此 Dasein
或人並非概念化了的"主體",而是"在一緣(Da)"意義上的人。它
或他沒有自己的概念本質(比如"理性的動物"),而總是在"去在"
(Zu-sein)中成爲"自我"。這種"去在"亦不是無去處的、反理性
的一躍,而是與世界的相互構成和緣起。所以,這世界亦比所有
現成物的集合要"多"。它是一個與緣在(人)息息相通的存在境
域。緣在與它打交道的原初方式也因之不是因果決定的、現成的
或反思的,而是充滿了域的領會力的和有緣分的;比如用得稱手
的(vorhanden)、尋視的、共在的、現身情境的、牽罣的等等方
式。例如,你越是非專題地、不觸目地和忘我地使用一柄錘子,你

就越是能以一種充滿了構成域狀的明白勁兒的方式領會到這柄錘子的"錘性"。你用直觀感覺的和反思的方式去格此物倒反而會失去它的域狀存在性。基於同樣的道理,此緣在從根本上就具有自己的空間和方向。這是比任何物理空間和心靈空間都更原本的緣起之域或存在的空間。緣在的生存中和日常生活中天然地就有"位置"、"處所"和"緣分"。房子有陰陽面,似乎隨便擺放的東西隱含着稱手的位置,使用着的工具有其不顯眼的活空間。太陽的升落、月亮的圓缺都參與緣在的生存空間的構成。(在這方面,中國古人的感受倒是特別敏感的。陰陽、八卦、五行這些"順天應人"的方位指導了幾千年的文化走向。)整本《在與時》就是探討緣在的這種構成域的緣(Da)性,一步步地分析它的各種存在形態,最終揭示它的根本所在——時間的構成域性。海德格後期著作中所討論的主題,比如"Ereignis"、"語言(詩)"、"技藝與技術"等等,也無一不是這種構成域型的思想方式的表現。

　　海德格將老莊的"道"理解爲道路和存在論意義上的構成域有許多涵義。其中較爲重要的就是:道既不是抽象的概念法則,亦不是死板的第一實體,而是那陰陽相衝、天地相合、有無相生的"玄牝之門"(《老子》,6章)。道本衝虛,無實體可守,如山谷、水、橐籥、風、氣、……一樣。但它又不是僵死的虛無,而是令萬物並作的構成道域(生發之無)。所以,"道之爲物,惟恍惟惚。惚兮恍兮,其中有象;恍兮惚兮,其中有物"(21章)。人要得道或領會道性,不能靠概念反思和感覺直觀這類主體把握對象的方式,而只能遙過化除各種虛假實體而同歸於道域。老莊所講的挫銳解紛、聽之以氣;損之又損,爲而不恃;培風積厚、遊刃有餘;廓大無用,法天地自然等等,無不體現出這種開啟境域、"反"歸道根的非概念方式。老莊之書之所以顯得那麼"芴漠無形,變化無常"而又充實宏大、不竭不蜕、未之盡者,就是因爲其中有這樣一個根本的構成道域的存在。

三、道與"Ereignis"(純發生、自身緣起)

海德格在《同一與區別》一書中將"道"與他的一個中心思想
——"Ereignis"——相比擬①,更確切地表明了上面所説的"構成
域"的思想特點。從三十年代中期開始,海德格試圖通過"Erei-
gnis"(動詞爲"ereignen",原義爲"發生"、"事件")這個詞來更明
白地説出《在與時》所追究的"在的根本意義",并因此而引發出了
他後期著作中的一連串問題和思路②。所以,這個"主導詞"不論
從出現的時間上還是思想地位上,都可視爲海德格全部學説的中
樞。他這樣引出"Ereignis"(自身緣起)與"道":

> 人與在(Sein)以相互引發的方式而相互歸屬。這種相互歸
> 屬令人震驚地向我們表明人如何被讓渡給在、在也如何被人的
> 本性所占有這樣一個事實。在這個機制中盛行的乃是一種奇特
> 的讓渡和占有。讓我們祇去經歷這個使得人與在相互具有的構
> 成着的具有(dieses Eignen);也就是説,去進入那被我們稱爲
> 自身〔或身份〕緣起(Ereignis)的事件。"自身緣起"(Ereignis)
> 這個詞取自一個從出的語言用法。"Er-eignen"原本意味着:
> "er-aeugen",即"看到"(er-blicken),以便在這種看中召喚和
> 占據自身。出於思想本身的需要,"自身緣起"現在就應該被視
> 爲一個服務於思想的主導詞而發言(sprechen)。作爲這樣一個
> 主導詞,它就如同希臘的主導詞"邏各斯"(logos)和中國的主導
> 詞"道"(Tao)一樣難於翻譯。③

海德格在這裡是通過"人"與"在"的相互構成而表達"Ereignis"
的涵義。人與在並不是先具有了現成的存在,然後纔發生某種相

---

　①《海德格論"道"與東方哲學》Ⅰ(1)。
　②海德格論:《哲學論文集(關於"Ereignis")》,《全集》65卷,梅因法蘭克福:維·
克羅斯特曼出版社,1989年。
　③《海德格論"道"與東方哲學》,Ⅰ(1)。此段話出自《同一與區別》,普福林根:
G.耐斯克出版社,1957年,28-29頁。

互關係。相反,它們袛在相互引發和相互歸屬中纔占有了自身。
"Ereignis"要說的就是這樣一種存在論(本體論)的原發生,即那
(使得人與在)相互具有着的構成着的具有(dieses Eignen)。所
以,我用"自身緣起"來譯"Ereignis",意味着那袛允許在緣起發
生或相互構成之中具有自身的存在論狀態。

　　按照海德格,這樣一種自身緣起的純發生必然被理解爲
"域"。他講:"這個自身的緣起是這樣一個自身擺動着的域。通
過它,人與在在其本性中達到對方,並通過脱開形而上學加給它
們的那些特性而贏得它們的緣起本性。"①之所以是這樣,乃是因
爲自身緣起既不是概念的構造,亦不是對現成規定的接受,而是
從根本處需要"這樣一個自身擺動着的域"來實現它的非實體的、
投射出的和構成着的存在。人與世界或人與在不僅總在域(原本
的時空)中,而且從來就是域性的和非現成的,因爲兩者只能在構
成中獲得自身。

　　"自身緣起"更加鮮明地説明了存在論意義上的域的構成本
性。海德格將它與古希臘(還未被概念化的)"邏各斯"和中國的
"道"的比較説明,在他的心目中,這三者都是本源性的"主導詞",
超出了現成的概念名相所能傳達者,因而都是"難於翻譯"的。

　　從上一節的一些關於"道"的討論可看出,海德格的這種看法
並非沒有思想上的根據。《老子》講:"反者,道之動"。(40章)這
是因爲道從根本上是不平靜("湍急")的和純構成的。作爲原本
的道路和道域,道中沒有任何可供概念把捉的現成實體,只有在
相反相成的"惚恍"和"混成"中構成着的"象"、"物"、"精"、"真"、
"信"。所以,老莊書中到處是反語、緣語和域狀之詞,比如"生而
不有、爲而不恃"、"無狀之狀、無物之象"、"爲無
爲"、"道衝而用之或不盈,淵兮似萬物之宗"、"敦兮其若樸、曠兮

---

①《海德格論"道"與東方哲學》,Ⅰ(1)。

其若谷"、"微妙玄通、深不可識"、"無何有之鄉、廣莫之野"、"彼是
莫得其偶,謂之道樞;樞始得其環中,以應無窮"、"喜怒通四時,與
物有宜,而莫知其極"、"不如相忘於江湖",等等。不如此就不足
以削去概念和表象型思維的是是非非,彰顯出道本身的構成域
性。就是所謂"常道"之"常",也絕非指實體的僵死守恆性,而是
道域本身原始反終的、構成式的常在。"致虛極,守静篤,萬物並
作,吾以觀復。夫物芸芸,各復歸其根。歸根曰静,是謂復命。復
命曰常,知常曰明"。(16章,加重號爲引者所加)"終日號而不嗄,
和之至也。知和曰常,知常曰明"。(55章)可見,老子講的"常"意
味着"並作"與"復命"這種道域本身的擺動,以及陰陽相互"衝和"
(42章)的道的構成本性。同理,像《莊子》("大宗師")講的道之
"自本自根"、《老子》(25章)講的"寂兮寥兮,獨立不改"等等,也衹
應被理解爲在刻劃道的緣起發生域的唯一和原本,並非在主張道
的概念實體性。

四、道與語言

海德格對於道的理解與他的語言觀有着密切的關聯。比如,
他講道:"很可能,在'道路'、即'道'(Tao)這個詞中隱藏着思想着
的説〔Sagen,海德格所認爲的語言的原初存在方式〕的全部秘
密。"(同前,I〈2〉)又講:"將此自身緣起(Ereignis)思想爲自
身的緣起(Er-eignis)意味着對於這個自身擺動的境域的構造進
行建構。思想從語言(Sprache)得到去建構這種自身懸蕩着的構
造的工具,因爲語言乃是最精巧的、也是最易受感染的擺動。它
將一切保持在這個自身緣起的懸蕩着的構造之中。就我們的本
性是在這個懸蕩着的構造中所造成的而言,我們就居住在此自身
緣起之中。"(同前,I〈1〉)海德格在與蕭師毅的合作中曾一再追
問"道"在中文中的各種涵義。所以,他不會不知道"道"所具有的
"道言"之義。但是,他在這裏能講出道與語言之間如此密切和深

刻的關聯,卻不能不也歸因於他本人所持有的語言觀。由於本文作者已在"海德格的語言觀與老莊的道言觀"一文中討論了這個問題,這裏就祇是簡單地説一下有關的幾個結論。

"語言"對於海德格主要不是指傳遞人們心中的現成觀念和情感的符號工具,而是使人的構成本性得以展現的最重要的一個構成域。語言在他的後期著作中占有"時間"在他的前期著作中的地位。所以,從根本上説來,並不是人在説語言,而是語言本身在言説。人祇是通過聽懂或回應語言的言説(道之道)而能夠言語、思想和存在於一個世界之中。原本的語言形態不是表達概念思維的"陳述",而是構成境域或"意境"的詩。因此,思想之路就是通向這種詩性的和境域性的語言之路。(同上,I〈2〉)

海德格之所以講到"老子的詩性的思想",不祇是由於他知道《老子》由韵文寫成,更因爲他認爲這本書不是陳述的集合,而是由語言本身的詩性言説所構成者。這種域狀的言説在傳統的語言觀看來祇是一種"未説出"或"未説盡"的狀態。但按照海德格的理解,大道之"不言"乃是道言的一種形態。"道"與"言"有着天然的、超名相概念的聯繫。正是在這個意義上,海德格相信作爲原本道路(即域)的道(言)中"隱藏着思想着的説的全部秘密。"

我們可以爲海德格的這種"道一言"觀找到更多的依據。"道"不僅在西周時就已具有了"言説"之義,而且,老莊書中也有一個"獨與天地精神往來"(《莊子·天下》)的大言或道言的維度,區別於概念表象型的"小言"。此外,老莊與海德格各自都有讓語言自道的方式和技巧,比如"重言"、"反語"、"粘言"等等,這裏就不詳述了。

五、道、技藝(technē)與技術

海德格談到"道"的四篇文章都以這種或那種方式涉及到"技術"(Technik)和技術性的"方法"(Methode)。一方面,他批評

技術和方法"整齊劃一"地衝壓我們生存的方式；另一方面，他一再強調技術和方法有着"令人費解的力量"，並"從根本上決定着現實的一切現實性"。在他看來，通過技術的構架（Gestell）去經歷現實乃是現代人不可避免的命運。（同前，I〈3〉）儘管這種經歷並不令人滿意，但由它造成的命運不會被"不要技術"的意向和做法所改變。技術和它帶來的危險都根源於人的構成域的本性。克服這種危險的可能性則與古希臘人和道家的思想有關。

海德格指出，現代人喚作"技術"的那種活動的原本方式在古希臘人那裏叫作"technē"①。但是，technē 主要不是指"生産和製造方式"，而是手藝（Handwerk）和藝術（Kunst）。這後兩者，類似於康德在《純粹理性批判》（第一版）中講的"純象"和"圖幾"（Schema, 即原本的時間），對於海德格意味着域型的認知方式，也就是讓那隱蔽的構成域當場現身的方式。他寫道："作爲古希臘所經歷的認知，此 technē 就是那使存在者出現的東西；因此，它將存在者從被遮蔽的狀態釋放出來而成爲正在場者，並特別是指將此存在者提交給它顯示出來的揭蔽狀態之中。"②這種從某個被遮蔽狀態中釋放（揭示）出在場者的認知方式已不可能僅僅是主、客之間的交往途徑了，而必然涉及到那個"給予自由並同時遮蔽着的域（的特點）"③。通過概念和感覺直觀所認識的祇有對象，談上不"揭蔽"。只有處於舒卷開合的域化之域中的認知方式纔是既揭示又遮蔽着的，因爲這種認知乃是純構成的自身、緣起，一定要在引發出自身而又超出自身的"揭一蔽"的"圓舞"中贏得自身。所以，我將"technē"譯作"技藝"或"幾微"（出自《易傳》），以表示它是一種既不同於概念抽象、又不同於直觀反映的認知方

---

①海德格：《藝術作品的起源》，《叢林路》，梅因法蘭克福：維·克羅斯特曼出版社，1980 年，45 頁以下。又見海德格《關於技術的問題》，《演講與論文集》，普福林根：耐斯克出版社，1978 年，16 頁以下。
②海德格：《叢林路》，45 頁。
③《海德格論"道"與東方哲學》，I（2）。

式;其作用就在於引發出域性的當場存在並保持住它。

這種技藝乃是技術的本源,但比技術從根本上更自由、更接近自身緣起的純構成方式。技術也是一種非概念和非直觀的揭蔽方式,這特別是指古老的手藝式的技術,比如鞋匠、木匠("輪扁"、"梓慶")、磨工乃至"庖丁"的技術。現代技術是這種還帶有較明顯的技藝風格和域狀特點的技術的進一步機械化和預先程式化①。海德格稱之爲"框架(化)"(Ge-stell)。現代技術的具體揭蔽方式乃"逼索(挑釁、絶對化)意義上的設置活動(ste-llen)"②。其目的在於擺布、征服和綫性地控制自然,所以特別注重"預設"(Bestellen)的"現成狀態"(Bestand)或二手的構成態而非純粹的構成緣起狀態。盡管這樣,現代技術仍然是現代人類進入自己的生存狀態並成爲自身的最重要的一段因緣或"氣機"(《莊子·應帝王》),遠比任何形而上學的體係和經驗觀察更有"決定現實的一切現實性"的能力。

現代技術的危險就在於它僵板的和排除一切其他揭蔽方式的特性。也就是説,這種揭蔽手段忘掉了自己的域的本根,總是想獲得概念和實證活動所標榜的絶對自明性、確定性和實用性。海德格將這種傾向視爲一種要完全擺脱掉緣起域所必然帶有的遮蔽或"黑暗"(Dunkell)面,而去追求原子彈爆炸所產生的那種"比一千個太陽還亮"的赤裸光亮世界的企圖③。所以,他將《老子》28章講的"知其白,守其黑"理解爲那種對於道域本性的自覺和敏感。它傾向於去"找到那祇與此黑暗相匹配的光明"(同前),即那構成和緣起域本身的光明。同理,海德格欣賞莊子對於"無用者之大用"的自覺,認爲正是這種"廣莫"的、曠野的無用方使得真正的有用可能(同前,Ⅰ〈4〉)。

---

①海德格將這種還有原道風範(雖然已不純粹)的"古代"與板結化了的"近現代"的對比也適用於他關於哲學(亞里士多德相比於笛卡爾等)、科學(亞里士多德時的科學相比於牛頓和伽利畧的數學化了的現代科學)和藝術的看法。

②王煒:《海德格關於技術本質之思》,《學人》第三輯,499頁。

③《海德格論"道"與東方哲學》,Ⅰ(3)。

　　從表面上看,老莊是反對技術的。"民多利器,國家滋昏,人多伎巧,奇物滋起"。(《老子》,57章)"有機事者,必有機心。機心存於胸中,則純白不備;純白不備,則神生不定;神生不定者,道之所不載也。"(《莊子·天地》)可是,這種"反對"恰恰表明在老莊的思路之中,技術不祇是完全中性的認識手段,而是與道域的揭示與否密切相關的人的存在方式。細究之下可知,老莊所反對的祇是那(妄圖)與道域完全斷緣的技巧和機事,并非與人生境域相引發的手藝和作爲一種得道之術的技藝。《老子》講:"埏埴以爲器,當其無,有器之用。……故有之以爲利,無之以爲用"。(11章)《莊子》書中更是多有通過技藝而悟道的例子。"庖丁解牛"("養生主")是其中最著名者。當然,生活於兩千多年前的老莊没有像海德格那樣看到現代技術構造當今現實的不可避免性,而是傾心於一個由技藝(道術)而非技術(機事、機心)主宰的人類社會。但這種"古代的'後'工業化"的"天真"並不妨礙海德格從他們關於技藝與道的論述中獲得如何將技術型思維引回到構成域的靈感。

　　按照波格勒的報導,海德格在1960年的一次演講中引用了"達生第十九"中的"梓慶爲鐻"的故事來反對流行的美學理論中常出現的質料與形式的二元區別①。《莊子》中這樣寫道:

　　梓慶削木爲鐻。鐻成,見者驚猶鬼神。魯侯見而問焉,曰:"子何術以爲焉?"對曰:"臣工人,何術之有?雖然,有一焉。臣將爲鐻,未嘗敢以耗氣也。必齊以静心。齊三日,而不敢懷慶賞爵禄;齊五日,不敢懷非譽巧拙;齊七日,輒然忘吾有四枝形體也。當是時也,無公朝,其巧專而外骨消。然後入山林,觀天性,形軀至矣。然後成見鐻,然後加手焉。不然則已。則以天合天。器之所以疑神者,其是與。"

----

①《海德格論"道"與東方哲學》,III(4)。

這個故事清楚地表明"術〔技藝〕"與道域或氣域的密切關聯。梓慶通過齋(齋戒或心齋)來損去與技藝本身無關的是非、得失、物我之心,從而使得技藝的天性得以展現,並因而以緣合際遇的方式("以天合天")揭示了山林與鐻的天性。這樣的技術也就是"巧專"的藝術,毫無砍鑿痕迹地化入、洩漏並保持住道域本身。"器之所以疑神者,其是與"。

因此,海德格就在"道"中看出了將現代技術或方法的統治"轉化爲一種原發的自身緣起"的可能,即"從它的統治地位轉回到在一個境域中的服務。通過這樣一個境域,人更真態地進入到此自身的緣起中"。(同前,Ⅰ〈1〉)正是由於道和自身緣起(Ereignis)的本性既非概念規律、亦非僵死的實體,而是構成之域和此域之道出,這樣一種"回復"纔是可能的,人類的未來纔有可能是光明的。當然,這只能是與道域或緣起構成域相匹配的緣發的而非是純人工的光明。

結 束 語

從以上的分析討論中可見,海德格所理解的"道"與他思想中最重要的一些問題、特別是三五年以後他最關心的一些問題息息相關。道對於他已不是滿足文化好奇心的裝飾品,而是在其思想之路上的靈感來源之一。他的緣起構成域型的或自身緣起的思想方式已超出了傳統西方哲學的諸方法,而與中國的道(路、域)發生了相互呼應和相互引發式的關聯。因此,從另一個角度看來,他對於道的理解也確能啓發從事於中國道的研究者。自韓非、王弼以降,"道"的非概念的構成域性越來越被人遺忘;"陰陽"、"有無"這類緊張飽滿的道構成機制被毫無域的發生張力地解釋爲某種鬆散的、現成的東西,不管是形而上的概念還是神秘主義的象徵原則。近代以來,西方形而上學和科學思潮的湧入更加劇了這種對道性的割裂分解。關於道是心性的還是物性的爭論祇是這種生拉硬拽的例子之一。按照新的自然科學理論去解釋道的企圖也往往達不到此"道一理"的最原發處。比如將最能體現道的構成域性的"氣"說成是一種"(物理)場"就並非是恰到好處的解釋。與這些路子不同,海德格是以一種更飽滿貼切的思想本身的方式來理解道的本性,從而展示了一種新的研究方法的可能。

作者簡介 張祥龍,1949 年生,河北深縣人。現爲北京大學外國哲學研究所副教授。主要著作有《海德格的現象學起點》、《海德格與古希臘的前柏拉圖哲學》、《胡塞爾·海德格與東方哲學》、《當代西方分析哲學》(合作)等。

道 與 本 文

滕守堯

内容提要 道的哲學已經不僅僅是中國的文化遺產,它早已爲西方人吸收和運用,成爲世界人民的共同文化遺產。西方後現代主義美學雖然没有使用"道"這個字眼,但其主要概念"本文"(Text),卻與"道"有着諸多相似之處。這是東西方文化不斷對話和交融的結果。

E 一個中國學者

W 一個西方學者

E 西方後現代主義美學理論已經陸續介紹到中國,引起了理論界,尤其是美學界和文藝理論界的關注,但其中有許多概念,如"本文",涵義極其玄奧,無法定義,但在後現代文藝理論中又無處不在。

W 非常有意思的是,西方許多從事于解釋"本文"理論的大哲學家和美學家,如海德格 (M.Heidegger)、羅蘭 · 巴特 (R.B-arthes)、德里達 (J.Derrida) 等,無不對中國的道的哲學感興趣,所以其對"本文"概念的闡釋,都自覺不自覺地帶上了道家哲學的痕迹。我認爲,"本文"這一概念實則是西方現代思潮同東方古代思潮融合的產物,至少它是一個帶有"道"味的西方概念。

E 那麼"道"和"本文"之間究竟有哪些相似之處呢?

W 要想說明這種相似,我們首先要弄明白"本文"的由來及其基本涵義。在英語中與"本文"對應的字眼是 text,這個字翻譯成中文可以是本文、課文、原文、正文等。但本文的真正涵義,這些字眼全都無法傳達出來。這同"道"一樣,稱之爲本文,只是強之爲名。但本文這個名字,也不是隨意取用的。本文,本文,意味着要以文爲本。所謂以文爲本,就是要以作品中的字、詞、句子,以及由這些要素之間變換無窮的關係及其生發出的活生生的意義爲本;而不是以這些要素以及與它們之間種種固定關係相對應的種種固定的涵義爲本。這實際上表明了對傳統上"以義爲本"的做法的一種反動。

E 可爲什麼會有這種轉變呢?

W 此事還要從結構主義運動談起。你知道,本世紀六十年代,在歐美等西方國家曾經興起了一種結構主義運動。受這種結構主義大潮的影響,人們每談論文學作品,便喜歡使用"結構"、"排列"、"系統"等字眼。這個結構主義運動最先應追溯到雅可布遜 (R.Jakobson) 和列維·施特勞斯 (C.L.Strauss)。雅氏提出了一種語言學的"對等原理",強調語言中處處可見的二元對等式結構的力量 (如聲音和概念之間,概念與詞匯之間)。"對等原理"指出,在語言中,單獨一個元素是不能表達意義的,只有在相互平等的二元構成的相互關係中,意義纔顯示出來。施特勞斯受此啟發,進一步把語言的模式用到對社會現象,特別是對家族關係的解釋上,認爲所謂的"社會現實",就是種種相互對待的二元之間的交流或交換的總和。而習俗、禮制和神話都一無例外地具有這種二元結構。這種對"結構"的發現和傳播,觸發了一場思想革命,西方人稱之爲哥白尼式的結構主義革命。

E 既然是一場革命,其革命的對象是什麼?

W 自然是"二元對立"。你知道,西方自從笛卡爾之後,哲學的主流就一直是二元論。二元論本身無可指責，但如果發展到極端，以至造成二元的分裂，就會走向反面。這種分裂有許多表現。例如，將世界分裂成相互對立的主體和客體兩大部分，將科學分裂成互不來往的自然科學和人文科學。在自然科學領域內，又有認識主體與認識對象的分裂和排斥等。在這種極端傾向的驅使下，認識者和被認識的世界的關係，變成一種主客關係，不是前者爲主，後者爲客，就是後者爲主，前者爲客。但不管是哪種情況，最後都是一方把另一方否定或掩蓋。舉例說，如果把客觀世界看成是已有的和占主導性的，那麼主體的認識的正確與否，就取決于它是否與客觀自然符合，只要符合，就等于掌握了真理和握住了自然的把柄。而一旦握住了自然的把柄，就又對之任意征服、宰割和利用，其與自然的主次地位跟着也就顛倒過來。總之，人、人的認識以及人的實踐與客觀世界之間，總是處于一種認識與被認識，征服與被征服的緊張關係中，二者總是一主一僕，毫無平等和諧可言。這種主從關係有着廣泛的表現：

在語言學領域，索緒爾 (F.Saussure) 將語言區分爲"能指"和"所指"二元，"能指"是指用來表達意思的字、詞或句子本身；"所指"，即這些要素指向的通常涵義，這種涵義一般都是比較固定的和約定俗成的。受上述主從模式影響，爲主者總是"所指"，"能指"總是爲次。這意味着，語言只不過是傳達意義的工具。等于是以"所指"掩蓋和否定了"能指"（"得意忘言"）。

在文學藝術領域，則有"意圖"（作者的）和"作品"的二元劃分。受上述主從模式影響，"意圖"總是被說成主要的，"作品"本身則是次要的。照此模式，作者只要有一種意圖，就能寫出作品；讀者只要把握到作品作者的意圖，就抓住了把握和理解作品的關鍵。這種以作者原意爲主導的作法所產生的典型後果之一，是使閱讀活動和學問變成考證式的，使人們誤以爲，只要通過考證找到作者原意，所做的學問就大功告成了。考證對做學問是必要的，但把考證到作者原意當成全部學問,人類的認識也許會永遠停留在類人猿的水平。在美學和藝術領域,這種傾向則促使人們將一種作品歸結到它的內容,把內容歸結到作者的原意,最後用原意代替整個作品的意義。真正的藝術本來完全有能力使人們浮想聯翩,無限激動的,而這種傾向卻將一件活潑潑的藝術品轉變成一種馴服的,聽命于理性理解的東西。這種東西可以控制,可以操作,可以讓你感到舒服,但就是不能增加人的想像力和感受力。

　　從雅克布遜開始的結構主義革命,就是從破除這種主從式語言模式開始的。他把語言中"能指"和"所指"二元看成是平等的、可以相互轉化的和依存的、可以相互交流和生發的兩極,正是二元間的這種相互關係,構成語言的真正現實。這種二元模式與中國道家的二元模式顯然十分類似。

E　是嗎? 請說得具體一些。

W　中國古代人和現代人對道的解釋形形色色,各不相同,但其中有些解釋是權威的和經典的,如老子的"有無相生,難易相成,長短相形,高下相傾,音聲相合,前後相隨"、"萬物負陰而抱陽"等名句,都揭示了一種典型的二元依存和轉化狀態,最後造成的結果,必然是"陰中有陽,陽中有陰",這是天下有道的事物的一種基本存在狀態。或者說,道是對立二元在其交界處相互融合而產生出來的。

E　雅氏提出這種模型時,是否受到了中國道家思想的影響?

W　從雅可布遜的傳記中得知,他的這種語言結構的確受到中國對仗式詩歌結構的影響。他在提出這種模式前,曾對中國語言的這種結構下過功夫,并對這種從音位到語義,從詞法、句法對仗到語義照應,處處體現了"對等原理"的結構"驚嘆不已"(參見胡經之編《西方文藝理論名著教程》,下冊,第二五六——二五七頁,北京大學出版社,一九八九)。我來問你,對仗式語言結構,是不是符合道家提出的二元依存式結構呢?

E　可以說相當符合。所謂"對仗"，就是二元間既有對立，又可聯結；這同完全對立的二元結構不同。後者中兩極只有對立，而不能相聯；前者中則是在二者對立的同時，又有二者的聯結。這種結構在中國對聯中最爲常見。以"向陽門第春常在，積善人家慶有餘"這副對聯爲例，其上下兩聯間，既有對立和區別，又有類似和聯繫。例如，上聯說的是一個家庭的自然景象，下聯說的是這家人的精神境界；上聯描寫的是這個家庭的靜態的景象，下聯描寫的是它的動態的行爲。這可以說是相互對立了。然而在這種對立又被它們之間內在聯繫消解了。例如，在這上下聯中，我們至少可以見出三組對應或類似："向陽"對應于"積善"；"門第"對應于"人家"，"春常在"對應于"慶有餘"。這一連串的相互對應和類似、相互撞擊和拼接、相互對話和交流、相互比附和強化，不僅沒有把上述對立推向極端，反而使自然—精神、動—靜、美—善等兩極互動和交織，把每一單極想説而沒有完全説出的東西説了出來。

W　這種既對立又聯繫的對仗式語言結構，能在對立的雙方之間生出一個第三者。這第三者包含前二者又超越了前二者，與道的"陰中有陽，陽中有陰"十分類似。如你所説，這種結構與二元對立結構是不同的，在對立結構中，二元間截然對立，相持不下，其中每一極都固定死了，人們從中最多看到兩極的原來的意義，根本不會有什麽新的意義生出來。"對仗式結構"的意義是通過二元之間的碰撞、接合而生成的，它是超越原來二元的"第三者"或"第三項"。這第三項的出現，使作品徹底走出二元之間的封閉區，進入一個開放而自由的天地，成爲真正表達"存在"的語言。這種"對仗結構"恰好是道家的二元模式。這種模式在道家使用的語言中就能看到，如《道德經》中許多名句："無名天下之始；有名天下之母"、"常無欲以觀其妙，常有欲以觀其徼"、"處無爲之事，行不言之教"等。

E　你是説，雖然不能説老子是中國對仗式語言的直接創始人，卻可以説他是其實際的創始人。

W　可以這麼説。中國對仗式語言結構萌芽于《易經》、《詩經》等，在老子《道德經》中已經系統化。所以説，雅氏受中國對仗式語言結構的影響，實際是受到道家的影響。非常有意思的是，雅氏由此而提出的語言結構模式，整整影響了一代人。後現代主義者提出的本文觀同雅氏的初衷是相通的，都是要通過改變語言通常的那種表義結構，而使之具有一種更深奧的、與存在本身相對應的結構和意義。

E　與"存在"相對應？這話怎樣解釋？

W　這種説法來自海德格的真理觀。我們知道，海氏心目中的真理，已經不是那個與外在現實相符合的真實認識，即不再是傳統哲學認識論意義上的真理，而是本體的真理。他認爲，認識論的真理往往來自對實在的或真實的事物的抽象或分類，它得到的"理"往往把一切不能歸類的、活生生的、不確定的和時刻在變化着的生命活動，驅逐出理性的領地。認識論把那些作爲理念的存在捧高了，而"存在本身"卻被貶低爲不應該是的東西和實際上不是的東西，因爲在實現過程中它總是使理念失去原形。海氏由此想到了希臘文中"真理"一詞的本義：通過否定或消除使真實的東西突出和澄明。他認爲，這一意思又與中國道家的"反者道之動"、"爲道日損"、"觀復"、"歸根"、"反其真"等相通。這樣以來，希臘觀念就和道家的觀念在海德格的意識中碰撞在一起，生發出一種更新的真理觀。這就是，真理是從理性認識的遮蔽中"冒出"來的。

E　這與後現代主義的"本文觀"又有什麼關係呢？

W　後現代主義者受海德格真理觀的影響，逐漸認識到，西方傳統高揚的理性認識與以往的語言模式有一種內在的聯繫。這種語言模式將語言視爲符號和再現者，它能夠真實地再現事物的原貌，因而能完美地再現真理。後現代主義者德里達等人則對這種符號觀產生了懷疑，不同意語言學和結構主義把符號看成是一種封閉的和表達形而上真理的結構。德里達指出,結構主義對符號的使用和理解過于局限: 認爲絶對不可能把符號的能指和所指分開,分開了就破壞了符號的功能。

E 這是常理。如果一個符號没有"所指",還成什麼符號呢?

W 後結構主義所要解體和破壞的,正是符號的這一基本結構。它認爲,如果結構主義破除的是有關主體的神話,後結構主義破除的就是有關符號性再現的神話。它的一個基本觀點是,任何符號,並不僅僅是對自然或外部社會事實的再現,更重要的是前有的或舊有的符號的符號。換句話説,符號的真正功能,不是以前人們認爲的"再現",即使是有所再現,它再現的也不是原來人們認爲的自然或原物,而是對于一種已經存在的符號的再次符號化,因此也就無所謂再現不再現。與之相對應,所謂"真理",就不是原來人們認爲的那種完美地再現了現實、自然或原始的東西的東西,而是一種符號的符號。

E 我明白了,到後結構主義之後,人們所説的真理,已經不再是那種對現實做出完美的"再現",而是符號與符號間的相互作用。可這種"完美再現"的神話又是怎樣破除的呢?

W 德里達主要從哲學上論證了"完美再現"的不可能。他把"再現"同"增補"現象聯繫起來,并對這種現象進行了下面一段極其著名的哲學沉思:

"'增補'這一概念隱含着兩種並存的意義……其一爲增,所謂增,就意味着所增加的部分是一種額外的東西,而'額外'又意味着用一種完滿的東西附加在另一種'完滿'的東西之上,使之得到'最充分呈現'。因此,所謂'增補'就是指兩種或多種完滿的東西的累積和堆積。但是,'增補'又有第二種意義,即'補足'的意義。雖説補足也要增加,但增加的目的是爲了替代原來的,當增加的東西插入或潛入到原來的東西中時,就取代了原來的東西。如果它是在'補充',就好像是在填充一個虚空;如果它是在製造一種再現原物的形象,那就意味着原物没有充分地呈現自身。然而不管是補足還是替代,這種增加物都是一種附加物,或者説,是一種用來代替的'副'的或'次'的東西。但它不是簡單地附加在另一種完全的呈現之上,産生的不是浮雕效果,因爲它的位置是在一種結構的虛空中……二者(增和補)在一起有一種共同的涵義,即:不管是增加還是代替,補充物都是外在于原物的東西:不是處于原物之外,就是與原物相異。"①

　　在這裏,德里達揭示了一種"補充邏輯":補充既是"補",又是"充"(代替)。但不管是補還是充,補充物都不能完全地等同原物,代替物總是代替物,而絶不會是原物。所以永遠不會有完全的再現。這一理論等于是對西方整個形而上學大廈做出的摧毀性打擊,因爲西方整個形而上大廈都是建立在能對一種原始的非呈現物(世界的本質)加以補足或完全再現的設想上。既然"完全再現"被證明不可能,整個形而上學大廈就傾覆了。德里達還指出,在符號運用過程中,作爲一種外在的和人爲的東西的符號補充物,就逐漸代替了自然的和原本的東西,最後二者就變得不可分割。一旦"自然性"的和"人爲的"達到不可分割的程度時,它們就變成了同一種東西。最後,"自然"就永遠不在場了或不呈現了,從而成爲一種神話,成爲一種永遠不純粹的原物或原作。既然真正的原物不存在了,完全的再現當然也就不存在了,當這二者不存在的時候,由此建立起的形而上學大廈也就自然解體了。他由此又得出另一層意思,既然補充或再現永遠達不到完滿,就意味着它永遠存在着不足,永遠有缺陷。既然永遠不足,就永遠存在着對這個補充物或再現物自身繼續不斷地進行再補充的可能性。這種不斷補充和擴展的不確定過程,纔是世界的真實。這種真實十分類似于

①德里達《語法學》,第144－145頁,普林斯頓大學出版社,1976年。

中國的道，而不再是西方形而上學追求的世界的本質。

E　我明白了。這就是說，形而上學總以爲自己在同世界原物或本原打交道，實際上卻一無例外地是在同本原的補充物、代替物打交道。在德里達看來，這種不斷補充的過程十分接近于中國的道。

W　是的。這方面的確能找到很多證據。例如，老子說，"無名萬物之始，有名萬物之母"。明確指明了"名字"爲萬物之母，萬物因名而存在的道理。莊子同樣強調語言的關鍵作用，他說，"天地一指也，萬物一馬也。"(《莊子‧齊物論》) 就是說，天地可以用手指一指來表示，萬物都可以用籌碼來表示。他又說，"道，行之而成；物，謂之而然"。(同上) 也就是說，路，因爲有人走纔形成的，正如萬物都是因爲人們給它們取了名字纔存在的。這同德里達對符號作用的強調，具有異曲同工之妙。莊子也同德里達一樣，持一種"語言再現永遠無法完美"的觀點。他說，"惡乎然？ 然于然，惡乎不然？ 不然于不然。惡乎可？ 可于可。惡乎不可？ 不可于不可。物固有所然，物固有所可。無物不然，無物不可。"(同上) 什麼是對的，說它是對的，它纔是對的。什麼是不對的，說它是不對的，它纔是不對的。物本身沒有什麼對不對和可不可，對不對和可不可完全決定于人的言說。"夫言非吹也，言者有言。其所言者特未定也。"(同上) 就是說，言論不象風的吹動，任何言論都是在同別的言論的相互作用中存在的，所以它只是符號的符號，既然如此，其作用就不是完美地再現外物。他責備人們說，"道惡乎隱而有真偽？ 言惡乎隱而有是非？ 道惡乎往而不存？ 言惡乎存而不可？ ……故有儒墨之是非，以是其所非而非其是。欲是其所非而非其是，則莫若以明。"(同上) 這明確表明，莊子也同德里達一樣，認爲語言不能"完全再現"，所以也就無所謂是和非。德里達是認真研究過道家思想的，所以他的思想中有濃厚的道家味。總之，傳統的形而上學是把世界的"本質"放在首位，把語言視爲再現本體的道的工具；德氏則和老莊一樣，把本體的"道"和"可道"的"道"融爲一體。

E　這種融合是怎樣實現的呢？

W　德里達提出"解構"的主張。所謂解構,就是解體語言和內容二元對立的結構,而不是把語言像機器那樣拆開來,逐個檢查它的每一個部件,然後再重新裝配回事物的原來的樣子。解構首先是沿着語言原來的結構或層次的軌迹走,爲的是將那些被遺忘的和蟄伏着的積澱、那些經過日積月累而沉澱爲語言之組織結構的東西"攪動"起來,使它們浮到表面上來。這種攪動沉澱的過程意味着,完全可以把語言過去的那種再現性結構打破,然後將其原來的要素進行重新的"嫁接",這種被攪動後而又被重新嫁接的語言,就是本文。它是一種永遠運動着和變易着的東西。有意思的是,這種解構主張,在另一個著名的後現代主義者羅蘭·巴特的寫作實踐中得到完美的體現。巴特在消解語言的再現性意義方面是着實下了一番苦功的,他在這種試驗中,從東方哲學中吸收了不少營養。

E　這一信息太重要了,請説説看。

W　我從巴特的傳記中了解到,巴特是認真研究過東方文化的①。在頻繁接觸東方文化和藝術後,自稱得到這樣一個啟發: 語言越是不去表達一種確定的和具體的意義,就越容易產生一種第三意義。

E　第三意義? 這是否就是類似中國對仗式語言結構產生的那種第三意義?

W　有一定的相似之處。巴特在定義這種第三意義時,將之稱爲"鈍義"。"鈍"是"鋭"的反義詞,"鋭"又有"顯"的意思,所以"鈍義"意味着對"顯義"的反動和消除。具體説,他主張在語言的明顯的意義(或鋭利的意義)上面加一種反向之力,將之"鈍化",從而產生出另一種不同于顯義的意義,即第三意義。因此,所謂"第三意義",就是克服了語言的明顯、確定或普通意義之後得到的那種微

①見 S·桑塔格《寫作本身: 論 R·巴特》,第 425 頁。企鵝叢書,1983 年版。

妙的意義。這種定義顯然帶有道家"反者道之動"的痕迹。另外，"鈍義"本身也與"道"有相似之處：鈍義具有一種既持久、又短暫；既明顯，又難以捉摸的性質。它往往不爲人的思想和理智吸收。説它"鈍"，是説它的顯義的鋒芒被挫，從而變得圓鈍、模糊了。但是，恰恰是通過這種對顯義的對抗行動，它纔有可能産生出來。將一種太過于明顯和鋒利的意義鈍化，意味着逼迫那種只對準作品之顯義的閲讀緊急刹車，從走向顯義的軌道上折回來。"鈍"還有另一層意思：如同一個鈍角總是比一個直角大，"鈍"所産生的第三意義則總是比那種垂直性的 (直來直去的)、鋒利清晰的、法定的叙述性意義大得多。它開闢了一個無限的意義領域，大大超出了文化、知識和信息，進入了通向語言的無限意義領域的大門，將自己融進了審美的家族——因爲審美往往對準種種實用價值不大的、看上去無實效的，但又造成對現實之嘲弄的東西。用後現代主義的語言表達，鈍義是反叙述的、散播的、反轉的和短暫的，是一種與一個鏡頭、一種順序和一種句法完全不同的"痕迹"。它反邏輯，然而又是無比真實的。

E　這等于是説，所謂"鈍義"，實際就是一種"無意義的意義"，或是一種"去除了顯義之痕迹的意義"，就像道家説的"無迹之迹"？

W　是的，過去人們總是過分地強調顯義，總是得 (顯) 義而忘言，把語言本身的奥妙全部遮掩了。通過"鈍"的反向力，那一向被掩蓋的另一極便被揭示出來。因此，"鈍義"不能脱離顯義而單獨存在，總是在反抗顯義中展示自身，而且與語言結構本身同生同滅。巴特在説明這一點時，曾形象地將傳統的作品比喻爲核桃，把後現代主義的本文比喻爲洋葱。核桃由相互分離的表皮和果肉組成，皮不重要，重要的是核，所以剥掉皮，把皮扔掉，只剩下有用的核。洋葱就不同了，它没有皮核之分。它是由一層層皮組成的，你剥到最後，仍然是皮，根本没有核。换句話説，在洋葱中，皮中有核，核中有皮。正如後現代主義的本文，其中語言與鈍義，二者相互熔融。

　　由此出發,巴特最終達到了這樣一個成功的反論:一種什麼都是和什麼都不是的空洞的符號,反而會包含着任何一種意義,或者説,可被賦予任何一種意義。這種具有"虛無"性格的符號,似乎包裹在一個"未被明説出來的東西"的靈圈裏,向我們默説着無數不能言説的東西。例如,"愛菲爾鐵塔"是一種純粹空洞的符號,它雖然空洞,卻意味着任何一種東西。換句話説,因爲愛菲爾鐵塔是無用的,所以它什麼都是,所以就可以成爲一個無限有用的符號。這種符號顯然具有道家欣賞的"有無相間"的性格。這樣一來,巴特就發現了一個世界,一個象東方藝術那樣通過"意義缺乏"而造成的"空無"世界。爲了解釋這種"空",巴特還運用東方哲學的模式,用兩個極點的互補來取代二元對立的範疇(如真與假、好與壞等),認爲當兩極點互補而不是對立時,就會造成一種空的形式。雖然這種形式是空的,但它又是實實在在的;雖然它缺乏意義,卻又是飽滿的。概括地説,不在即在,空即滿,無個性特徵即個性的最高表現等。

E　"愛菲爾鐵塔"式抽象同中國傳統藝術的抽象雖然表面上不同,但二者都具有豐富的第三意義。但是,"愛菲爾鐵塔"畢竟還是一種視覺形象,與語言好像不太相同,人們可以建造一個像愛菲爾鐵塔這樣的無實際用途的巨大建築,但是説話就不同了,説話總要表達意義,又如何能造就"愛菲爾鐵塔"那樣空的形式呢?

W　或許是老子的警句式結構觸動了他的靈感,巴特在寫作中經常運用一種不同于普通警句的警句。一般的警句因爲常常使用相互對稱而又對立的字眼,不可避免地呈示出某種觀念在結構上的對稱性和互補性,從而形成一種封閉的意義。但巴特的警句卻帶有濃厚的道家色彩:其中任何事物都可以分裂成它自身和自身的反面,進而分裂成對它自身的兩種解釋,從而使意義變得不確定。例如,他常常讓另一個字眼出場,與原來的字眼對立,形成一種預料不及的關係。他會説,"伏爾泰的旅行觀,是爲了展示一種靜止","波德萊爾不得不保護戲劇,使之不受戲劇的侵害","愛菲

爾鐵塔 (人造物) 把這座城市變成了大自然。"這樣一些內涵反向
力的自相矛盾的格言式構型，消除了語言的固定涵義，表面上似
乎是什麼也沒說，實際上卻把真正想表達的含義與警句的無限開
合的結構融合爲一體，使這種批評變成一種類似"道"的運動，而
不僅僅是一種思想或結論。

E　這的確很像老子！老子的"大白若辱"、"進道若退"、"大方無
偶"、"知者不言，言者不知"等千古名句，不也都屬于這種開合式
結構嗎！這些句子結構本身就有反向之力，所以最容易產生上面
所說的那種第三意義。

W　這種相似絕對不是巧合，而是後現代本文觀與道的觀念的相
似。當他的血管裏流動着道的養分時，其行動中就常常不自覺地
表現出來。所以我覺得，他寫作時，不管是選詞造句，還是文章的
結構組織，也都似乎遵照道的原則進行，因而自然而然地就製造
出一種帶有"道"的痕迹的本文。這種本文就像思想的多味豆或怪
味豆。其選料是"講究"的，其用語怪僻而又文雅，奇特而又親切，
具有麻、辣、酸、甜的種種效果。即使他的學術文章也不例外。他的
學術文章的一大特點，是喜歡作概念的羅織，但同時又要讓這種
羅織具有一種戲劇的效果。例如，在他談到"意義"時，會說它們顫
動、抖動、震顫、戰慄、集結、放鬆、分散、加快、閃耀、摺疊、突變、變
異、延遲、割裂、分離等；談到"意義"造成的效果時，會說它們造成
壓力、爆炸、裂縫、滲漏、破碎等。在這兒，他展示的是一種類似詩
的思維的活動。這種思維也像老子的語言一樣，往往將詞語的意
義與其意義的運動等同起來，將意識和動覺等同起來。這樣做的
結果，就使學術文章突破了自身的界限，與文學交混。與此同時，
批評家也衝破了批評的局限，達到一個準藝術家的水平。

E　這不等于把原來劃定的職業範圍和寫作體裁統統消解了嗎？

W　是的。你們老子和莊子屬于文學家還是哲學家？ 老子的《道
德經》屬于論文還是屬于詩歌？ 屬于哲學還是屬于文學？ 莊子的
文章屬于散文還是屬于寓言？ 是理論文章還是文學？

E 都是，又都不是。莊子的文章好像是在說理，但又時不時地出現故事和對話。它們一會兒很嚴肅，一會兒又在說俏皮話。他的故事中有深刻的哲理，哲理中又有故事和漫畫的幽默。總之，它們既能給人以思想的啓迪，又給人以文學的享受。

W 巴特努力作到的，也是這一點。他曾經公開聲稱說，本文本身就意味着對這種種傳統的分類方式的顛覆。所以不應該再把作家們分類，說某某是小說家，某某是詩人，某某是散文家、經濟學家、哲學家或神話學家等。他認爲，每一個作家都不應屬于一個固定的範疇。許多大名鼎鼎的人物，雖然在文學手册中找不到名字，卻照樣創造了"本文"。因此，本文的疆域是大衆體裁和大衆見解之外的。巴特寫的許多具有道家特色的書，全是許多短小文章的集成，而不是普通人心目中的大部頭理論專著；它們不再着力于一種前後呼應的統一論證，而是在各種相互獨立的題目之間的"旅行"或"散步"。其典型例子是他于 1970 年寫的《S\Z》。這是一本論述巴爾扎克的《薩拉西納》的作品，全書一共分成 561 個陳述，按排成 93 個散漫的思考段落。這些陳述短則幾個字，長則一二頁，全由他自己當時的思緒決定。巴特告訴人們，這本書他是以一種創造的態度，依照本文的內在聲音而"寫作"出來的有異于"閱讀性作品"的"寫作性作品"。它會在讀者心中激發出某種聲音，并在與讀者的感應和接觸中，造成一種不固定的舞臺效果，從而會使讀者的每一次新的閱讀都產生出一種新的相互作用和新的解釋。這樣的本文，也像老莊的書一樣，允許人們對之作出各種不同的理解，鼓勵人們去參與和表演，使人們着迷于它的能指本身。他的另一本題名爲《巴特論巴特》的書可說是這類書中最古怪最眩目的一本。它的高度的隨意性和零散性表現出他對所有的"體系"進行顛覆的逆反的心理。

E 看來，這種"本文"需要的不僅是高超的邏輯思維能力，還需要有像莊子那樣的高超的藝術思維能力或知覺感受能力。一句話，它需要一種綜合能力。

W 那當然了!這種本文同老莊的文體一樣,總是具有一種不確定性和無限性,這種特性是通過它的表演和遊戲、換位和重疊、變易和反抗等運動造成的。支配它們的東西,不是那種用來確定作品之可理解的意義的邏輯,而是換喻、聯想、鄰接、交叉涉指等活動,這種活動恰好與符號力量的釋放相一致。這種"本文"顯然具有一種開放的,無中心的和沒有終止或結尾的結構。正如巴特自己所說,創造這種供人"寫作"的本文,需要有一種對綫條畫,而不是對油彩畫的敏銳感受。這又是後現代思維同中國古代思維相似的地方。對綫條的感受,就是對形式的感受;對形式的感受,就是對那種"欲左而右,欲上而下,欲進而退,欲張而縮"的道的反向之力的感受。這種感受恰恰是這個理解意識高度飽和、科學思維高度發達的時代所缺乏的。後現代主義者的反叛正是對準現代人的這一缺陷的。

E 這種觀念似乎將老子《道德經》中的精華和莊子《齊物論》中的精華全吸收了!只不過老莊反抗的是那種"君君,臣臣,父父,子子"的固定化等級秩序,後現代主義者反抗的是理性導致的種種體系。

W 可以這麼說。巴特的所作所爲處處充滿了這種反叛力。例如,他的文章眼看着要滿懷信心地做出某種判斷,卻會來一個急轉彎,聲明這種判斷不過是臨時性的。有時候,他做的事情已經相當成功,卻偏要說自己所做的事不過是一種業餘愛好,沒有把它當成一種專業。他可能覺得,事情一旦變得專業化,就變得功利化和體系化了。巴特在 1975 年的一個評論中這樣說過:"在語言學領域,我從來就不是別的,而是一個業餘愛好者。"即使在他的晚期著作中,巴特也一再強調,自己從不願意扮演一個庸俗的體系構造者的角色,否認自己是某個領域的權威、導師和專家,即使自己在不得已的情況下扮演過這類角色,也不是爲了撈取特權和享樂的自由。對巴特來說,只有非功利的審美趣味,纔是值得追求和贊揚的東西。而這種趣味又總是與發現新的和爲人們不熟悉的東西的不確定的活動緊密地聯繫着。在這種觀念的支配下,巴特總是在某些爲人們熟悉的作品的熟悉的主題的涵義中,追尋另一種意義,把它們轉變成宏偉的"本文"。這顯然是一種極爲離經叛道的事情。

E　可以説,這是老莊的"無爲而爲"和"無迹之迹"思想的現代表現。

作者簡介　滕守堯,1945 年生,山東昌邑人,中國社會科學院哲學所副研究員。著有《審美心理描述》、《藝術社會學描述》、《中國懷疑論傳統》等。

德里達與道家之道

劉　鑫

內容提要　行走的意象支配着老莊和德里達的思想路線。然而在對行走的詮釋上，雙方遵循不同的文化邏輯而分道揚鑣。德里達將行走的觀念引入以在場爲中心的觀念系統，摧毀了傳統的非此即彼的同一性邏輯和二元對立的等級結構。但是，因爲德里達所針對的是邏各斯中心論的傳統，所以行走是在語言的隱喻下進行，它表現爲“書寫”、“字迹”、“緩別”等等。而在老莊思想中，行走的觀念(道)先於語言并在語言之外，但它并非德里達所謂的“在場”或“超驗的所指”；它本身就是一種差別性活動，排斥任何確定性闡釋和二元對立的結構。它産生人文卻也超乎人文，因而對於倫理政治化的中國人文傳統是一種通解的力量。以解構的觀點看待老莊，則老莊哲學建立在自然與人爲的本體論差別的基礎之上；而從道的觀念透視德里達，則解構哲學并未逃出西方文化的同一性邏輯。

一

文化比較之難，在於難以找到跨文化的理論視點，因而比較就容易淪爲似是而非的比附或無不費力的文字遊戲，成爲不同文化間實施話語控制的場所，這樣非但不能深化我們的認識，反而會導致我們視野的混淆。那麼，德里達與莊子，前後相距二千多年，他們在思想上能有什麼關聯，我們據以將他們牽連到一起的理論視野又是什麼？這是我們首先必須給予解答的。馬克思在談到商品的交換價值時曾說，衹有同質的東西可以進行比較；這句話同樣可以運用於文化的交流。交流之所以可能，在於不同的文化間有着共同的基礎，這個基礎植根於人類的原始生存方式中。而文化思維的種種形態不過在這些基礎上逐漸演變升發出來①。站在文化根源的立場上，我們可以清楚地看到世界各大文化間的互補和融通。

　　德里達屬於西方文化傳統，不管他對於自己的傳統採取如何激進的反抗姿態，他也是在這個傳統之中；而老莊屬於中國文化傳統。撇開他們各自的文化傳統，單純把握他們思想的一些表面上的相似或相異，顯然無助於我們對任何一方的認識的深化。因爲每一種思想的意義總是在歷史的文脈中被給予的。不理解西方的形而上學傳統，我們就不可能理解德里達的解構理論；同樣，不理解中國文化的倫理政治傳統，也難以領會老莊所謂"道"。

　　德里達與莊子的對話，始於德里達向中國文化的靠近。因爲德里達所挑戰的是整個西方文化傳統，它們全都在在場形而上學的支配之下，這就決定了他勢必從非西方的文明中，特別是中國文化中尋找批評的立足點。這種情形與五四時期的反傳統思想是頗爲相似的。對一種文化傳統的批判總是必須借助於異質文化的解構力量；站在傳統中反傳統無異於拔着自己的頭髮騰空跳躍。因而德里達之反對"西方中心論"和向非拼音文字的東方文明尋找支持，就是理所當然的事了。那麼，德里達究竟在何種程度上靠近了東方思想，他在東方思想中找到了或者可能找到什麼呢？

---

　　①此説得益於與唐力權先生的幾次交談。參見唐力權：《周易與懷特海之間》，臺北黎明文化事業有限公司 1989 年 6 月版，第 13 頁。

東方思想,特別是與之較爲接近的道家思想能夠爲他提供什麽樣的支持呢? 通過對德里達與老莊思想的比較研究,或許可以使我們對這些問題獲得較爲清醒的認識。

二

　　莊子和老子一樣推崇道,所以後來被稱爲道家。那麽什麽是道呢? 這是一個十分複雜的問題,然而卻又是了解道家思想的關鍵所在。所以我們的討論就從這裏開始。

　　關於道,老子和莊子都有許許多多議論,陳鼓應先生分別對它們進行了整理,從中歸納出本體性、規律性、實存性、整體性及境界等諸多意義①,它們可謂道的不同方面或形相,那麽,在這諸多的涵義中,究竟哪種是最基本的呢? 從語言和思維發生的角度來講,每一個名字或概念最初一定衹有一個簡單的涵義,然後纔逐漸由簡單趨向複雜,那麽“道”這個字它最初表示的是什麽? 既然漢字是一種表意文字,我們有理由把原初的“道”理解爲一種意象。在金文裏,“道”字的基本構成是從“首”從“走”或“行”。“首”即昂首挺立之人,由此可以推斷,道這個字所表示的就是人的行走,人的行走就是道的最原初最簡單的意義。這是我們對道這個概念獲得的最基本的意象。

　　文化人類學的研究表明,一切抽象的語言、形而上學的語言大都是從直接的身體意象中提升出來的。無論道的涵義發生了多大的改變,最終都可以從行走這種意象中找到理解的綫索。“道行之而成,物謂之而然。”(《莊子・齊物論》)直立行走是人類文明的開始,也是意義的開始;因爲人的直立行走,萬物纔呈現出分

---

　　①參見陳鼓應:《老子哲學系統的形成》、《莊子論道》等文。載陳著《老莊新論》。

別,纔有天地鬼神的出現。莊子所謂"自本自根,未有天地,自古以固存;神鬼神帝,生天生地"(《莊子·大宗師》)等等,就是在這個意義上說的。這就是道的所謂創始意義。同樣,因爲行走,推論出萬物的運行,則道就具有了天道、天運的意義;在莊子著作中,"天"的概念明顯增多,即表明由人道向宇宙之道的擴展。同樣,也因爲行走,纔有足迹和道路,則道又具有規則的意義,等等。

　　從行走的意象,我們可以透視尼采以來西方哲學的路向。尼采的"漫游"、海德格爾的林中"散步"及至德里達的"踪迹",都是在行走意象的支配之下,它明顯地不同於傳統形而上學的"在場"(Presence)的觀念。在海德格爾和德里達看來,整個西方的文明傳統都是在"在場"觀念的支配之下。那麼"在場"表達的是一種什麼樣的意象呢? 它是我之外的某種"它物"。因爲在我之外,所以與我存在着距離,和我對立;同時因爲是在場的,所以就不是無,而是"有"、"存在"。這就是西方形而上學的原初意義。對存在之爲存在的探索就是在這樣一種距離下展開,同樣理性和邏輯也就是在這樣一種距離下發展出來。西方傳統文化的一切努力在於認識和占有這個"它物",傳統形而上學的種種概念如始基、理式、邏各斯、太一、上帝、自我、主體、意志等等,都是哲學對這個"它物"的解釋。它物是言語指稱的對象,是思維追索的對象,是行動努力的目標。如果傳統哲學思維中存在着行走的觀念,那麼這種行走也是走向這樣一個目的地。

　　針對這樣一種思想傳統,行走的觀念就具有革命性的意義。它不是産生於某個"它物"的驅動,而是"自本自根,自古以固存"。因爲行走,我與物的距離就在不斷地改變着,産生着又消逝着。行走意味着距離的消彌,意味着走進世界,"在世界中存在"(In-Der Welt-Sein)。而行走中,由於視野的不斷轉換,事物就呈現出流動的形態,没有永恆不變的實在或在場,它總是隨着視野的改變而呈現和消失。以這種變換着的視點去透視萬物,則萬物

也處在生成變化之中，也和我們一樣在"行走"，在改變着它們
與其他事物的距離。這就是自尼采以來西方現代的哲人們極力闡
明的一種世界觀。

　　然而，由尼采開始的漫游畢竟是在西方文化的格局下進行，
它物的觀念總是潛伏在西方人的意識深處。當尼采宣稱"上帝死
了"時，它物的觀念在超人和輪迴的觀念中悄悄藏匿起來了。因
爲尼采需要用超人來引導人的行走，用輪迴來保證永恆的在場。
海德格努力從存在的根源處揭示存在的真實意藴：開顯或無蔽
(aletheia)，生成或湧現 (Physis)，自然或天道，等等，應當説在相
當程度上擺脱了在場觀念的統治，然而海德格爾的思想散步仍然
受着某種目的性的牽引，如在他早期著作中，即表現出向本真的
觀念的努力，存在即是由非本真性 (Uneigentlichkeit) 向本真性
(Eigentlichkeit) 的回歸。而所謂本真即"自己的"、"屬我
的"，這樣一種自體性觀念正是西方文明的價值核心。而在他晚
期思想中，則表現出向原始意義的探尋和對存在之聲的傾聽。這
説明，它物的觀念仍然以起源和目的的形式支配着行走，行走仍
然是朝向某個目的的行走。

　　那麼有沒有一種完全抛棄目的性而把握行走本身的思想
呢？有，這就是德里達的解構哲學。德里達將尼采以來的行走觀
念發展到極致，從而形而上的存在及在場的觀念便在行走 (德里
達稱爲"踪迹"、"緩別"或"書寫"等等) 中被擦去了，行走成
爲既無主體也無對象，既無起源亦無目的的純粹的活動。在這裏，
我們看到了德里達與莊子的接近：行走是無始無終的，正如道是
無始無終的一樣。這一點非常重要，因爲永恆的活動是消解一切
它物和在場的前提。在永恆活動的立場上，便不存在起源和目的，
也不存在任何其他實體性的力量。正是對行走本身的肯定纔使德
里達與海德格爾區別開來，纔使德里達真正偏離西方思想傳統而
向東方靠攏。

三

　　到此爲止，應該説德里達的思想與莊子在根源上是比較接近的，即他們最終都可以回歸到行走。但是，當這一種原始意象在不同的文化中展開時，它就不得不受各自文化的邏輯支配了。德里達極力反抗的邏各斯中心論，也正是支配西方文化的思維邏輯。爲什麼稱爲"邏各斯中心論"呢？我們通過對"邏各斯"一詞進行分析可以領會德里達的良苦用心。

　　邏各斯 (Logos) 最初的涵義就是收集、聚集、結合。因爲説話在希臘人看來是一種將事物的名稱聚集和結合在一起的過程，所以它又被引申爲説話，以及所説的事物和觀念，等等。顯然，這樣一種意象在希臘人的思想中是本原性的。甚至深受希臘思想影響的《約翰福音》也説："太初有言，言與上帝同在。"①因爲邏各斯使事物和觀念從混沌中呈現出來，所以它被認爲是世界的創始者，它給予世界以秩序和意義，這個秩序和意義也就是世界的邏各斯。因此可以説，邏各斯的意象 (收集與言説) 孕育了西方文化發展的邏輯。

　　西方文明開始於邏各斯并受邏各斯的觀念支配。希臘哲學最初的靈感來自於對語言的反思，而在基督教的哲學中，自然被理解爲"上帝之書"，是上帝的話語。直到海德格，仍然是從語言中追踪存在。這一傳統無疑也制約着德里達對西方傳統的批判和解構思想的展開。對邏各斯中心論的解構不是從外面進行的攻擊，而是在內部進行的自我顛覆。這種顛覆的力量來自"書寫"。書寫也是一種語言行爲，在邏各斯中心論的傳統中，它一直被認爲

---

　　①此文在漢譯中被翻譯成"太初有道，道與神同在"，這裏的"道"在七十子希臘文本中即 Logos，英文譯本也譯作 Word。

是次要的、從屬的，是對言語的記錄。其實，書寫和言語一樣，也是一種獨立的賦意活動。而且這樣一種賦意活動與言語不一樣，它不面對事物的在場，因而不是對在場事物的聚集，而是一種在業已存在的意義空間中的運動。因而，書寫活動沒有假定一個先驗的開端，也沒有假定一個在先的意義設定者。它祇是一方面將別的意義擦去，另一方面將新的意義呈現出來。書寫是在互相關聯互相指稱中呈現意義，這個意義的背後沒有一個堅實的在場，它直接來源於書寫行爲。

書寫和行走一樣，是一種原始行爲，也是一種隱喻，它衍生出德里達的其他概念，如字迹 (Trace)、緩別 (Differance)，散播 (Dissemination)，等等。它們都可以説是一種行走，不過不是在大地上的行走，如道家之道，而是在語言中的行走。它們摧毀傳統語言所包含的形而上學的等級結構，更重要的是，它們變更這種結構背後的思維方式和存在方式。

那麼，老莊是如何詮釋行走的呢？老子説："道可道，非常道。"(《老子》一章) 行走 (道) 是在言語之先的，首先有直立行走，然後纔有意義世界的呈現，然後纔有言語。言語總是對意義的表達，但又不能窮盡事物的意義。因爲事物總是流轉不息，"量無窮，時無止，分無常，終始無故"(《莊子・秋水》)，很難以名言把握。《易傳》所謂言不盡意，也就是在這個意義上來説。這顯然不同於邏各斯中心論的傳統，因爲後者認爲意義從邏各斯 (言語) 中開始。邏各斯創造了事物和意義，因而也就不存在邏各斯所不能把握的事物或意義。然而在老子的思想中，作爲言語之道祇是派生的，祇具有第二位的意義。因爲老莊肯定直立行走之道爲意義的開端，因而這一意義本身就不會因爲行走帶來的視野轉換而改變，它是行走的前提，也是意義世界的前提，因而它不在我們的視野之中。這個道永恆不變，所以老子稱爲"常"、"常道"。這個道在言語之外，所以老子又稱爲"無名"、"樸"。

　　由此，德里達與老莊對行走的理解就發生了重大分歧：德里達所理解的行走是在語言或"文化"的迷宮中的行走，這裏布滿各種各樣的重疊交錯的痕迹和路綫，我們已經無法分辨路之所來以及路之所去。來路和去路的走向均被踩掉，於是行走就成爲一種沒有目的也沒有方向的行走。但是，老莊之道假定了一個明確開端，它在行走之中也在行走之外。在行走之中是說它與我們及事物的生生變化是一體的，在行走之外是說它本身是不生不滅的，所謂"殺生者不死，生生者不生"（《莊子·大宗師》）。

四

　　語言不僅是思維的表達形式，也是存在的形式，這是現代哲學家的一個突出論點，也是現代哲學轉向語言的一個主要依據。這種轉向也可以說是向西方文化根源處的回歸，因爲按照西方傳統的觀點，存在的意義在言語（邏各斯）中展開。無疑對"存在之爲存在"的研究也應當在言語中進行。羅素和維特根斯坦正是基於這一認識去建立他們的實在論的。海德格爾在其後期的哲學探索中更是明確地遵循語言的路向，從語言中探討存在的奧秘。因此，在語言的觀念中蘊含着西方形而上學的秘密，因而區別於海德格爾對西方形而上學歷史的解析（Destruktion），德里達着重從語言的觀念對形而上學進行解構。

　　因爲西方文字是拼音文字，文字自然而然地被認作了言語的記錄，是從屬於言語的二級能指，所以在西方人的語言觀念中，言語始終據於支配地位。從蘇格拉底、柏拉圖、亞里士多德到盧梭和索緒爾，甚至到海德格爾，言語始終居於突出而顯赫的地位。對此從來就沒有人提出過異議。但是，德里達通過分析發現，在這種言語中心論的背後潛藏着形而上學的權力結構。因爲言語的一個顯著特點是，說話者和聽話者都假定了所說的對象的在場和所表達的意義的自我呈現，而當離開説話的現場訴諸文字時，所表達的意義就隱匿起來了。因而言語比文字具有優越性。言語之優越性在於它與意義的當下呈現或在場，而這正是形而上學的核心觀念。反之，言語中心的觀念也强化了在場的形而上學傳統，二者可以説是相互支持、互爲因果的。因此對言語中心論的解構也是對形而上學的解構。這是德里達解構哲學的基本策略。爲了摧毀言語中心論，德里達從非西方民族的非拼音文字中尋求證據，其中最爲他矚目的就是中國的漢字和漢字文明。他認爲，漢字文明表明了在邏各斯中心論以外是可以發展出强有力的文明的①。

那麼，言語中心論是否爲拼音文字所獨有，是一種所謂"拼音文字的形而上學"？言語中心論是否一定以在場的形而上學爲前提？在場的形而上學與言語中心論是否具有必然的關聯？非拼音的文字例如漢字中存不存在言語中心的觀念？漢字文明中存不存在西方式的形而上學？一句話，語言與存在究竟是一種什麼樣的關係？我們回到東方看看老莊的論述，也許就可以獲得答案。

正如我們前面所指出，道有兩個基本涵義：行道與言道。老子説："道可道，非常道。名可名，非常名。"（《老子》一章）道或常道是不可言説的，行道排斥言道。這是道家的一個基本觀點。老子説過許多類似的話："道常無名"；"道隱無名"；"希言自然"；"多言數窮"；"知者不言，言者不知"等等。莊子也説："道不可言，言而非也。""天地有大美而不言，四時有明法而不議，萬物有成理而不説。"（《莊子·知北游》）"可以言論者，物之粗也；可以意致者，物之精也。"（《莊子·秋水》）道祇可意會不可言傳，祇可直觀不可形象。因而老子主張虛寂玄覽，莊子提倡神與物游，

---

　　①參見雅克·德里達：《論書寫學》，約翰霍普金斯大學出版社，1976年英文版，第三章，第一節，第三節。

都是擺脫了名言的直觀知識。

　　道之不可名言，是因爲道與言之間存在本體論上的差異。
"有名有實，是物之居，無名無實，是物之虛。"(《莊子·則陽》)
老子和莊子既未將行道理解爲實體性的存在，如希臘人理解自然
或存在一樣，也未從存在的高度來把握語言，如當代的海德格爾
等人一樣，所以道與言之間就分裂爲二，遠不像邏各斯觀念中道
與言合而爲一。即使肯定名言，也祇是在工具的意義上肯定。"荃
者所以在魚，得魚而忘荃；蹄者所以在兔，得兔而忘蹄；言者所以
在意，得意而忘言。"(《莊子·外物》)

　　既然名言是這樣的等而下之，那麼文字是不是更受歡迎呢？
不然。《莊子·天道》説："世之所貴者書也，書不過語，語有貴
也……世因貴言而傳書"。文字("書")不過是言語的記錄，人
們之所以將書傳之後世，是因爲它記載着聖人之言。《易經·繫
辭》引孔子的話説："書不盡言。言不盡意"。文字與言語都是一
種表意的工具，但較之言語，文字的局限性更大，更不值得信賴。
莊子認爲，文字乃是古人的糟粕。至禪宗，不立文字，更是成爲世
代相傳的心法。因此，道不可道，則有別於在場觀念，而書不過語，
則中西皆然。

　　不過，漢字與拼音文字畢竟又有所不同。依據許慎的解釋，漢
字起始於象形，其後纔發展爲記音。他説："倉頡之初作書，蓋依
類象形，故謂之文。其後形聲相益，即謂之字。文者，物象之本也；
字者，言孳乳而寖多也。"(《説文》)文字起源於對物象的模擬。文
者，紋也，理也。它不單是記言的工具，而是通天地之道，即廣義的
文化。孔子推崇人文，以文爲美，爲盛德。"郁郁乎文哉，吾從
周！"(《論語·八佾》)因而在中國人心目中，文又具有特別重要
的意義。在某種意義上，中國書法之發達，即是這樣一種重文的觀
念的結果。因而，不是道家，倒是這種儒家的人文觀念，可以爲德
里達引爲同調。

五

　　粗略地講，可以説德里達所發揮的是言之道，而老莊所發揮
的是行之道，雖然路綫不同，然而方向相通。所謂言之道，是指德
里達在語言系統中引入行走和變化的觀念，使符號從能指與所指
的僵硬對立中解放出來，成爲在差別和對立中運行着的字迹，就
在字迹的變換中，實在、在場、起源、目的、中心，總之，一切形而上
學的"它物"都被一一擦去，言語／文字、在場／不在場、中心
／邊緣、所指／能指、共時／歷時、自然／文化等等傳統的二
元對立也被瓦解了。

　　德里達的哲學進路與老莊頗爲接近，然而對於西方傳統來説
卻是異己的。他所極力摧毁的形而上學乃是建立於同一律的基礎
之上，所謂在場、存在、始原、目的等等都是一種自我同一的實體。
因爲它們是自我同一的，所以就是"它物"，與主體形成兩極對
立。整個形而上學傳統就是在這一對立中展開。因而在這一傳統
中，與在場和存在緊密聯繫的一方面就占據主宰和支配地位，而
距離在場和存在較遠的一方面就處於從屬和受支配的位置。在這
裏絕對的同一性和差別性以及差別性事物之間的緊張對立便構
成西方文化的邏輯。而在其中，在場和存在的觀念又對各種差別
和對立、特別是二元對立實施控制，以保證對立中的秩序與和諧。
所以，對在場和存在觀念的摧毁，對二元對立結構打破以及對中
心觀念的瓦解等等都是針對西方傳統的思維方式進行的。在此，
德里達所引入的行走觀念就具有根本性的意義。它是差別性的根
源。德里達所謂緩別 (Differance) 是時空網絡中的差別化活動及
所造成的差別，蘊含共時意義的差別和歷時意義的延緩二義。因
爲活動是無始無終的，所以差別也是無始無終的，沒有一個絕對

同一的起點,也没有一個絕對同一的終點。這樣一種絕對性的差別對於建立於同一性基礎上的形而上學的西方傳統無疑是具有摧毀性的。所謂解構,即對結構的摧毀;不是以新的結構代替舊的結構,而是根本上消解結構。

那麼,在道家的哲學中,行走具有怎樣的意義呢,它在中國文化中又起着什麼樣的作用呢?

首先,從行走和運動的觀念來看,不存在任何絕對的同一性和僵硬的對立,一切事物都是相反而相成的。老子對此有許多精闢的議論:"有無相生,難易相成,長短相形,高下相傾,音聲相和,前後相隨。""天下皆知美之爲美,斯惡已;皆知善之爲善,斯不善已。"(二章)"禍兮,福之所倚;福兮,禍之所伏。"(五十八章)莊子更是明確地表達了從不同的觀點出發所看到的事物之間的相互轉化:"物無非彼,物無非是","彼出於是,是亦因彼","方生方死,方死方生;方可方不可,方不可方可。因是因非,因非因是"(《齊物論》),等等。相反相成、相互轉化的觀點是道家思想的核心,這一思想否定事物之間的絕對對立和差異,對於以等極對立爲基礎的禮制文化無疑是一種極大的衝擊。

儒家文化也承認變化。它和道家一樣來自道(行走)的理念。對此,德國哲學家雅斯貝斯有過精闢的闡述,他認爲,孔子之道與老子之道是同一道的兩極,它們互相成就①。這兩極表現在哪裏呢? 從道的原始意象出發,我們可以説孔子把握了其中的直立義。孔子所謂禮,即立的意思。"不學禮,無以立。"(《論語·季氏》) 至於行的意義,孔子把它交付給了天:"天何言哉? 四時行焉,百物生焉! 天何言哉!"(《論語·述而》)直立包含着取中用直的意思,這是儒家道德的基本規範。在孔子的言論中,山 (智者

①參見卡爾·雅斯貝斯:《大哲學家》孔子章。中譯參看清華大學思想文化所編《世界名人論中國文化》,336-337頁。

樂山,仁者樂水)、松柏一類挺立不動的東西常常隱喻道德主體,而流逝的事物總是引起悵惘和憂懷。不過在孔子和老子的觀念之間還并不存在我們想像的那種截然對立,畢竟他們去古未遠,他們的觀念都從道的意象中提升出來。

但是當涉及到社會政治問題時,對道的不同理解就會導致嚴重的對立。如孔子主張"君子博學於文,約之以禮"(《論語·雍也》)、"有德者必有言"(《論語·憲問》),而老子認爲"爲學日益,爲道日損"(四十八章)、"多言數窮"(五章)。顯然,二人皆認識到了言或文化作爲一種社會控制手段的作用,不過,老子主張無爲,而孔子提倡教化,所以在文化上就有不同的主張。同樣,在對禮的看法上,兩人也存在嚴重對立。孔子認爲"克己復禮爲仁"(《論語·顏淵》)禮是做人的根本。而老子認爲禮是"忠信之薄,而亂之首",并主張"大丈夫處其厚,不居其薄"(《老子》三十八章)。莊子也批評儒家的仁義是非爲"黥劓",爲"桎梏",是拘束自由心靈的刑網(《大宗師》)。老莊與儒家之間的對立從根本上講就是自然與人爲之間的對立。

從形而上學的觀點來看,仁義禮智等人倫秩序是對行走之道的強制規範,對自然之道的壓制和扭曲。反之,行走、運動、自發性、自然,則對任何人爲的規範、等級秩序是一種瓦解。因此,可以說,在中國文化中,道家之道是一種解構的力量,對於自然生命是一種安托,而對於人倫政治化的儒家文化是一種消解。道的傳統保證了文化與原始生命和自然天道之間的溝通而不致在人爲的樊籬中乾涸枯竭。正如陳鼓應先生說:"儒家的文化道統與政統相結合強化了中國的封建專制統治,如果没有老莊對儒家的抨擊,那麼孔、孟之禮綱對人民思想的束縛,對人性的桎梏,必然會使中國的文化傳統更加乾涸閉塞,而莊子哲學對此卻有莫大的通解作用。"①

①陳鼓應:《老莊新論》,上海古籍出版社,1992年版,第236頁。

　　從解構的觀點看，道之“通解作用”正是在儒家傳統內部進行。在中國文化的系統中，道的觀念類似早期希臘思想家的Physis 或 Ousia，不過，希臘人最初的這種生生不息之道在哲學中被實體化了，從而被壓制在文化意識的深層；而道家之道卻爲儒家生生之道所吸納和覆蓋，成爲中國文化的核心精神。道家從來就不是一種在主體文化外部的“異端”的力量，而是在主體文化內部的解構力量。這與西方的邏各斯中心傳統是頗不相同的：邏各斯中心的傳統是在以邏各斯爲主宰的兩極對立中建立起來的，而在中國文化中對立的力量之間的相互蘊含和包含的。所謂儒道互補並不意味着二者之間融洽無間，而是老子所謂相反者相成。

<h2 style="text-align:center">六</h2>

　　道的原初意義即行走，行走總會留下痕迹，這就是“德”。許慎説：“德，升也”，段注：升即得的意思。從字形上看，德從行從直從心，也是從直立行走取義。老子認爲，德是道的落實或道的顯現。所謂“道生之，德畜之”，其意是説德是萬物的保存者和看護者。這裏似乎可以從海德格爾對存在觀念的歷史分析中找到中西相通之處：在希臘，存在的最初意義是 Ousia 或 Physis，它指“持續不斷的自我湧現”，作動詞用；後來纔被理解爲實體意義的“自然”或“在者”①。道與德的關係類似於存在與在者，不過二者之間并不存在所謂本體論的差別和對存在的歷史性的遺忘。作爲道的實體化和規範化，德具有人爲的因素。所以老子説：“上德無爲而無以爲，下德爲之而有以爲。”“故失道而後德，失德而後仁，失仁而後義，失義而後禮。”（三十八章），德是溝通天（道）

①參見馬丁·海德格：《形而上學導論》第二章《論存在一詞的語法及語源》。

與人(仁)的中介,而且從道落實到德(實體性)然後到具體的人倫規範(禮)是一個逐漸偏離自然的過程:"上仁爲之而無以爲,上義爲之而有以爲,上禮爲之而莫之應,則攘臂而扔之。"(同上)禮就是人爲的強制了。

莊子發揮了老子道的行走義,這就是《莊子》一書篇首題目所指示的:逍遥遊。逍遥,翱翔也。遊,不繫也,無拘束也。什麼樣的行緣稱得上逍遥遊呢? 大飛,雲摶九萬,水擊三千,可謂氣勢磅礴,但在莊子眼裏仍算不得逍遥。列子御風而行,從不在乎榮辱得失,在一般人心目中應當稱得上逍遥了,但莊子卻說:他雖然免乎行,猶有所待者也。這説明,任何事物,一受其成形,就不免有局限,大有大的局限,小有小的局限,因而道的實體化即德總是意味着對道的限制。因爲有所有就有所待,而有所待就有所限制。這種限制就來自於道之迹、道之實體化。

不過莊子并没有否認逍遥的可能性,因爲物物者而不物於物,創生萬物之道本身是不受萬物的限制的,因而道本身的流行正是逍遥之行。它在人們眼前展示了一個自由的理想的境界。人之不得逍遥,在於他受時空和觀念的約束,"井龜不可以語於海者,拘於虚也;夏蟲不可以語於冰者,篤於時也;曲士不可以語於道者,束於教也。"(《秋水》)如果突破了種種約束,與道爲一,則可以逍遥乎天下,獨與天地精神相往來了。所以莊子説:"若乎乘天地之正,御六七之辨,以遊無窮者,彼且惡乎待哉! "(《逍遥遊》)

顯然,在莊子的眼裏,行走本身是無所待的,絕對自由的。然而如果從解構的觀點來看,這種自由還是有一個前提,這就是它必須是自然的或者合乎自然的。莊子的自由就建立在自然與人爲的區分的基礎之上。在德里達看來,自然根本就是一種人爲的假定。自然這一概念本身也應當在行走中被踩去,從而自然與人爲的對立也在行走中被瓦解。那麼留下的是什麼呢? 祇是差別性遊戲，是書寫，是緩別，它們的行走没有任何方向，也不遵循任何固定的道路，因爲任何方向和道路都屬於差別性遊戲所解構的對象。由此，德里達與莊子之間又有了一個重大分歧：因爲認定有一個開端和起源，莊子的逍遥遊就仍然是在某個範圍之内的逍遥，雖然老子説過"道未始有封"，但道爲開端本身就表明對道的限制。而在德里達那裏，差別活動和書寫所面對的是一個徹底開放的世界。它的活動將摧毁一切對立，包括自然與人爲之間的對立。

　　也許在德里達看來，道 (逍遥遊) 正是某種尚未消散的彼岸的幻象，正是它與我們的現實之間造成對立，引導和主宰着我們現實的行走。由於這種幻象與現實明確區分開了，因而體道的過程也意味着隱遁的過程，超越的過程。然而事實上，隱遁是没有退路的，超越也無路可走。

　　同樣，如果莊子有靈，他也許會説，德里達所謂差別性活動雖然旨在消解一切對立，然而，其本身不正是建立在絶對的差別——即差別與同一性之間的絶對對立的基礎之上嗎？ 德里達很難象中國人那樣，在差別中看到同一，在同一中把握差別，即如莊子，在自然中看到天命，在天命裏體會自由。本來就没有不可調和的二元對立。在這裏，可以説德里達畢竟是德里達，終究難逃西方文化的同一性邏輯。